Jonathan Dee

Een goed excuus

Vertaling Lidwien Biekmann & Aleid van Eekelen-Benders

Nieuw Amsterdam *Uitgevers*

Oorspronkelijke titel *A Thousand Pardons*. Random House, imprint of
The Random House Publishing Group, a division of Random House, Inc.,
New York

© Jonathan Dee 2013

© Nederlandse vertaling Lidwien Biekmann & Aleid van Eekelen-Benders/
Nieuw Amsterdam *Uitgevers* 2013

Alle rechten voorbehouden

Omslagontwerp Bart van den Tooren

Typografie binnenwerk Steven Boland

Foto omslag © Getty Images

NUR 302

ISBN 978 90 468 1439 0

www.nieuwamsterdam.nl/jonathandee

1

Helen probeerde niet op haar horloge te kijken, want op je horloge kijken veranderde nooit iets, maar het was al kwart voor zeven en de koplampen van de auto van haar man waren nog steeds niet vanachter de heuvel opgedoken. Het was al zo donker dat ze haar voorhoofd tegen het keukenraam moest drukken en haar handen om haar ogen moest houden om buiten iets te zien. Meadow Close was een doodlopende straat, dus ook al kon ze de auto zelf niet onderscheiden, zodra ze koplampen boven op de heuvel zag was er een kans van een op zes dat het die van Ben waren. Of eigenlijk van een op drie, want als ze haar hoofd een stukje draaide binnen de kom van haar handen kon ze de auto van de Hughes' op hun oprit zien staan, en die van de Griffins, en die obscene gele Hummer van dokter Parnell...

'Mam!' riep Sara vanuit de woonkamer. 'Krijg ik nog een glas mineraalwater?'

Twaalf jaar was oud genoeg om je handjes te laten wapperen en zelf je derde glas water in te schenken. Maar het was dinsdag, en de dinsdagavond werd altijd beheerst door schuldgevoel, wat dan ook de reden was dat Sara met haar avondeten voor de tv zat, en daarom zei Helen alleen nadrukkelijk: 'Alsjeblieft?'

'Alsjeblieft,' herhaalde Sara.

Toen ze de koelkastdeur dichtdeed kon Helen het niet laten een blik op de keukenklok te werpen. Tien voor zeven. Meneertje Passief-Agressief slaat weer toe, dacht ze. Ze was er niet altijd zeker van of ze die term – passief-agressief – goed begreep, maar als Ben haar weer eens iets had beloofd en het dan niet deed, gebruikte ze hem altijd automatisch. Sara zat op de bank met haar bord op schoot en haar voeten op de salontafel naar een of ander vreselijk programma over rijke meisjes te kijken; ze had haar scheenbeschermers nog om maar had er tenminste wel aan gedacht haar sportschoenen uit te trekken. Helen zette de waterfles op veilige afstand van haar dochters rechtervoet op tafel.

'Dank je wel?' zei ze.

'Dank je wel,' zei Sara haar na.

Toen keken ze allebei om naar de lichtstraal die door de keuken scheen, en even later hoorde Helen de doffe dreun van een autodeur. Daar werd ze niet rustig van maar juist nog meer gespannen. Ze had er een hekel aan ergens te laat te komen en dat wist Ben van haar, althans, dat zou hij moeten weten. Hij kwam de voordeur door in zijn leigrijze pak met zijn boord los en zonder das. Als hij afwezig was, wat zijn woord was voor depressief, trok hij gewoonlijk in de auto zijn das los en liet hem daar dan liggen; toen Helen de vorige zondag door de garage kwam en in het voorbijgaan een blik in zijn Audi wierp, had ze drie of vier stropdassen over de passagiersstoel rond zien glibberen. Daar had ze even de rillingen van gekregen, al wist ze zelf niet waarom. Terwijl hij langs hen heen naar de hal sjokte gleed zijn blik onverschillig van Sara naar haar bord naar de tv, maar zijn uitdrukking bleef onveranderd; hij was veel te ver weg, waar dat dan ook was, om zelfs maar de moeite te nemen zijn afkeuring uit te spreken. Helen liep achter hem aan hun slaapkamer in. Nadat hij zijn zakken had geleegd en de inhoud op de toilettafel had gelegd draaide hij zich zonder een spoor van betrokkenheid naar haar om, waardoor het leek of ze tegen een foto van hem probeerde te praten.

'We zijn laat,' zei ze.

Hij haalde zijn schouders op, maar nam niet eens de moeite om op zijn horloge te kijken terwijl hij dat gewoon om had.

'Laten we dan maar gaan,' zei hij.

'Moet je je niet verkleden?'

'Waarvoor?'

Ze sloeg haar ogen ten hemel. 'Voor ons avondje uit?'

Met een chagrijnig gezicht maakte hij zijn broek los. Het was verdorie soms net of ze twéé pubers in huis had. Om te zorgen dat zijn aandacht niet afdwaalde – hij was tegenwoordig heel goed in staat om een half uur of langer in zijn onderbroek op het bed te blijven zitten met geluidloos bewegende mond – bleef ze staan toekijken terwijl hij een schone trui en een pasgestreken spijkerbroek aantrok. Zijn haar zag er nog uit alsof hij met het dak omlaag had gereden, maar dat moest dan maar. Zulke details zouden Sara vast en zeker ontgaan. Toen hij klaar was marcheerden ze de woonkamer in, waar Helen haar tas pakte en een kus boven op Sara's hoofd drukte.

'Je kunt allebei onze mobieltjes bellen,' zei ze. 'We zijn rond half negen weer thuis. Net als anders.'

Op de tv deed zo te zien een groep mannelijke strippers auditie voor een meisje en haar vader. 'Fijn avondje uit,' zei Sara met een lage stem die boers of achterlijk bedoeld was, en ze deed alsof ze haar vinger in haar keel stak om over te geven.

Omdat Bens auto nog op de oprit stond namen ze die. Helen mikte zijn stropdas op de achterbank. Hij reed te hard, maar alleen omdat hij dat altijd deed, en ze waren tien minuten te laat bij dokter Becket. Niet dat Becket dat erg leek te vinden. Waarom zou ze? Ze werd hoe dan ook voor het volle uur betaald. Dus als het haar niet kan schelen, dacht Helen terwijl ze op de bank gingen zitten, allebei bij een van de kale zijleuningen, en Ben ook niet, waarom vind ik het dan wel erg? Wat mankeert mij?

'En, hoe was jullie week?' vroeg Becket. Ze droeg haar haar in een strakke grijze vlecht waarvan het druppelvormige uiteinde

7

vrijwel wit was. De spreekkamer lag in het achterste gedeelte van een oud koetshuis dat lang geleden tot bedrijfsruimte was verbouwd door een makelaar, die zelf zijn kantoor had in de helft die aan de weg lag en het achterstuk verhuurde. Toen ze veertien jaar geleden probeerden stabieler en welvarender te lijken voor de waanzinnig oppervlakkige Chinese adoptiebureaus, hadden Helen en Ben via diezelfde makelaar het huis aan Meadow Close gekocht. Nu was het avond en brandde er alleen bij dokter Becket licht. Waar zat haar man? Wat deden haar kinderen als zij 's avonds werkte? Helen wist soms niet zo goed wat ze van haar moest vinden, maar als je niet helemaal naar White Plains op en neer wilde rijden, was dokter Becket de enige bij wie je terecht kon.

'Iets beter misschien,' antwoordde Helen toen duidelijk werd dat Ben niets ging zeggen. Dat was een leugen, maar in die troosteloze omgeving was de waarheid meestal iets waar je naartoe moest werken. 'We hebben wat dingen geprobeerd die je de vorige keer hebt voorgesteld. Om in elk geval samen te eten, ook al is dat moeilijk omdat Ben de meeste avonden tot na zevenen werkt.'

'Sommige stellen die ik ken,' zei Becket, 'hebben de ervaring dat het goed werkt om één avond per week voor elkaar te reserveren, zodat het niet van het weekprogramma afhangt maar er een vast onderdeel van vormt, als je begrijpt wat ik bedoel. Een vast avondje uit, zeg maar.' Ze grinnikten allebei, en dat bezorgde Helen even een weemoedig gevoel, echt waar, dat ze allebei op hetzelfde moment om hetzelfde moesten lachen. Becket trok op die ergerlijk onaangedane manier van haar haar wenkbrauwen op.

'Zo kunnen wij het niet noemen,' legde Helen uit. 'Wij noemen het tegen Sara al ons wekelijkse avondje uit als we hiernaartoe komen.'

'Misschien kunnen we tegen haar zeggen dat de donderdag de avond is dat we met anderen uitgaan,' zei Ben.

'Dat is eigenlijk niet zo grappig,' zei Helen, maar het was al te laat, Becket boog zich naar voren om haar tanden erin te zetten, zoals altijd wanneer een van hen beiden er zomaar iets stoms uitflapte.

Ik ben benieuwd waarom je dat zegt, Ben,' zei ze liefjes. 'Is dat iets wat je graag zou willen? Met een ander uitgaan?'

Helen sloot haar ogen. Dokter Becket bevestigde alleen maar alle stereotiepe ideeën die Ben over haar had, alles waar hij elke week tijdens de rit naar huis over klaagde: dat ze een afzetter was, een charlatan, die alleen maar alles herhaalde wat je tegen haar zei en dan aan jou vroeg wat het betekende. Waarom doen we dit eigenlijk? vroeg hij dan. Wat heeft het voor zin? Omdat je toch íéts moest doen – een beter antwoord had ze niet, en om die reden zei ze het meestal maar niet hardop. Je moest toch iets proberen, zelfs iets wat zo'n tijdverspilling, zo frustrerend en vernederend was als dat wekelijkse uur achter in het koetshuis, omdat niets doen betekende dat je het acceptabel vond om in een huwelijk te zitten waarin je nauwelijks een woord wisselde, elkaar nauwelijks aanraakte, je man zo depressief was dat hij wel een zombie leek terwijl jij je door het solipsisme van zijn depressie alleen maar bedrogen en kwaad voelde, en je dochter inmiddels zo oud was dat haar niets van dat alles ontging, of ze dat nu al besefte of niet.

Maar nu waren er dertig seconden verstreken zonder dat Helen hem iets had horen zeggen of zelfs maar zo'n onvolwassen, honend gezucht had gehoord dat ze zo goed van hem kende, en toen ze haar ogen weer opende en naar hem keek, zag ze tot haar verbijstering dat haar man als een kind zijn ogen afveegde met de rug van zijn hand.

'Ja,' zei hij. 'Ja. Ik bedoel… jezus. Ik zou dolgraag met een ander uitgaan.'

Waarop alleen maar een veelbetekenende stilte zou kunnen volgen, maar omdat stilte dokter Becket een gruwel was, vanuit de overweging dat stilte iedereen kon toebehoren maar leeg vakjargon daarentegen haar persoonlijke stempel kon dragen, zei ze tegen hem: 'Kun je daar wat meer over vertellen?'

'Niet iemand in het bijzonder,' vervolgde hij. 'Eigenlijk het liefst een vreemde. Ik zou het fijn vinden om morgenochtend wakker te worden naast iemand die geen idee heeft wie ik ben. En om dan uit het raam te kijken en niets te herkennen. Ik zou verdomme iemand anders willen zien als ik in de spíégel keek,' zei hij met een volslagen misplaatst lachje. 'Ik bedoel, ik kan toch niet de enige zijn die er zo over denkt? Wil je me serieus wijsmaken dat jij dat niet zo voelt?'

Het was niet duidelijk tegen wie van beiden hij het had; hij staarde naar het vloerkleed, de tranen dropen van zijn neus en hij zette bepaalde woorden met een soort karatebeweging van zijn handen kracht bij.

'Wat gaat er op dit moment door jou heen, Helen?' vroeg dokter Becket.

Ben had gelijk, dacht ze; het was allemaal maar een act, die ouwe grijze oplichtster deed zelfvoldaan alsof ze de regie stevig in handen had, ook al had ze net zo weinig benul wat zich daar in vredesnaam voor haar ogen afspeelde als haar beide cliënten. 'Heel wat,' zei Helen, en ze deed haar best erbij te lachen. 'Maar vooral dat ik hem al iets van een maand niet meer zo veel achter elkaar heb horen zeggen, geloof ik.'

'Omdat het allemaal zo weinig verrássend is,' zei Ben, alsof hij niet had gehoord dat iemand anders iets zei. 'Ik word er bang van. Ik ben bang voor werkelijk ieder onderdeel van mijn dag. Elke maaltijd die ik eet, elke cliënt die ik spreek, elke keer dat ik de auto in of uit stap. Het jaagt me allemaal de stuipen op het lijf. Ben jij jezelf weleens zo zat geweest dat je er letterlijk doodsbenauwd van werd? Zo is het voor mij elke dag. Zo is het voor mij om hier te zitten, nu op dit moment. Het is verdomme net een doodvonnis, om elke avond weer naar dat huis terug te komen. Niet onaardig bedoeld, hoor.'

'Niet onaardig bedóéld?' zei Helen.

'Het is niet dat Helen zelf zo saai is, dat bedoel ik niet, of dat een andere vrouw saaier of minder saai zou zijn. Het is de situatie. De toestand. Het ligt niet speciaal aan jou.'

'O, nou, dank je wel, hoor,' zei Helen. Haar hart bonsde.

'Elke dag is een verspilde dag, en je weet dat je er maar een beperkt aantal krijgt, meer niet, en als iemand nu met het woord "midlifecrisis" aankomt, dan ga ik een geweer halen en dan schiet ik de tent hier overhoop, net als in Columbine, ik zweer het. Dit is een existentiële crisis. Elke dag is uniek, een nulsom, en als hij voorbij is krijg je hem nooit meer terug, en desondanks, désondanks, weet ik bij het begin van elke dag absoluut zeker dat ik hem al eerder heb beleefd, dat ik de komende dag al eens heb beleefd. En toch ben ik bang om dood te gaan. Wat is dat nou verdomme voor onzin? Ik denk trouwens heus niet dat ik er te goed voor ben. Eigenlijk zal ik er wel niet eens goed genoeg voor zijn, als je het zo wilt bekijken. Ik krijg het Spaans benauwd, zo verveelt alles me: mijn huis, mijn werk, mijn vrouw, mijn dochter. Dacht je dat ik me daardoor superieur voel? Maar als je eenmaal ziet hoe afgezaagd en levenloos het allemaal is, dan kun je dat niet níét meer zien, dat is het punt. Ik heb zelfs Parnell tegenover ons een recept voor Lexapro laten uitschrijven, wist je dat?' Eindelijk keek hij Helen aan, die haar hand voor haar mond hield, alsof ze geluidloos voordeed wat ze van hem wilde, dat hij zijn mond hield, het weer inslikte. 'Natuurlijk weet je dat niet, hoe zou je dat moeten weten. Maar goed, ik heb het twee maanden geslikt, en zal ik je eens iets zeggen? Het maakte geen ene donder verschil in wat ik voelde, voor wat dan ook. En daar ben ik blij om.'

Helen wierp een heimelijke blik op Becket, die met haar vingertoppen tegen elkaar onder haar slappe kin naar voren gebogen zat. Ze had niet tevredener met zichzelf kunnen kijken.

'Er moet iets veranderen,' zei Ben. Hij klonk ineens vermoeid, alsof het heel wat van hem had gevergd om zijn vrouw en kind, en het hele leven dat ze samen leidden, aan de kaak te stellen. De arme schat, dacht Helen kwaadaardig. 'Er moet iets gebéúren. Het is moeilijk om buiten jezelf te treden. Om buiten de begrenzing te treden van wie je bent. Waarom is dat zo moeilijk? Maar de druk neemt alleen maar toe tot de boel ontploft, denk ik, en als dat je dood niet wordt, dan word je misschien zo ver weg geworpen dat je helemaal vrij bent van alles, van wie je bent. Nou, hoe dan ook. Zo werkt het, denk ik.'

Hij leunde achterover op de bank, de bank waar ook zijn vrouw op zat, en nog geen halve minuut later was hij weer verdwenen, was zijn gezicht weer omgesmolten tot datzelfde zombiemasker waar Helen nu al een jaar tegenaan keek, of misschien wel twee, zonder ooit echt een idee te hebben wat zich daarachter afspeelde.

'Ik weet dat het misschien pijnlijk lijkt,' zei Becket, 'maar volgens mij hebben we onszelf hier vanavond iets gegeven waar we echt, echt op voort kunnen bouwen.'

Terug naar huis reed hij, omdat het zijn auto was, ook al was ze ineens bang dat hij hen als de gelegenheid zich voordeed tegen een boom of een lantaarnpaal te pletter zou rijden. Eigenlijk vroeg ze zich zelfs vagelijk af waarom hij dat niet deed. Toen ze de top van de heuvel bereikten en hun huis in zicht kwam, waar alle lampen brandden, verbrak hij de stilte door vriendelijk te zeggen: 'Kunnen we op z'n minst afspreken dat we nooit meer teruggaan naar die godvergeten trut met haar miezerige spreekkamertje?'

'Nou en of,' zei Helen. Het einde van het avondje uit.
In het donker leken de dunne rijen bomen langs de achtergrens van hun terrein – zo vroeg in het voorjaar kon je er nog dwars doorheen kijken en de achterzijde van de waterzuiveringsinstallatie zien – diep als een woud. Hij liep voor haar uit de hal door en naar links, de keuken in, om de kurk uit de whiskeyfles te

trekken. Sara zat in haar kamer met de deur dicht; haar licht was nog aan en je kon vaag het getik op haar toetsenbord horen, wat betekende dat ze huiswerk zat te maken of juist niet. Het liefst was Helen even naar haar toe gegaan, maar ze wist dat ze haar dochter op dat moment vast niet zou kunnen aankijken zonder in tranen uit te barsten; daarom bleef ze daar in de gang met haar schouder tegen de wand naast de deur staan luisteren naar het ondoorgrondelijke tikken op de toetsen. Achter zich in de woonkamer hoorde ze de tv aangaan.

Ze wist wat de beste oplossing was. Samen de boel demonteren: hem helpen nieuwe woonruimte te vinden, de geldzaken regelen, ondertekenen wat er te ondertekenen viel, een schijn van eenheid ophouden tegenover die arme Sara, die tenslotte al door twee ouders in de steek was gelaten. Maar voor het eerst in haar leven voelde Helen daar niets voor. Waarom zou ze zelfs dit makkelijk voor hem maken? Achttien jaar lang had ze alles makkelijk voor hem gemaakt, en wat ze ervoor terugkreeg was een explosief, huilerig openbaar vertoon van zijn afschuw als hij haar alleen al zag. De beste oplossing kon de pot op. Als hij haar zo haatte, als het leven met haar zo'n doodvonnis was, dan moest hij nu maar eens laten zien hoe manhaftig hij kon zijn door zelf zijn ontsnapping te beramen.

Ze hoefde niet lang te wachten. Zoals elk jaar arriveerde er begin juni een nieuwe oogst aan zomerstagiairs op het advocatenkantoor in de stad waar Ben werkte, voor hun vreemde auditie. Ze kregen een zeer bescheiden portie echt werk, ook al wist iedereen – en werden er zelfs grapjes over gemaakt – dat dat een misleidend lokkertje was en dat ze, als ze het geluk hadden fulltime in dienst te komen, daarna even meedogenloos aan het werk gezet zouden worden als ingehuurde muilezels. Eigenlijk was het een auditie voor de levensstijl, voor hun ontvankelijkheid voor extraatjes. Ze kwamen van Harvard, Michigan of Stanford; ze waren jong en gehoorzaam, verrichtten op een sportieve manier simpele taken en werden in het diepe gegooid met carte blanche, het nummer van een autoservice en een gevoel of ze als koningskinderen de hun toekomende privileges opstreken.

Ze stonden op de drempel van alles waarvoor ze zich voorbestemd voelden en alles waar anderen hen om zouden benijden, precies op dat moment in het leven waarop een bepaald type hedonist later zou terugkijken met de wens dat het eeuwig had mogen duren. Een van hen, een kleine, blonde, extraverte, bijna komisch goedgebouwde tweedejaars van Duke die Cornelia Hewitt heette, trok Bens aandacht. Hij vroeg of zij op een eenvoudige erfeniszaak gezet kon worden waar hij mee bezig was – het was gebruikelijk dat je als junior partner om een stagiair verzocht louter op grond van wat je van ze meekreeg als ze langs de open deur van je kamer liepen – en tegen Onafhankelijkheidsdag was hij zijn zelfbeheersing zo ver kwijt dat een paar collega's hem terzijde namen, volkomen onofficieel natuurlijk, en hem aanraadden een beetje rustig aan te doen. Daar trok hij zich niets van aan, en voor zover hij zich er al iets van aantrok of hijzelf of het kantoor enig risico liep, dan stond hij alsnog machteloos tegenover wat hem dreef. Hij nam Cornelia bijna elke dag mee uit lunchen; hij liet haar zelfs in het weekend naar kantoor komen, wat ongehoord was, maar Ben was bereid alle middelen waarover hij beschikte in te zetten om bij haar te kunnen zijn. Hij had een fotokopie van haar personeelsdossier onder zijn autostoel verstopt liggen.

Cornelia wist niet goed wat ze ermee aan moest. Het zou vast zijn voordeel hebben om zulke intense persoonlijke belangstelling bij een partner te wekken, zelfs al was haar niet duidelijk wat voor voordeel; de details waren wazig, maar het had iets elementairs waardoor het leek alsof het glashelder zou moeten zijn. Ze was slim genoeg om te weten dat de vrouw in situaties als deze uiteindelijk meestal de schuld kreeg als het uit de hand liep. Ze was altijd bedacht op een grens in haar omgang met hem, een grens tussen wat gepast en wat slim was, zowel met als zonder anderen erbij. Wat Ben betrof, haar te zien worstelen om die scheidslijn te vinden, uit te puzzelen welke gevolgen van haar eigen verleidelijkheid ze in deze nieuwe volwassen context al dan niet onder controle had – met haar vrouwelijkheid, zou je kunnen zeggen – was bedwelmend. Hij begon haar te sms'en, en als ze daar niet op reageerde haar op haar mobieltje te bellen, en toen de zomer halverwege was, en hij het gevoel kreeg dat die hele bevlieging wel iets had van zijn leven in het klein, in de zin dat de gelegenheid om overal boven te staan hem nu door de vingers glipte, zei hij tegen haar dat hij verliefd op haar was.

Om precies te zijn, hij zei tegen haar dat hij dood zou gaan als hij niet heel gauw met haar naar bed kon. De rest sprak vanzelf. Toen hij zich eenmaal had verklaard, toen hij eens en voor al elk beroep op dubbelzinnigheid, juridisch of anderszins, onmogelijk had gemaakt, voelde Cornelia het machtsevenwicht in hun relatie, die tot dan toe instabiel had geleken, definitief doorslaan naar haar kant, en dat was het moment waarop haar belangstelling echt werd gewekt – misschien niet voor zoiets als de volgende stap met die oude getrouwde man, maar op zijn minst voor het potentieel van zijn hartverscheurende statusquo. Inmiddels waren de meesten van haar medestagiairs zover dat ze niet meer met haar praatten. Ze werd benieuwd hoe ver zij, in haar kennelijke onweerstaanbaarheid, die man – vijfenveertig, tot dusverre waardig, geslaagd precies zoals zij van plan was te slagen, een emotionele slaaf in zijn begeerte naar haar – kon krijgen, en wat dat zou kunnen onthullen over haar beoogde beroepsgebied.

Ze ontweek zijn terloopse aanrakingen niet langer en hing niet meer op als zijn beschrijvingen van specifieke verlangens de grens van de zelfbeheersing overschreden. Ze wist niet goed of zijn volslagen verlies van decorum betekende dat ze vast en zeker door het bedrijf in dienst genomen zou worden of dat ze haar, zodra haar zomercontract erop zat, nooit ofte nimmer nog een stap in het gebouw zouden laten zetten; maar de hele situatie was nu een experiment op zich geworden, een instandhouden van bepaalde emotionele onrechtvaardigheden in de jacht op kennis over hoe de wereld in elkaar zat en waar zich de beste zitplaats erin zou kunnen bevinden. Een vrouw met haar gaven, zo verzekerde ze zichzelf, zou wel ergens worden aangenomen. Vreemd genoeg realiseerde Ben zich op een gegeven moment, zonder door dat besef ook maar iets afgeremd te worden, dat hij weliswaar hopeloos verliefd op haar was, maar haar eigenlijk helemaal niet zo graag mocht. Toch scheen hij tot de conclusie te zijn gekomen dat hij alleen maar kon eindigen als een dwaas, een antagonist, die de hoon van het publiek wekte, omdat je pik in de mond van een beeldschoon jong meisje hebben de enige draaglijke staat van zijn was die hij zich nog kon voorstellen, en alles waard wat zijn collega's, die laffe kliek, hem voor de voeten kon werpen.

Helen had nergens een flauw idee van, maar het zou onterecht zijn daaruit te concluderen dat ze dom of onopmerkzaam was, of zich in een staat van ontkenning bevond of zo. De signalen ontgingen haar niet, omdat er vanuit haar gezichtpunt – ze zag haar man alleen in het half uur voor hij 's ochtends de deur uit ging, of 's avonds in het uur tussen zijn thuiskomst en het moment dat hij na drie whiskeys in bed kroop en het licht uitdeed – helemaal geen signalen waren. Alles was precies zoals het al heel lang was. Als hij 's ochtends al een tikje euforischer leek, iets meer haast leek te hebben terwijl hij zijn koffie opdronk, zijn das strikte, in zijn auto stapte en wegreed, dan zag ze dat uitsluitend als een afspiegeling van zijn gevoelens voor haar, dat wil zeggen: hij reed van iets weg, niet ergens naartoe. Omgekeerd leek de lange terugrit over de Saw Mill 's avonds alle duistere uitbundigheid aan hem te onttrekken, en was er als hij binnenkwam niets in zijn uitdrukkingsloze gezicht en zijn vlakke stem wat ook maar enigszins ongewoon was. Wat haar het zwaarst viel was dat Ben zo'n slechte vader was geworden. De idiote starre grijns die hij altijd op zijn gezicht had als zijn dochter met hem praatte moest Sara zelf toch ook hebben opgemerkt, of gevoeld. Dat deed Helen nog het meest verdriet. Ze kon zich eigenlijk, behalve misschien afgaand op de feiten, geen tijd meer voor de geest halen waarin het beter ging tussen haar en haar man, maar ze herinnerde zich scherp hoe goed het vroeger tussen vader en kind zat.

In augustus nam Ben vijf dagen achter elkaar een kamer in het Hudson Hotel in de hoop dat hij Cornelia zou kunnen overhalen er met hem naartoe te gaan. Hij had de kamer niet gezien. Die hele week herinnerde hij haar er telkens als ze alleen waren aan dat die kamer daar op hen wachtte, leeg en duur, alleen voor hen, en daar zou blijven wachten tot ze ja tegen hem zei.

Op vrijdag besloot ze, waarbij ze als het ware een paradox van Zeno afsmeekte, dat ze ja tegen hem kon zeggen zonder, expliciet of in haar hart, haar gelofte te breken dat ze geen seks met hem zou hebben. Om vier uur belde hij de autoservice en reden ze met z'n tweeën in airco en stilte naar West 58th Street. Ben zat te rillen. De mensen die bij elk rood verkeerslicht langs de raampjes stroomden, passeerden even geluidloos en machteloos als geesten; hoewel hij in een ander opzicht zelf de geest was, dacht Ben, want zij tuurden boosaardig van hun kant van het getinte glas naar hem maar konden toch zijn gezicht niet zien. In de lift van het Hudson ging hij galant achter haar staan en verkende met zijn ogen de gladde huid van haar schouders, het stukje nek onder haar opgestoken haar, de onvergelijkelijke, overdreven hartvorm van haar kont, de benen op hoge hakken die haar hoofd nog altijd niet hoger dan zijn kin tilden. De kamer was niet de mooiste van het hotel; er stond, volledig in overeenstemming met Bens voorstelling ervan, een enorm bed, er was een raam met luiken ervoor en dat was het wel zo'n beetje. Hij ging in de enige stoel zitten en staarde naar Cornelia, die in de smalle ruimte tussen het voeteneinde van het bed en haar eigen weerspiegeling in het donkere tv-scherm stond.

'We gaan geen seks hebben, Ben,' zei ze.

'Oké,' zei Ben. Hij bleef staren, niet om haar te vernederen of van haar stuk te brengen, maar bijna alsof hij geloofde dat ze niet eens wist dat hij daar zat. Na een halve minuut werd haar jeugdige ongeduld haar te veel, zoals hij al had vermoed.

'Maar wat doen we hier dan?' vroeg ze. 'Wat verwachtte jij dat er zou gebeuren? Heb je zo je zin?'

'Kleed je uit,' zei hij.

'Wat?'

'Trek al je kleren uit en blijf dan gewoon zo staan, zodat ik naar je kan kijken. Dat is genoeg.' Wie weet, dacht hij, misschien is dat echt genoeg. Maar ik denk het niet.

'Echt niet,' zei Cornelia. 'Dan bespring je me.'

'Ik beloof dat ik dat niet zal doen.'

'Ik mag dan klein zijn, maar ik kan me wel verdedigen.'

'Het zou niet in me opkomen.'

'Jij blijft gewoon daar in die stoel zitten en je komt er niet af?'

'Beloofd. Jij daar, ik hier.'

'Hoelang?'

Hij dacht erover na. 'Weet ik niet,' zei hij. 'Tot er iets anders gebeurt, denk ik. Wat dan ook.'

Ze probeerde het van alle kanten te bekijken. Als ze geen goede reden kon bedenken om aan zijn woord te twijfelen, liep ze het gevaar een tikje opgewonden te raken bij het idee. Alleen naar haar kijken. Alleen naar haar kijken zou genoeg voor hem zijn. Volkomen onschuldig, meer niet. Ze genoot altijd van de ervaring bewonderd te worden, en hoewel ze nooit gebrek had gehad aan gelegenheden om zich door mannen te laten bewonderen, maakte de aanblik van Ben, die daar geduldig in zijn beige zomerpak in die stijve hotelstoel zat, haar duidelijk dat dat niet altijd zo zou blijven.

'Je haalt toch niet opeens je pik uit je broek om te masturberen, hè?' vroeg ze.

'Toe, zeg. Waar zie je me voor aan?'

Ze stapte uit haar pumps, en toen ze weer rechtop ging staan was ze tien centimeter dichter bij de vloer. Ze had een vriend, een forse, onderdanige, norse voormalige lacrosse-captain met wie ze al sinds college ging, toen zij in het tweede en hij in het vierde jaar zat. De laatste twee jaar hadden ze elkaar niet vaak gezien, meestal in het weekend als ze een van beiden of allebei genoeg geld hadden voor de reis, omdat zij in Durham zat; maar toen zij voor haar zomerbaan naar New York kwam, waar hij al woonde omdat hij als junior analist bij de Bank of America werkte, leek het niet meer dan logisch, om niet te zeggen voorzichtig optimistisch, dat ze bij hem in zou trekken in zijn appartement in Fort Greene. Dat was niet zo'n succes geworden, althans in haar ogen, maar dat wilde nog niet zeggen dat ze van plan was vreemd te gaan. Hij wist alles, of bijna alles, van de sms'jes en de telefoontjes van haar baas. Het zou voor Cornelia van belang zijn dat tien minuten of een half uur lang openlijk naakt in een hotelkamer staan, met een van de junior partners die naar haar keek terwijl de tranen hem nota bene over het gezicht stroomden, nadrukkelijk niet in de categorie viel van seks hebben met, of zelfs aangeraakt worden door, een andere man. Ze ritste haar jurk open, niet langzaam of uitdagend, en toen hij op de vloer viel raapte ze hem op, legde hem zorgvuldig languit op het voeteneinde van het bed en streek hem met twee handen glad. Haar beha liet rode lijntjes achter onder haar borsten en op de gladde huid onder haar armen; Ben staarde naar die lijntjes tot ze vervaagden tot niets, met een gevoel alsof hij had getriomfeerd over de tijd. Er leek geen einde te komen aan haar heerlijkheden. Toen ze haar simpele broekje uittrok zag hij dat ze haar schaamhaar had afgeschoren, niet helemaal maar zo dat er nog een smal strookje over was, zoals ze tegenwoordig allemaal schenen te doen, omdat dat zo mooi stond. Wat een wonderlijke wereld, dacht hij, waarin vrouwen zoiets moeilijks en intiems en volkomen zinloos doen, alleen maar omdat het mooi staat. Wat een zegen om in die wereld een man te zijn.

'Zo goed?' vroeg Cornelia ten slotte. Ze moest zich bedwingen om haar armen niet voor haar borsten te vouwen.

Hij probeerde iets te zeggen maar dat lukte niet, en daarom knikte hij maar glimlachend. Het was een trieste dwaasheid, wist hij, om aan te nemen dat zelfs dit gevoel, sterker dan alles wat hij tot dan toe ooit had gevoeld, niet na verloop van tijd zou verzwakken, zoals gevoelens altijd deden; maar op dat moment werd hij zo overweldigd door dankbaarheid dat hij zich niet kon voorstellen ooit iets anders te voelen.

Toen ze weer aangekleed was stond hij op en opende de deur voor haar, en daar op de drempel – absoluut niet buiten adem, maar eerder alsof hij er al een hele tijd was – stond Cornelia's vriend. Ben hoorde Cornelia naar adem happen nog voor hij de jongen zelf zag (hij stond weer naar haar kont te kijken, en te bedenken hoeveel het uitmaakte of je je voorstelde hoe die er zonder kleren uit zou zien, of je dat herinnerde) en hij keek nog net op tijd op om de eerste dreun pal op zijn mond te krijgen. Alsof hij een trap van een paard kreeg. Niet te geloven hoeveel kracht erachter zat. Hij snapte intuïtief wat er aan de hand was, voornamelijk door de aard van Cornelia's geschreeuw – ze probeerde de jongeman in bedwang te houden, niet hem te smeken – ook al had hij geen flauw idee gehad dat er zoiets als een vriend in beeld was. Die kwam niet in haar personeelsdossier voor. Hij heette Andy, blijkbaar. Ben viel op zijn knieën, voelde iets versplinteren in de buurt van zijn neus en toen werd alles wit. Een tijdlang gingen de dreunen in elkaar over zodat ze één geheel werden, en toen was het voorbij. 'Geen politie,' mompelde hij met een stem die totaal niet als de zijne klonk, waarna hij één oog opendeed en zag dat er toch niemand meer was die hem hoorde; de gang die hij in keek terwijl hij op zijn buik op de vloerbedekking lag was leeg, en zowel Cornelia als zijn jonge overvaller waren verdwenen.

Zijn eerste gedachte was natuurlijk de hotelkamer weer in te gaan, hij had ervoor betaald. Maar de keycard zat niet in zijn zak. Best mogelijk dat hij die was vergeten en hem op de toilettafel had laten liggen, of zelfs dat hij hem daar expres had laten liggen, omdat hij dacht dat ze uitcheckten. Het leek nu te lang geleden om zich dat te herinneren. Met zijn blik afgewend van alle spiegels nam hij de lift naar de lobby, baande zich een weg langs de ontzette gezichten van vreemden en piccolo's daar en beval een portier een taxi voor hem te regelen.

'Meneer?' was het enige wat de man kon uitbrengen.

Ben gaf het op, duwde hem opzij en dook met het hoofd voorover de eerste taxi in die hij zag. 'De hoek van 38th Street and 10th Avenue,' zei hij. De chauffeur was er zo een die zijn hele dienst lang onverstaanbaar in een handsfree telefoon praatte. Al had hij Bigfoot op de achterbank gehad, hij zou het niet hebben gemerkt en het had hem ook niets uitgemaakt. Ben glimlachte en wenste meteen dat hij dat niet had gedaan. Er was daarbinnen iets gebroken, en als het niet gebroken was zat het veel te los.

De bediende van de parkeergarage op de hoek van 38th Street en 10th Avenue was iemand die Ben de afgelopen vier jaar vijf keer per week had gesproken, dus de manier waarop die reageerde gaf hem een wat beter idee hoe vreselijk hij er wel niet moest uitzien. Zijn revers en de voorkant van zijn overhemd waren bruin van het bloed, dat kon hij zelf zien, maar zijn nieuwe gezicht was nog een raadsel voor hem. De bediende – Ben had hem afgelopen kerst honderd dollar fooi gegeven, maar kon nu ineens niet meer op zijn naam komen – was daar als verstijfd, bleek en doodsbang, ook al had het feit dat Ben daar stond voldoende moeten zijn om zonder nadere instructies glashelder te maken dat hij zijn auto wilde. Maar door de angst van de man drong tot Ben door dat zijn spectaculaire ondergang hem vreemd genoeg een zeker vluchtig gezag verleende, een vrijbrief om te zeggen wat hij maar wilde, en dat bracht hem op een idee. Hij haalde zijn portefeuille tevoorschijn en gaf de bediende – Boris! zo heette hij – twee briefjes van vijftig.

'Boris, beste man, loop even naar de overkant,' zei hij zo duidelijk en hautain als hij kon, en hij wees naar de slijter op 10th Avenue, pal tegenover de garage, 'en koop een liter Knob Creek Bourbon voor me. Als ze geen Knob Creek hebben neem je maar Maker's Mark.'

En dat deed Boris, al was het maar om aan die arm vol bloedvlekken om zijn schouders te ontsnappen. Toen hij terugkwam nam Ben de zak van hem aan en maakte een overdreven ongeduldig gebaar, alsof hij wilde zeggen: en waar blijft mijn auto, verdomme? Zodra dat geregeld was stapte hij in; hij sloot de deur, zette de fles tussen zijn bovenbenen, ontkurkte hem en begon toen voor de allerlaatste keer aan de dagelijkse terugrit naar Rensselaer Valley.

Dat haalde hij niet, al bereikte hij wel County Road 55, op nog geen zevenenhalve kilometer van zijn huis, wat gezien de omstandigheden toch al een indrukwekkende prestatie was. Over de rit van West 38th Street naar Meadow Close had hij hooguit twee uur moeten doen; wat hij al die andere uren had uitgespookt was iets waar Ben geen idee van had, en er meldde zich ook niemand die dat wél wist. Misschien had hij alleen maar gedronken en wat rondgereden. De politie, door Helen gebeld nadat zij een telefoontje had gekregen van de senior partner van Bens kantoor, vond hem niet als eerste: kort na zonsopgang stuitte een vroege fietser op Bens Audi: lampen aan, raampjes open, half op de weg en half in de berm tot stilstand gekomen.

De brandstofmeter stond ver onder nul. Bens adem ging snel en oppervlakkig, en hij lag op zijn rechterzij op de voorbank. Hij reageerde niet toen hij werd aangesproken, of toen er met enige aarzeling aan zijn enkel werd geschud. De fietser pakte zijn telefoon en belde 911. Hij dacht dat hij maar beter kon wachten tot de politie of de ambulance er was, voor als ze hem soms iets wilden vragen. Hij hief zijn hoofd en spitste zijn oren, maar hij hoorde geen sirenes, alleen maar de wind die door de bladeren ritselde. Toen hield hij zijn telefoon weer omhoog en nam er een paar foto's mee.

Dat Ben niet reageerde was meer het effect van de whiskey dan van zijn hoofdletsel, ook al maakten de zwellingen van dat laatste het aanvankelijk lastig voor het ambulancepersoneel. Maar hoewel het in de uren nadat hij was gevonden een dubbeltje op zijn kant was, was zijn toestand al binnen een week zo stabiel dat hij naar huis mocht, in afwachting van de voorgeleiding. Want inmiddels was er een aanklacht tegen hem ingediend, en niet alleen vanwege rijden onder invloed, wat op zich al crimineel genoeg was om zijn carrière in gevaar te brengen. Er verschenen ook nog twee rechercheurs vanuit Manhattan bij zijn ziekenhuisbed, die hem arresteerden voor poging tot aanranding. Hij was zo verbaasd dat hij dacht dat het mogelijk een effect van de morfine was, maar toen hij de volgende dag aan een van de afdelingszusters vroeg of het allemaal echt was gebeurd, perste zij haar lippen samen en knikte. Cornelia, Cornelia, dacht hij. Misschien was ze echt zo meedogenloos als het erom ging haar doel te bereiken, of misschien was ze doodsbang voor die psychotische jongetjesreus die haar blijkbaar als zijn eigendom beschouwde. Hoe dan ook, hij dreef nu op open zee en zover was hij ter wille van haar gegaan zonder ook maar het flauwste benul te hebben wie ze was.

Helen wilde hem niet eens thuis hebben toen hij uit het ziekenhuis werd ontslagen, maar hij was zo zwak en had zo veel pijn – vandaag de dag werd je zo ongeveer het ziekenhuis uit gegooid zodra ze dachten dat te kunnen doen zonder je te vermoorden – dat ze toegaf. Toch kon ze haast niet geloven dat ze zo weinig medelijden met hem had. Achttien jaar. 's Avonds legde ze de Vicodin naast zijn bed, met een glas water erbij, en ging dan zelf op de bank in de woonkamer slapen. Sara kwam alleen haar kamer uit om te eten; over minder dan twee weken begon de school weer. Hun telefoons stonden allemaal uit. Elke dag halverwege de middag snakte Helen ernaar het huis uit te kunnen en domweg ergens anders te zijn, al was het maar een uurtje, maar ze durfde Sara niet met haar vader alleen te laten en durfde Ben al helemaal niet in z'n eentje alleen te laten. Ze zat in de keuken en keek tussen de jaloezieën door uit naar vreemde auto's.

Alle ouderwetse hoop dat dit zo'n misstap was die machtige mannen zouden kunnen wegpoetsen, werd de bodem ingeslagen door de foto's van het mobieltje, die binnen een dag overal op internet stonden, en de dag daarna in de kranten. Er was Ben in het ziekenhuis een ontslagbrief gebracht, die hij ondertekende. Daarna lieten zijn voormalige collega's hem per aangetekende brief weten dat ze, om duidelijk te maken dat ze zijn gedrag niet over hun kant lieten gaan, ook nog de procedure in gang hadden gezet om hem te laten royeren; daar hadden ze niet echt reden toe, maar alleen al de wetenschap dat ze hun reputatie voldoende beschadigd achtten om de moeite te nemen voor die symbolische daad, vond hij beangstigend. Hij had een paar kennissen die strafrechtspecialist waren bij concurrerende kantoren, maar zelfs degenen die zijn telefoontjes beantwoordden wilden zijn zaak niet op zich nemen. Met de vaststelling van de borgsom voor de boeg leek het hem geen goed idee om zijn eigen verdediging te voeren. Uiteindelijk moest hij genoegen nemen met een advocaat dicht bij huis, in Rensselaer Valley – de enige daar zelfs – die stond op een aanzienlijk voorschot in contanten omdat hij er, zoals hij tijdens een beker afhaalkoffie in zijn kantoortje op de eerste verdieping boven de ijzerhandel tegen Ben en Helen zei, lang niet zeker van was dat ze, als alles achter de rug was, nog een cent over zouden hebben om hem te betalen.

'Als het zo hopeloos is,' vroeg Helen aan de man, die Joe Bonifacio heette, 'wat kunnen we volgens jou dan het beste doen?'

'Twee dingen,' zei Bonifacio. Hij moest ongeveer even oud zijn als Helen en Ben, bleek, scherpe blik en gekleed alsof hij in de tuin ging werken; hoewel hij beleefd en hulpvaardig was kon ze zich niet aan de indruk onttrekken dat zijn belangstelling voor hen iets plichtmatigs had, iets geforceerds. Je zou hebben gedacht dat zaken als deze dagelijkse kost voor hem waren. Afgezien van zijn studietijd woonde hij kennelijk al zijn hele leven in Rensselaer Valley, wat het opmerkelijk maakte dat Helen zich niet kon herinneren hem ooit eerder te hebben gezien. 'Ten eerste, Ben, moeten we de basis gaan leggen voor het idee dat jij niet verantwoordelijk bent voor je daden, dat je jezelf niet was toen je ze beging. Je geeft niets toe, je verontschuldigt je nergens voor. Een vraag: had je in de weken of maanden voorafgaand aan het incident in kwestie te lijden onder een bepaalde vorm van stress?'

'Nee,' zei Ben.

'Ja,' zei Helen met een verbijsterde blik naar haar man. 'Ja, nou en of. Hij was emotioneel labiel. We hebben een arts die dat vast en zeker zal bevestigen. Nou ja, geen echte arts, maar wel zoiets.'

'Hou op,' zei Ben koeltjes tegen haar. 'Ik wil nu geen lafaard zijn. Laat ik alles maar over me heen krijgen. Als ik ten onder ga, dan wil ik dat niet doen als zo iemand die beweert dat hij niet verantwoordelijk is voor zijn daden.'

En dat vond Helen eigenlijk wel een beetje ontroerend, voor zover ze tegenwoordig nog ontroerd kon worden door iets wat met Ben te maken had; maar toen ze in Bonifacio's richting keek grijnsde die alsof hij van een slecht tv-programma zat te genieten. Wat moest hij de pest hebben aan mannen als Ben, dacht Helen – juristen die elke ochtend naar Manhattan vertrokken terwijl hij de trap naast de ijzerhandel op liep en deed alsof hij zich druk maakte over elke onbetekenende grief waar zijn plaatsgenoten maar mee aankwamen.

'Maar één ding moet je goed onthouden, Ben,' zei hij. 'Jij bent niet de enige die ten onder gaat. Als jij het op de edelmoedige manier wilt afhandelen, dan worden straks, als jij in de cel zit en je memoires schrijft of zo, je vrouw en je dochter uit hun huis gezet, en wordt alle geld dat jullie nog ergens hebben staan hun afgepakt voordat je "mea maxima culpa" hebt kunnen zeggen, begrepen? Goed, je wilt natuurlijk niet dat zij meer onder jouw zonden lijden dan absoluut noodzakelijk, en als je dat wilt voorkomen, of daar op zijn minst over wilt onderhandelen, lukt dat alleen als we iets kunnen bedenken om het idee aan te vechten dat jij schuldig bent.'

Ben reageerde met een instemmende zucht. Zijn dagelijks werk bestond uit trusts en nalatenschappen, maar als puntje bij paaltje kwam waren de mannen allebei jurist, merkte Helen op, en zagen ze allebei in dat wat Bonifacio zei de onveranderlijke waarheid was.

'Dus ik stel het volgende voor. Ben laat zich vrijwillig opnemen in Stages, een instelling in Danbury, misschien hebben jullie er weleens van gehoord, waar hij wordt behandeld voor zijn chronische depressie, bipolair syndroom, ADD, paniekaanvallen, alcoholisme…'

'Ik heb eigenlijk helemaal geen drankprobleem,' zei Ben.

'Heb ik dat dan gevraagd?' zei Bonifacio niet onvriendelijk. 'Je zult je herinneren dat ik zei dat je twee dingen moet doen, en dit is het eerste. Goed, dan nu de beschuldiging van verkrachting.' Helen kromp in elkaar maar verbeterde hem niet. 'Volgens mij weten ze best dat ze wat dat betreft geen poot hebben om op te staan, wat bewijzen betreft, en zijn ze hoe dan ook van plan die aanklacht te laten vallen voor het proces begint. Die hebben ze er alleen maar bij gedaan omdat ze weten dat de stank daarvan voorgoed aan je blijft hangen. En waarom dat zo slim is – en ik weet zeker dat Ben dat ook al heeft bedacht – is dat het het gewenste klimaat schept voor de civiele zaak, waar die hele beroerde zak stront volgens mij van meet af aan voor bedoeld was. We moeten beginnen jou zo goed mogelijk voor dat oordeel te beschermen, en wel meteen vandaag. Dus neem me niet kwalijk als het soms lijkt of ik buiten mijn boekje ga, maar punt twee, Helen, is dat jij onmiddellijk echtscheiding aanvraagt, op grond van ontrouw. Dat zal niet door Ben worden aangevochten.'

Ben fronste zijn wenkbrauwen. 'Maar moet het echt ontrouw zijn?' vroeg hij. 'Want ik wil niet muggenziften of zo, maar ik ben Helen niet echt, letterlijk, ontrouw geweest, en dat weet ze.'

'Dat weet ze?' herhaalde Helen. 'Wat weet ik er verdomme van? Ik weet alleen maar wat jij zegt.'

'Het is echt zo,' zei Ben. 'Geen reden om daarover te liegen.'

'Als ik zo vrij mag zijn,' zei Bonifacio, en hij mikte zijn Starbucksbeker in de prullenbak achter zijn stoel. 'Jullie dwalen nu af in een richting die, al snap ik het natuurlijk wel en voel ik met jullie mee, niet echt constructief is voor ons doel. Jullie maken je er druk om hoe je het verschil kunt zien tussen wat waar lijkt en wat waar is. Dat zou ik voorlopig maar liever laten zitten. Alles wat jullie nu zeggen of doen, hoe intiem ook, is een optreden voor publiek, namelijk de kandidaat-juryleden hier in de stad en in de rest van het circuit. Jullie doen er goed aan daar zo snel mogelijk aan te wennen.'

'Hoor eens,' zei Ben mat; Helen kon zien dat hij moe werd. 'Ik weet best dat het geen erg juristerig voorstel is, maar als het erom gaat om, zoals jij dat noemt, het gewenste klimaat te scheppen, als jij nou eens regelde dat ik haar onder vier ogen kon spreken, dan zou ik…'

Bonifacio zat al nee te schudden. 'Als jij erop uit bent iedereen te laten weten hoeveel spijt je ervan hebt,' zei hij, 'dan wens
ik je veel succes, het beste, en zoek maar een andere advocaat.
Maar ik zal je vertellen wat ik wel ga doen. Omdat jij er zo te
merken alleen maar op die manier vanaf kunt komen: als je nou
eens hier ter plekke zei dat je er spijt van hebt?'

'Nu meteen?' vroeg Ben.

'Jazeker nu meteen. En daarna nooit meer.'

Ben tuurde naar de vloer en toen, met grote moeite, naar
zijn vrouw. Hij leek veranderd, dacht Helen, maar alleen op een
dierlijke manier: gewond, met pijn en beroofd van zijn normale
instinct. 'Geloof me alsjeblieft,' zei hij tegen haar. 'Ook al weet
ik niet zeker of ik wel helemaal begrijp wat ik heb gedaan, ik
neem er de volle verantwoordelijkheid voor. Sara en jij verdienen dit allemaal niet. Het spijt me heel erg.'

'Ik zou niet weten waarom,' zei Helen snel. 'Je hebt je zin
gekregen. Alles is kapot. Ik snap niet waarom je niet teruggaat
naar huis om een groot spandoek met "missie volbracht" op te
hangen.'

'Zo beter?' vroeg Bonifacio. 'Nee, dacht ik al. Maar goed, als
je weer eens de neiging voelt mag je het zo vaak herhalen als je
maar wilt. Zolang het maar altijd hier in deze kamer is, en altijd
met mij erbij.'

Omdat Bens rijbewijs was ingetrokken reed Helen naar huis,
sneller dan ze prettig vond omdat ze er eerder wilde zijn dan de
schoolbus, en ook omdat ze de tijd met hem samen zo kort mogelijk wilde houden. Ben vroeg of hij als Sara thuiskwam onder
vier ogen met haar mocht praten, en het scheelde niet veel of
Helen zei ja, alleen maar om zichzelf het schuldgevoel en de
pijn te besparen bij de aanblik van haar dochters gezicht op het
moment dat ze zich door hen verraden wist, een verraad dat het
meisje misschien al jaren geleden had kunnen zien aankomen
als ze niet zo jong was geweest, te jong om het te voorzien of

het zich hoogstwaarschijnlijk zelfs maar te kunnen voorstellen. Maar ze moest erdoorheen, voor Sara. Die huilde niet, maar trok zich diep in zichzelf terug, knikte op alle passende momenten, haar gezicht een ernstig masker, en sprak hen niet één keer tegen, maakte niet één honende opmerking, zoals ze in vrijwel elk ander gesprek zou hebben gedaan. Daarna ging ze naar haar kamer, deed de deur dicht en zette muziek op (niet iets droevigs of kwaads, gewoon dezelfde popmuziek waar ze altijd naar luisterde) terwijl Ben zijn koffer pakte om zich in Stages te laten opnemen en Helen in de keuken zat, waar haar woede plaatsmaakte voor overpeinzingen in hoeverre het aan haar lag dat ze er niet in waren geslaagd de ineenstorting van hun vertrouwde leventje te voorkomen.

Overal waar ze de daaropvolgende weken kwam – en dat was, besefte ze met de droevige, heldere blik die de rampspoed haar had bezorgd, niet veel verder dan de Starbucks, de Price Chopper, de junior high school, de stomerij en de stortplaats – deden haar buren en kennissen alsof ze haar niet zagen, of alsof ze net haastig op weg waren naar iets aan de overkant, niet omdat ze haar veroordeelden of op haar neerkeken, maar omdat de omvang van de schande die zij over zich heen had gekregen zo dramatisch was dat ze niet goed wisten hoe ze erover moesten beginnen en dus ook niet hoe ze op dezelfde manier als vroeger met haar konden praten. Alleen haar beste vriendinnen deden het voorkomen alsof alles nog net zo was als eerst, wat in zekere zin nog erger was. Hun vriendschap bevatte nu een element van toneelspel, ook als er niemand anders bij was die het zag en voor wie hun voorbeeld als verwijt kon dienen, waardoor Helen zich realiseerde dat die vriendinnen in feite voor zichzelf toneelspeelden – ter meerdere eer en glorie van het beeld dat ze van zichzelf hadden: iemand die een onterecht gekrenkte vriendin niet in de steek zou laten.

En eerlijk gezegd stond het Helen ook tegen om zichzelf als slachtoffer te zien; dat was de reden dat ze smoesjes verzon als er vriendinnen belden om haar met klem uit te nodigen voor de lunch, of ostentatief een lift aan te bieden naar de komende ouderavond op school. Ze had oprecht geen idee hoe diep haar man in de loop van die zomer was gezonken, maar pleitte dat haar vrij, dat ze er geen idee van had? Het was ruim tien jaar geleden dat ze een andere baan had gehad dan zorgen dat hun enige kind een gelukkig thuis en een gelukkig gezinsleven had, en daarin was ze niet bepaald geslaagd. Zo spectaculair was haar mislukking dat de paddenstoelwolk boven haar gelukkige gezinsleven een week lang elke dag de krant haalde, niet alleen thuis in Rensselaer Valley, waar verder nooit veel gebeurde, maar zelfs in Manhattan, waar de ondergang van een rijk en gerespecteerd man als gevolg van zijn eigen perverse neigingen het altijd weer goed deed in de boulevardbladen.

Elke dag was een vacuüm, waarin het huis – een witte, verweerde ranch met groene luiken en een afgewerkt souterrain, waarvan iedereen altijd zei dat hij vanbinnen veel ruimer was dan hij vanbuiten leek – diende als gevangenis en fort tegelijk. Sinds Ben door de deur van Stages was verdwenen had hij geen contact gezocht met zijn vrouw en dochter – grote kans dat dat verboden was, in elk geval voorlopig, volgens een of ander twaalfstappenplan – en Helen deed geen poging hem te bereiken. Hoewel ze het daar nooit over hadden gehad, of zelfs maar afscheid hadden genomen, zou het haar niet vreselijk hebben verbaasd als ze hem nooit meer terugzag. Toen een week of wat na zijn vertrek de school weer begon, was alles nog zo vers dat niemand daar kans had gekregen om ook maar iets te vergeten; op Helens vraag na de eerste schooldag hoe het was geweest om haar klasgenoten weer te zien, gaf Sara het ergste, meest verontrustende antwoord dat er bestond, namelijk dat ze er niet over wilde praten.

Dan was er de kwestie geld. Het was niet zonder meer verdwenen, maar het kostte moeite om erop te vertrouwen dat die vijfenzeventigduizend dollar die als borgsom waren gestort ooit weer hun bankrekening zouden opluisteren. Verder had een rechter in Manhattan op verzoek van Cornelia's advocaten de buitensporige maatregel genomen al Bens bezittingen te bevriezen, inclusief het huis, wat het hun onmogelijk maakte het om financiële of wat voor redenen ook te verkopen. De advocaten voerden aan dat de ophanden zijnde scheiding van Helen en Ben alleen maar een cynische poging was om zich voor toekomstige civiele aansprakelijkheid te beschermen, en de rechter stemde daarmee in zonder zich te verwaardigen bij Helen of iemand die ze kende te informeren of zij zo iemand was die bij wijze van juridische manoeuvre het huiselijk leven van haar kind zou ontwrichten. Stages kostte achthonderdvijftig dollar per dag, en er was nog geen tijdstip vastgesteld waarop Ben zou worden ontslagen. Bonifacio's voorschot bedroeg tweeenzestigduizend dollar. Helen had een betaalrekening waar nog zo'n achtduizend dollar op stond. Met het leven dat ze nu leidde gaf ze alleen geld uit aan eten en benzine, maar toch.

Ze zou weer moeten gaan werken, en wel ergens anders dan in Rensselaer Valley, omdat daar behalve in de dienstverlening geen banen waren en omdat ze hoe dan ook een nieuwe start moesten maken, onder de donkere paraplu uit die Bens waanzin boven hun leven had opengeklapt. Ze moesten opnieuw beginnen. Ze waren nu maar met z'n tweeën. Helen overwoog na veertien jaar terug te keren naar Manhattan en stond zichzelf toe daar een beetje opgewonden van te raken, ondanks het feit dat ze haar laatste, en eigenlijk enige, werkervaring had opgedaan als verkoopleider bij Ralph Lauren, een baan die ze had opgezegd toen de dokter haar tijdens haar tweede zwangerschap bedrust had voorgeschreven. Ze had er weinig idee van hoe inzetbaar ze nu in de stad (of waar dan ook eigenlijk) zou kunnen zijn, en daarom besloot ze tot een paar proefsollicitaties. Op een maandagochtend half september zette ze haar dochter, droevig en gelaten, af voor de ingang van de junior high school, racete toen naar huis, trok een mantelpakje aan en reed naar het station.

Het was lang geleden dat ze een betaalde baan had gehad. Niet dat ze al die jaren geen steek had uitgevoerd; integendeel, als je een jonge, intelligente, bemiddelde huisvrouw was in een gemeenschap als Rensselaer Valley, stapelden de verplichtingen zich automatisch op tot ze je dagen vulden, overvol maakten zelfs. De mensen wisten je te vinden; ze belden je op en nodigden zichzelf uit namens een heel scala aan plaatselijke instellingen: de basisschool, de bibliotheek, de zwemclub, de leesclub, de Democratische Commissie van de stad. Ze had zelfs artikelen geschreven voor het plaatselijke weekblad. Dat kon ze nu natuurlijk allemaal vergeten, niet zozeer vanwege het schandaal als wel vanwege het gif dat medelijden is. Helen had die dag vier sollicitatiegesprekken op het programma staan, en van geen van die vier had ze hoge verwachtingen. Ze was drieënveertig en had op internet moeten zoeken om erachter te komen hoe ze een fatsoenlijk ogende cv moest opstellen. Niemand meer om haar met zulke dingen te helpen, en niemand behalve zij om Sara te helpen als die zover was. Helen haalde diep adem en vermande zich om het pessimisme af te schudden dat ze op zich neer voelde dalen. Het was toch nog vol in de trein, terwijl de werkdag al was begonnen. Al die mensen gingen naar de stad, hoewel ze geen van allen, of bijna geen van allen, een baan van negen tot vijf daar als voorwendsel konden hebben. Dus ze was niet de enige. Er waren volop anderen in dezelfde positie, die haar nu zo marginaal voorkwam, alleen waren die er bepaald niet op dezelfde manier terechtgekomen.

Het eerste sollicitatiegesprek was bij Condé Nast. Ze had zich aangemeld op een website waar een baan als redactieassistent bij *Condé Nast Traveler* stond, maar kennelijk werden alle vacatures voor alle Condé Nast-tijdschriften door één groot moeras van HR-ellende gesluisd, waarbij geen onderscheid werd gemaakt tussen het ene tijdschrift en het andere. Jammer, want bij een reistijdschrift werken klonk Helen aantrekkelijk in de oren, maar uiteindelijk deed het er weinig toe omdat ze hoe dan ook een volkomen verkeerd beeld van het werk van een redactieassistent bleek te hebben. Ze dacht dat het neerkwam op het assisteren van de redactie van het tijdschrift, een denkbeeld waar de HR-medewerker haar vanaf hielp met het overdreven geduld dat gewoonlijk wordt gereserveerd voor de omgang met hoogbejaarden. Het tweede gesprek gold een baan als fundraiser bij de Mercantile Library. Dat leek best goed te gaan. Er werd tenminste niet neerbuigend of vijandig gedaan, niet openlijk althans. Ze merkte wel een lichtelijk verbaasde hoofdbeweging op bij haar gesprekspartner na haar antwoord op de vraag naar de gemiddelde grootte van de donaties die ze had binnengehaald voor de stadsbibliotheek in Rensselaer Valley. Maar ach, of je nu hier of daar om geld vroeg, dat kon toch niet veel uitmaken?

Ze lunchte in een Chipotle burritotentje – gruwelijk, maar ze voelde er niets voor om naar iets beters te gaan en een tafel voor één persoon te vragen. Haar gevoel van eigenwaarde had al genoeg te verduren gekregen. Zenuwachtig checkte ze haar telefoon om zeker te weten dat ze geen noodoproep van Sara of Sara's school had ontvangen. Zoals het er de laatste tijd in haar leven aan toe ging zou het logisch zijn dat zo'n telefoontje precies op die ene dag kwam dat zij op twee uur van huis zat en niet wilde dat iemand dat wist. Haar derde gesprek was in de buurt van het Empire State Building, in een klein, vervallen kantoorgebouw met een lobby ongeveer ter grootte van een inloopkast. Te oordelen naar de ingelijste namenlijst die ze bestudeerde tijdens de anderhalve minuut wachten op de enige lift, leken er vooral accountants en belastingadviseurs te zitten; zij was echter op weg naar Harvey Aaron Public Relations. Die firma had in de *Times* geadverteerd met een vacature voor een instapfunctie als junior adjunct-directeur, wat nogal verwarrend klonk, hoewel minder toen ze er binnen kwam en zag dat het kantoor bestond uit twee even grote ruimtes, waarvan de ene aan Harvey Aaron toebehoorde en de tweede aan alle anderen – drie bureaus, waarvan er twee werden bezet door verveeld kijkende, jonge Latijns-Amerikaanse vrouwen die tijdschriften zaten te lezen. Op het derde bureau, vermoedelijk dat van de junior adjunct-directeur, lag een paar hardloopschoenen.

Toen Harvey opstond om haar bij haar binnenkomst te begroeten, had hij nog een plastic vork en een bakje met een of andere pastasalade in zijn handen. 'Kom erin, ga zitten, neem me niet kwalijk,' zei hij terwijl hij rondkeek naar iets geschikts om zijn vingers aan af te vegen, wat hij ten slotte maar opgaf, waarna hij haar met een gebaar de enige andere stoel wees. Hij was ouder dan Helen, een zestiger misschien, of een losbandige vijfenvijftiger, en dat vond ze geruststellend omdat haar andere afspraken die dag hadden bijgedragen aan het gevoel dat er in bovengronds Manhattan niemand van boven de veertig werkte. Hij droeg een beige pak met een blauwe das, een nogal modieus exemplaar (hoewel er een verse vetvlek op zat), wat op de bemoeienis van een mevrouw Aaron duidde. Hij leek al een tikje nerveus te worden toen hij haar zag binnenkomen, alsof ze een heel ander type was dan daar overdag gewoonlijk langskwam, en misschien lag het daaraan dat ze zich tegenover hem wat beter op haar gemak voelde.

'Sorry dat ik u stoor bij de lunch,' zei ze.

'Dat doet u niet, hoor. Nou ja, eigenlijk wel, maar zoals Mona daarginds u kan vertellen heb ik eigenlijk geen vast lunchuur, ik hap gewoon de hele dag door af en toe iets weg. Zo kan ik beter nadenken. Mona?' zei hij ineens veel luider. 'Liggen daar soms toevallig servetjes?' Mona verscheen niet, niet op dat moment en ook niet tijdens de rest van het gesprek. 'Goed, waar begin-

34

nen we? Ik weet nooit hoe ik zulke dingen moet beginnen. Ik weet dat ik uw cv ergens in de computer heb zitten.' Hij tikte op een paar toetsen en leunde hoopvol achteruit. 'Nee,' zei hij. Hij typte iets anders en mepte toen met een zwierig gebaar op return. 'Godallemachtig,' mompelde hij, en trok een schuldbewust gezicht. Helen klikte haar tas open en schoof hem een nieuwe kopie van haar cv toe.

Hij keek hem door. 'Computervaardigheden zijn hier een eerste vereiste, dat mag duidelijk zijn,' zei hij. 'Geintje. Maar goed, ik zie hier nergens iets van een achtergrond in public relations, en voor deze baan, ook al is het in feite een instapfunctie, hoop ik eigenlijk op iemand met enige ervaring op dat vlak. Best mogelijk dat ik die niet vind, natuurlijk. U hebt geen enkele ervaring op dat gebied?'

'Niet in public relations op zich,' zei Helen dapper.

'Niet op zich? Wat wil dat zeggen? Hebt u wel ervaring die het tegenovergestelde is van op zich, wat dat ook mag zijn? Onder zich?'

Helen lachte. Hij had iets heel bescheidens, was vrolijk en verontschuldigend tegelijk, zelfs terwijl hij bezig was haar net als de anderen af te poeieren. 'Tja, wat ik eigenlijk bedoel,' zei ze, 'is dat me eerlijk gezegd niet precies duidelijk is wat jullie doen.'

Hij trok zijn wenkbrauwen op. 'En dan "jullie" in de zin van mij, of algemeen, in de zin van: ik heb geen flauw benul wat "public relations" inhoudt?'

'Allebei.' Ze stond zelf versteld van haar moed. Als dit bij Condé Nast was gebeurd zou ze haar rok hebben gladgestreken en nu alweer buiten hebben gestaan.

Hij tuitte zijn lippen. 'Rensselaer Valley,' zei hij onverwacht. 'Mooie plaats. Ik heb zelf een huis in New Paltz. Mag ik… hopelijk vindt u het niet aanmatigend als ik u iets vraag?'

'Helemaal niet.'

'Deze cv heeft iets magers,' zei hij heel vriendelijk, 'iets, eh, provinciaals, waaruit ik opmaak dat u een leven leidt – met een man, kinderen – waarin de omstandigheden misschien onlangs zijn veranderd?'

Helen knikte blozend. Het was de bedoeling geweest dat de cv dat verborg, niet onthulde.

'En u hebt kinderen?' vervolgde hij. 'Want dit is de cv van iemand die de afgelopen tien of vijftien jaar voor de kinderen heeft gezorgd…'

'Eén kind,' zei Helen. 'Ja.'

Harvey keek haar stralend aan, alsof zij zou willen meegenieten van zijn beroepsmatige trots dat hij die gênante feiten over haar had geraden. 'Dan weet u al wat wij doen,' zei hij, en hij leunde met stoel en al achterover. 'We vertellen verhaaltjes. We vertellen verhaaltjes aan het publiek, omdat dat iets is waar de mensen naar luisteren, wat ze onthouden. Waarom? Omdat ze toen ze klein waren toegewijde, mooie moeders als u hadden, die hun verhaaltjes vertelden, en door die verhaaltjes begonnen ze voor het eerst iets van die grote, verwarrende wereld te begrijpen.'

'Verhaaltjes,' zei Helen toegeeflijk; in feite was zijn verwijzing naar Sara, die hij niet kende, die alleen maar naamloos voor hem bestond, voldoende om haar keel een stukje dicht te knijpen, zodat ze niet het risico durfde te nemen meer te zeggen. Zoiets overkwam haar de afgelopen weken maar al te vaak.

'Goed, omdat onze dienstverlening geld kost zijn de hoofdrolspelers in die verhalen meestal mensen die rijk of beroemd zijn of, nog beter, rijk én beroemd. Maar de verhalen zelf zijn volksverhalen, die iedereen kent. Archetypisch. Zeg ik dat zo goed? We plaatsen die figuren in verhalen waarvan we al sinds onze kindertijd weten hoe ze aflopen, want dan weten we ook wat het publiek er na afloop van zal vinden. De verhalen leiden de mensen naar het oordeel dat wij willen. Is het zo een beetje duidelijk?'

'Spartelen ze nooit tegen?' vroeg Helen.

'Wie?'

'De beroemdheden, de rijke mensen. Verzetten ze zich er nooit tegen in die volksverhalen te worden gezet?'

Harvey glimlachte, een tikje neerbuigend, vond Helen. 'Ze zijn het gewend. Ze leven in de publiciteit, dat is hun atmosfeer, zeg maar, dus ze weten al dat ze beoordeeld worden, en het gaat er alleen maar om de manier waarop te beïnvloeden. Anders dan normale mensen hebben zij eigenlijk niet de mogelijkheid te doen alsof er niemand kijkt. Hoe dan ook, daar betalen ze ons voor. Want wij gaan niet naar hen toe, hoor; zij komen naar ons. U kent zeker niet toevallig beroemdheden?'

Natuurlijk moest Helen aan haar man denken, die nog niet zo lang geleden op de voorpagina van de *New York Post* had gestaan, en wiens naam iemand als Harvey ongetwijfeld meteen zou herkennen. In Harveys wereld zou die associatie met de openbaarheid misschien zelfs in Helens voordeel kunnen werken; toch voelde ze er echt niet voor om het er met hem over te hebben. Ze schudde haar hoofd.

'Op het moment niet,' zei ze.

'Op het moment niet?' Hij lachte. 'Ik mag u wel. Vroeger soms wel?'

Helen glimlachte verlegen. 'Nou, als je heel ver terug wilt gaan, ik heb op de middelbare school wel bij Hamilton Barth in de klas gezeten.'

Ze was bang dat hij haar zou uitlachen, vanwege die meelijwekkend magere connectie, maar dat deed hij niet. Elke link met iemand die zo beroemd was als Hamilton Barth was het waard om gekoesterd en gerespecteerd te worden. Hij zette grote ogen op. 'Ga weg. Waar was dat?'

'In een klein plaatsje in het noorden van New York,' zei Helen, 'waar we allebei zijn opgegroeid.' 'Klein plaatsje' was nog zacht uitgedrukt. Ze hadden vanaf de kleuterschool tot en met de achtste klas elk jaar in hetzelfde lokaal van de katholieke school gezeten; het jaar daarop was Helen met haar ouders van Malloy naar Watertown verhuisd, en Hamilton kwam trouwens niet verder dan tweeënhalf jaar high school; toen gaf hij er de brui aan en trok naar het zuiden, naar de stad New York, en vandaar naar het westen, naar L.A., om acteur te worden. Was er in die tijd al iets wat wees op de ondoorgrondelijke, gekwelde, ontwapenend knappe filmster met zijn wisselvallige humeur die hij later zou worden? Nee, beslist niet, tenzij je meetelde dat hij klein van stuk was, zoals om de een of andere reden zo vaak het geval was bij grote mannelijke filmsterren, geconcentreerd en zonder uitwassen, als bonsaiboompjes. Ze waren in die tijd niet dik bevriend, maar kenden elkaar wel goed, omdat je in zo'n kleine plaats iedereen van je eigen leeftijd goed kende; en als je heel nauwkeurig wilde zijn was het wel iets verder gegaan. Ooit waren zij tweeën bij een spelletje flesje draaien samen op de gang beland, op een zaterdagavond in het vrijstaande appartement boven de garage van de ouders van Erin White. Hoewel Helen een stukje door haar knieën had moeten zakken om hem te zoenen, kon Hamilton – en dat zou haar vermoedelijk even levendig zijn bijgebleven als hij later niet zo'n broeierig object van begeerte voor de hele wereld was geworden – fantastisch goed zoenen, ontspannen, zelfverzekerd en geduldig, en ze wist nog dat ze zich al tijdens die kus geschokt had afgevraagd met wie hij had geoefend. Hij probeerde ook onder haar rok te komen, dat deden ze allemaal, maar ze hoefde zijn hand maar één keer weg te slaan, wat ze heel galant had gevonden, romantisch bijna. 'Je hebt fijne lippen,' dat had hij achteraf tegen haar gezegd, en ook dat was niets bijzonders, behalve als je het vergeleek met de zielloze dingen die andere jongens gewoonlijk te melden hadden nadat je hun handen onder je rok had weggeduwd. Maar na die avond was ze nooit meer met Hamilton alleen geweest, en vier maanden later kondigde Helens vader aan dat ze gingen verhuizen. Ze had nog een paar jaar contact gehouden met wat oude vriendinnen uit Malloy, die op hun beurt nog steeds contact hadden met Hamilton toen hij beroemd begon te worden, maar zij had hem nooit meer gezien, tenminste niet zonder net als andere mensen een kaartje te kopen. Ze had gezoend met Hamilton Barth, en dat verhaal vertelde Helen alleen aan haar beste vriendinnen, niet omdat het zo privé was maar omdat ze bang was dat het maar zielig zou klinken, dat kortstondige contact met een beroemdheid, een paar minuutjes een kwart eeuw geleden. Ze was al helemaal niet van plan Harvey, die ze nauwelijks een half uur kende, erop te vergasten.

'Wat zeg je me daarvan,' zei Harvey zacht. 'Bent u nog steeds met hem bevriend?'

'Nee,' zei Helen. 'Dat wil zeggen, niet dat we niet bevriend zijn, of dat we een punt achter de vriendschap hebben gezet. Ik hoop dat hij warme herinneringen aan me heeft, als hij al ooit aan die oude tijd terugdenkt, maar we hebben al heel lang geen contact meer.'

Harveys enthousiasme bekoelde zichtbaar. 'Nou ja, als ik eerlijk ben zou hij ook wel een heel grote vis zijn voor een klein bedrijfje als het onze. Goed, spijkers met koppen: ik vond het heel leuk om u te ontmoeten, en ik kan in alle eerlijkheid zeggen dat u deze baan volgens mij na verloop van tijd prima onder de knie zou krijgen, maar ik verwacht vandaag nog twee sollicitanten die al echt weten hoe ze dit werk moeten doen. De ene heeft nota bene bij Rogers and Cowan gezeten. Dus ik zou u dolgraag helpen, maar eerlijk gezegd ziet het er op dit moment niet al te best uit.'

'Ik snap het,' zei Helen terwijl ze opstond, en dat was ook zo. Ze begreep welke indruk ze maakte – ernstig, naïef, onopvallend – op die lieve oudere man en op die hele wereld van potentiële werkgevers. Hij schoof om zijn bureau heen, liep met haar mee naar de deur en veegde onderweg nog wat kruimels van zijn borst. 'Bedankt voor uw tijd,' zei Helen. 'Hippe das trouwens. Cadeautje van uw vrouw?'

Hij keek omlaag, alsof hij was vergeten dat hij hem om had, en glimlachte. 'Ja, klopt,' zei hij. 'Dat was onze laatste verjaardag samen. Van mij, bedoel ik. Ze is die zomer overleden.'

Dat had zij weer, overpeinsde Helen twee uur later in de trein naar huis, ze had zich zo bij hem op haar gemak gevoeld dat ze die ene belangrijke deugd uit het oog had verloren: weten wanneer je je grote mond dicht moet houden. Hij droeg nog wel zijn ring, wat interessant was en haar vergissing enigszins vergoelijkte, maar toch had ze natuurlijk nooit over zo'n onderwerp mogen beginnen terwijl ze helemaal niets van hem af wist. Geen wonder dat de beroepswereld iemand als haar zo gesloten voorkwam. Het vierde sollicitatiegesprek was zo'n afgang geweest dat ze de herinnering eraan nu al bijna had verdrongen. Tien minuten voor Sara van school kwam was Helen weer thuis en in haar daagse kleren.

Ze aten samen hun avondeten, tegenover elkaar aan tafel. Kip cordon bleu, gele rijst en sperziebonen. Sara had er altijd een hekel aan gehad om met haar ouders samen te eten, en deed geen moeite dat te verbergen. Net als al haar leeftijdgenoten werd ze rusteloos als ze niet minstens twee dingen tegelijk deed, en het idee gewoon te eten – alleen maar te eten, zonder de tv of haar iPod aan, zonder telefoon in de hand, zonder boek om in te lezen – was in haar ogen niet alleen tijdverspilling maar ook sentimenteel. In meer ontspannen, spontane omstandigheden praatte ze heel makkelijk met haar moeder, maar aan tafel leek het ouderwets en geforceerd, des te meer nu het bizarre idee dat ze een Normaal Gezin waren, een gezin dat met z'n allen aan tafel ging om te eten, voorgoed ontmaskerd was. Niets wat een tiener zo provoceerde als de stank van hypocrisie.

'Wat heb jij vandaag gedaan?' vroeg Helen voorzichtig.

Sara haalde haar schouders op. 'Gewoon,' zei ze. 'Les, pauze, les, voetbal.'

'Had je niet afgesproken na school naar Sophia te gaan, om te leren?' Sara haalde weer haar schouders op, wat allerlei dingen kon betekenen, maar sommige daarvan zouden weleens zo hartverscheurend kunnen zijn – vorig jaar, toen alles vanbuiten nog normaal oogde, was Sophia Sara's beste vriendin geweest – dat Helen het hart niet had erop door te gaan. 'Hoe ging het voetballen?' vroeg ze daarom maar.

Sara trok een gezicht. 'Die trainer is zo gemeen,' zei ze.

Ze kreeg nu al last van jeugdpuistjes, nog maar een paar maanden na haar dertiende verjaardag. Een van de vele openbaringen van adoptie: wat jou was overkomen toen je zo oud was als je dochter nu, goed of kwaad, welke veranderingen je ook had doorgemaakt, vroeg of laat – het was irrelevant, voor niemand van enige waarde. Zelfs het feit dat Sara en zij in ras verschilden had Helen eigenlijk niet voorbereid op de schok dat zij op dat vlak volkomen nutteloos zou zijn. Er waren geen erfelijke voorspellers. Hoe ze zich ontwikkelde was voor jou net zo'n verrassing als voor haarzelf.

Die donderdag zat Helen een paar ouderlijke toestemmingsbriefjes voor school in te vullen en CNN te kijken met het geluid uit, voor als er soms ergens ter wereld iets belangrijks gebeurde, toen de telefoon ging. 'Met Harvey Aaron,' hoorde ze. 'Moet u luisteren, ik ben heel blij u te kunnen vertellen dat het met die andere twee sollicitanten om diverse redenen niets is geworden en dat ik u daarom graag de baan hier wil aanbieden, als u tenminste nog beschikbaar bent. Waarschijnlijk onbeschoft van me om daar zomaar van uit te gaan. Sorry daarvoor. Maar bent u nog beschikbaar?'

'Ja,' zei Helen stomverbaasd; ze hoorde haar eigen stem en zag tegelijkertijd de mond van de vrouwelijke nieuwslezer geluidloos bewegen op de tv. 'Ik ben beschikbaar.'

Harvey vroeg of ze meteen die maandag al kon beginnen, en ze had al bijna nee gezegd voor het tot haar doordrong dat angst voor het onbekende het enige beletsel zou kunnen zijn om desnoods al over twee uur te beginnen. Ze hing op en een paar tellen later barstte ze in lachen uit. Wat had ze in vredesnaam gedaan? Harvey zelf leek zo chaotisch, en het kantoor zo zieltogend, dat het haar niet zou verbazen als de hele tent op de fles ging voor zij haar eerste salaris binnen had; ze moest zichzelf voorhouden dat de zaak op de een of andere manier al dertig jaar draaiende had weten te blijven. Het was het eerste geval van goede timing dat ze in lange tijd had meegemaakt. Terwijl ze de eindeloze schoolformulieren afmaakte – voor het merendeel verklaringen die de school vrijwaarden van aansprakelijkheid – was het alsof er een last van haar schouders was gevallen. Die avond aan tafel vertelde ze Sara wat er was gebeurd, en wat voor veranderingen dat zou meebrengen in hun dagelijks leven.

'Ze hebben jóú aangenomen? Serieus? Een pr-bedrijf? Niet onaardig bedoeld, hoor,' zei Sara. 'Nou, dat is mooi, neem ik aan. Ik bedoel, ik vroeg me al af of we binnenkort blut zouden zijn of zo.'

'Dat gebeurt heus niet,' zei Helen snel. 'Maar je hebt wel gelijk dat er meer binnen moet komen nu je vader niet werkt.' Ze waren er heel wat benarder aan toe, maar het stuitte Helen van nature tegen de borst om met haar kind over geld te praten. Bovendien wilde ze er eigenlijk liever niet achter komen hoeveel Sara wist. 'En nu gebeurt dat ook. Dus dat is geweldig.'

Sara keek peinzend. 'Hoe laat ben je dan thuis?' vroeg ze.

'Om zes uur,' zei Helen, hoewel ze het daar in feite nog niet met Harvey over had gehad. Ze had er niet eens aan gedacht om daarnaar te vragen. 'Maar jij hebt de meeste dagen toch tot vijf uur voetbal, en als je geen zin hebt om hier alleen te zitten kun je met een vriendin meegaan, en als je iets nodig hebt, heb je je mobieltje, en de buren…'

'Ja hoor, ik dénk dat ik hier wel een uurtje of twee in mijn eentje kan overleven,' zei Sara sarcastisch. 'Maar ik bedoel...'

'Wat?' vroeg Helen.

'Waarom verhuizen we niet gewoon naar de stad?'

Helen verschoot van kleur. Ze had eigenlijk nog minstens een maand willen wachten voor ze die mogelijkheid opperde, vanuit de gedachte dat er een grens was aan de hoeveelheid veranderingen die een kind in één keer kon behappen. Maar Sara's hele leven was gebaseerd op opschudding. In wezen was Helen degene die aarzelde hoeveel ze op het spel wilde zetten voor de kans dat hun leven zou verbeteren als ze het gewoon ergens anders probeerden.

'Alles op zijn tijd,' zei ze. 'Eerst maar eens een paar maanden salaris binnenkrijgen en dan zien waar we aan toe zijn. Maar dat is wel iets wat jij zou willen overwegen?'

Sara snoof. 'Overwegen? Van dromen, kun je beter zeggen,' zei ze. 'Die lui hier zijn boeren. En nu denken ze allemaal dat ze beter zijn dan wij. En verder zeg ik heus niet dat ik papa wil vergeten of zo, maar het zou best een opluchting zijn om eens iets of iemand te kunnen zien zonder eraan herinnerd te worden dat hij weg is. Is er een toetje?'

Die maandag nam Helen de vroegere, drukkere trein, vol strakke gezichten en vriendelijke, herkennende knikjes, en kwam zo voortijdig op haar werk dat ze tien minuten in de gang moest wachten voor Mona arriveerde met een sleutel en ze naar binnen kon. Ze verwachtte min of meer formeel ingewerkt te worden, maar Mona wees haar alleen hoe ze Google News Alerts kon instellen voor alle negen klanten die het bedrijf op dat moment had, plus nog twaalf namen van mensen die Harvey als potentiële klanten zag. Toen ze dat had gedaan was het alleen maar een kwestie van wachten tot die meldingen in haar inbox verschenen; voor de tussentijd kreeg ze een stapel roddelbladen in handen geduwd met het verzoek die grondig door te spitten om te zien of diezelfde eenentwintig namen er soms in voorkwamen. Om een uur of elf kwam Harvey binnen; hij leek verbaasd Helen daar aan haar bureau te zien zitten, maar knikte toen snel en gegeneerd, liep zonder een woord tegen haar zijn kamer in en deed de deur dicht.

Mona en de andere werknemer daar, die Nevaeh heette, praatten de hele dag tegen elkaar maar zeiden geen woord tegen Helen, behalve om te reageren op een vraag waarvan ze niet konden doen alsof ze het antwoord niet wisten, bijvoorbeeld waar de dames-wc was. Om kwart voor vijf werkten ze hun make-up bij en vertrokken zonder een woord tegen hun baas of tegen Helen. Zo ging het die hele eerste week. Ze vond het niet erg om niets omhanden te hebben, of zich genegeerd te voelen – ze zat daar niet voor persoonlijke groei of zo, maar alleen om zichzelf en haar kind uit het armenhuis te houden – maar er gebeurde zo weinig dat ze zich angstig afvroeg hoelang hun baan nog gegarandeerd zou zijn. Ze was opgelucht toen ze haar eerste looncheque van Mona kreeg en opnieuw opgelucht toen het geld op haar rekening stond. Toen ze tegen Harvey opmerkte dat ze het gevoel had niet veel te doen te hebben, leek hij verlegen en zei: 'Opschieten en wachten, zoals we in het leger altijd te horen kregen,' waarna hij met een zak vol Chinees eten zijn kamer in liep en de deur achter zich dichtdeed.

'Die gast die hier voor jou werkte heeft ontslag genomen om verder te leren,' zei Mona ten slotte tegen haar. 'Die had ook niks te doen. Maar als Harvey niemand aannam om hem op te volgen, zou het net lijken of hij toegaf dat het bedrijf krimpt.'

Toen kwam Harvey op een ochtend eindelijk eens op tijd en riep hij de drie vrouwen in zijn kamer. 'Ik denk dat ik misschien iets voor ons weet,' zei hij. 'Ik was gisteravond in Brooklyn om bij mijn zoon te eten, en we besloten om iets Chinees te laten bezorgen. Iemand van jullie weleens van de Peking Grill gehoord?'

Mona en Nevaeh knikten ernstig. 'Er zit er een in de Heights,' zei Nevaeh.

'Klopt,' zei Harvey, 'er zijn er zo'n acht. Goed, wij bellen dat we iets willen laten bezorgen, maar ze zeggen nee. Nee? Nee, zeggen ze, dat gaat niet, want onze bezorgers staken. Maar jullie zijn wel open? vraag ik. Jazeker. Dus Michael en ik lopen die paar honderd meter naar de Peking Grill en daar staat nota bene een stákerspost voor de deur, en binnen is het uitgestorven, op één man na, die in z'n eentje aan een tafeltje zit te jánken, nou vraag ik je. In tranen. Dat is de eigenaar.'

'Walgelijk,' zei Mona.

Harvey wierp haar een nieuwsgierige blik toe voor hij verderging. 'Dus blijkbaar probeert iemand de bezorgers van alle Peking Grills te organiseren, wat mij knap lastig lijkt omdat zo ongeveer iedereen die daar werkt illegaal is, maar goed. Ze posten daar niet alleen voor loonsverhoging maar ook voor achterstallig loon over alle jaren dat ze volgens eigen zeggen onderbetaald zijn. Ik vraag aan de eigenaar of hij al door de kranten is gebeld, en hij zegt ja, diezelfde dag, door iemand van de *Post*. Hij heeft nog niet teruggebeld.'

Hij leunde achterover. 'Dus ik zie hier een kans,' zei hij. 'Voor ons. Voor ons om te bemiddelen.'

Mona en Nevaeh gingen gewoon door met knikken, maar Helen kon haar mond niet houden en vroeg: 'Aan wiens kant?'

De twee vrouwen wierpen haar een nijdige blik toe, waarop Helen plotseling begreep dat zij Harvey ook niet helemaal konden volgen maar knikten domweg als de snelste manier zagen om van die opwellingen van hem af te komen en naar hun bureau terug te kunnen. Maar Harvey keek opgetogen en op een toegeeflijke manier peinzend, als een leraar die louter voor het plezier van een leerling doet alsof hij over diens vraag nadenkt, ook al zou iemand met zijn intelligentie het antwoord intuïtief hebben geweten. 'Tja,' zei hij, 'die bezorgers hebben eigenlijk niet zo'n imagoprobleem, hè? Ik bedoel, die hebben hun leven op het spel gezet om hier te komen, ze krijgen een dollar of twee per uur betaald, en god mag weten waar ze slapen. Iedereen is al op hun hand. In New York wel tenminste. Als we ergens in een uithoek zaten zou er meteen jacht worden gemaakt op die jongens, maar kom op zeg, dit is Manhattan. Terwijl de eigenaar, die hier onder precies dezelfde omstandigheden is gekomen maar het lef had om zowaar succes te hebben, om miljonair te worden – hij heet trouwens Chin – wordt afgeschilderd als de schurk, hij is degene met een verhaal dat de mensen moeten horen. Hij zit te springen om onze expertise. En daar heb ik hem gisteravond terwijl wij aan onze verrukkelijke bami zaten van overtuigd.'

Helen googelde Chin en ja hoor, de meeste hits waren vernietigend. Ze was er net een paar aan het uitprinten – Harvey had er de pest aan om links doorgestuurd te krijgen – toen hij zijn deur opende en haar zijn kamer in probeerde te wenken zonder dat de andere twee het merkten. 'Meneer Chin en ik lunchen vandaag samen in de Peking Grill aan 78th Street,' zei hij toen ze binnenkwam. 'Ik zou het fijn vinden als jij meeging. Je hoeft alleen maar aantekeningen te maken, meer niet. Maar het zou weleens nuttig kunnen zijn als hij zag dat wij hier, nou, een organisatie zijn, dat hij zijn bedrijf niet zomaar in handen legt van één ouwe Jood die graag Chinees eet.'

Ze arriveerden er om half twaalf, wat vroeg leek voor een lunch maar vermoedelijk was afgesproken met het oog op de aanwezigheid van zo min mogelijk stakers; en inderdaad was er maar één koppige Chinese jongeman, die in kleermakerszit op de stoep zat en die, toen ze langs hem en de rij op slot staande, gebutste fietsen liepen, opkeek en hun een nijdige blik toewierp.

'Meneer Chin,' zei Harvey. Chin zat in z'n eentje met zijn handen in zijn schoot aan het tafeltje het dichtst bij de keuken. 'Mijn collega, Helen Armstead.' Harvey ging zitten en keek hoopvol rond naar een ober met een menu.

'U zegt u helpt mij,' zei Chin zonder opkijken. 'Hoe helpt u dit? Niemand komt. Niemand belt voor bezorging. Zestig procent van onze omzet op weekdagen, bezorging.'

'Nou, het is nog wat vroeg voor de lunchdrukte,' zei Harvey bemoedigend. 'Al moet ik bekennen dat ik persoonlijk niet veel heb ontbeten.'

'Kloteliberalen uit Upper West Side,' zei Chin plotseling. 'Die krijgen stijve van iedereen die zegt hij wordt onderdrukt. Nou, raad eens? Ik ben ook onderdrukt! Ik kom hier met niks. Uit zelfde provincie als al die jongens. Enig verschil met mij is ik klaag niet maar werk hard en bereik iets. Daarvoor kom je toch hier? Maar zijn ze blij voor me, hebben ze respect voor me? Nee. Nou ben ik de slechterik. Een dikke trut met een wandelwagen noemde me fascist.'

'Tja, dat is een term die nogal vlot in de mond wordt genomen,' zei Harvey. Daarop keek Chin hem aan; zijn lippen beefden, hij drukte zijn servet tegen zijn gezicht en begon weer te huilen. 'Maar wat het punt is,' vervolgde Harvey; zijn kalme stem sprak zijn ogen tegen, die paniekerig heen en weer schoten tussen zijn huilende klant en Helen, alsof hij verwachtte dat zij, louter omdat ze een vrouw was, wel troost zou weten te bieden aan die gekwetste man met zijn beproevingen en wrokgevoelens waarnaar ze niet eens kon raden. 'Wat u ons net vertelde? U moet zorgen dat de mensen dat verhaal te horen krijgen. U moet ze vertellen wie u bent. Dit is niet zomaar een conflict tussen werkgever en werknemers. U bent een authentiek Amerikaans succesverhaal. U moet ons laten terugvechten, de morele superioriteit onderuit laten halen van die jaloerse, kleinzielige, hoog van zichzelf opgevende mensen die u kapot willen maken, en de onrechtvaardige manier corrigeren waarop u door de tegenpartij wordt afgeschilderd. Mee eens, Helen?'

'Nee,' zei Helen.

Harvey viel stil en keek haar verbijsterd aan, en even later sloeg Chin zijn ogen op en deed hetzelfde. Helen had zichzelf evenzeer verbaasd als hen. Ze was niet van plan geweest een mond open te doen. Voor ze begreep wat het precies inhield voelde ze wat ze nu ging zeggen in zich opkomen, door zich heen gaan, en schijnbaar met volle overtuiging begon ze het te verwoorden, zodat ze het ook nog kon horen.

'Wat wilt u precies bereiken, meneer Chin?' vroeg ze.

Hij keek haar in verwarring aan.

'Dat de mensen hier weer komen eten?' drong ze aan.

'Ja,' zei hij. 'Dat ze weer in het restaurant komen.'

'Dan doen we dit: we bieden onze excuses aan.'

'Waarvoor?' vroeg meneer Chin een tikje kriegel.

'Amerika is het geweldigste land ter wereld,' zei Helen. 'Bij een eerlijk conflict tussen werknemer en werkgever stel je je vertrouwen nederig in de wijsheid van de rechtbank, die het instrument van het volk is. Ik bedoel, dat gaat toch hoe dan ook gebeuren? De hele zaak is vermoedelijk nu al op weg naar de rechter, en u hebt straks geen andere keus dan de rechterlijke uitspraak te respecteren. Daarom kunt u net zo goed meteen doen alsof het uw idee is. En in de tussentijd wilt u niets liever dan fair zijn. U wilt niets liever dan een goede Amerikaan zijn en uw landgenoten dezelfde kansen geven als u hebt gekregen, de kans om te verdienen wat u zelf verdient. Wij zorgen dat u op de voorpagina van de *Post* en de *News* en op de lokale tv komt.'

'Wat moet ik dan zeggen?' vroeg Chin.

'U zegt dat het u spijt,' zei Helen. 'U verdedigt zich niet. U verwerpt geen enkele beschuldiging, want door dat te doen stelt u de mensen in de gelegenheid erover te blijven praten. Zonder in details te treden zegt u dat het u spijt en vraagt u uw klanten en de inwoners van New York om vergiffenis. En die zullen ze u schenken. Met plezier. De mensen staan snel met hun oordeel klaar, meneer Chin, ze veroordelen je meteen, maar dat is vooral omdat ze uiteindelijk niets liever doen dan je vergeven.'

Chin en Harvey keken elkaar ootmoedig aan. Omdat hij haar in het bijzijn van een klant moeilijk gelijk kon geven maar ook niet kon tegenspreken, deed Harvey alsof hun bespreking met dat betoog bevredigend was afgerond, wat lichtelijk absurd was, en tien minuten later reden Helen en hij overdonderd en zwijgend terug naar het centrum. Helen had achteraf geen idee wat haar had bezield. Ze vroeg zich af of ze het schijnbaar onmogelijke had gepresteerd: ontslagen te worden uit een baan waarin niemand van haar verwachtte dat ze een steek uitvoerde. Harvey, die aan de bespreking niet eens een maaltijd had overgehouden, ontweek consequent haar blik, al leek hij eerlijk gezegd eerder van slag en in verlegenheid gebracht dan kwaad, alsof hij bij het instappen in de taxi op de achterbank een vreemde had aangetroffen die daar al zat. Hij liep regelrecht zijn kamer in en bestelde telefonisch iets te eten, terwijl Helen Mona's oude Rolodex leende en aan het bellen sloeg. Het verhaal was nog zo nieuw dat overal waar ze aanklopte werd toegehapt. Om vier uur belde ze, met de blik op Harveys half openstaande deur gericht, drie verschillende Peking Grills tot ze meneer Chin weer had gevonden en somde alle mediacontacten op die wilden horen wat hij te zeggen had. De twee volgende dagen zat ze bij elk interview in zijn blikveld, net buiten het bereik van de camera maar wel zo dichtbij dat hij zijn belofte spijt te betuigen niet kon vergeten. Dat weekend waren de stakersposten nog actief, maar zat de omzet alweer op tweederde van wat hij voor het proces was geweest; de klanten informeerden zo vaak of meneer Chin er zelf ook was dat hij ertoe overging elke avond alle acht de vestigingen langs te gaan, louter om de eters de hand te schudden, met ze op de foto te gaan en ze te bedanken dat ze terug waren gekomen. Twee weken later troffen de advocaten van de bezorgers buiten de rechter om een schikking voor achtendertigduizend dollar zonder aansprakelijkheid te erkennen. In ruil voor opslag zagen ze af van hun eis zich in een vakbond te mogen verenigen. Meneer Chin vierde de terugkeer van de bezorgers door één avond weer de prijzen van 1991 te rekenen, omdat 1991 het jaar was dat hij in Amerika was aangekomen. Dat was zo'n succes dat de bezorgers die avond meer fooien binnenhaalden dan ze ooit hadden meegemaakt.

Hoewel Helens naam natuurlijk buiten de kranten bleef werd Harveys bedrijf een of twee keer genoemd, en enkele vroegere collega's belden om hem te feliciteren. Eentje gebruikte zelfs de uitdrukking 'leermoment', waarover Harvey zeer te spreken was. De drie weken daarna haalden ze vier nieuwe klanten binnen, een goudmijn naar Harveys maatstaven. Toen de Peking Grill een feestje organiseerde omdat de oudste vestiging, in Murray Hill, twintig jaar bestond, was Helen die hele dag druk bezig het evenement bij allerlei kranten en freelance fotografen te pitchen, trok daarna een jurk aan en ging met Harvey mee naar het restaurant. Chin bracht een toost uit op hen beiden, maar barstte halverwege weer in tranen uit.

Na een karaf witte wijn van de zaak begon Harvey zichzelf ook wat veren op de hoed te zetten. 'Ik moet zeggen,' zei hij tegen Helen, 'dat ik het nog niet verleerd ben. Er zijn niet veel mensen die jou aangenomen zouden hebben, hoor. Maar ik heb mensenkennis. Oog voor talent. En nu plukken we daar de vruchten van. Jij hebt onze hele onderneming nieuw leven ingeblazen.'

'Op jouw genialiteit,' zei Helen met een lachje, en ze klonk met hem.

'Mij heb je eerlijk gezegd ook nieuw leven ingeblazen,' ging Harvey verder. 'Tenslotte bén ik de onderneming. De onderneming, c'est moi. Wat ik maar wil zeggen, onder andere, is dat je er echt prachtig uitziet, zo op chic.'

Ze lachte opnieuw, maar hield meteen weer op. 'Harvey?' vroeg ze. 'Sta je met me te flirten?'

'Het is een poos geleden,' zei hij, 'maar ik geloof het wel, ja. Een vriend van me heeft een vaste suite in het Roosevelt. Want je kunt waarschijnlijk maar beter niet terugrijden naar Westchester.'

Ze zette haar glas wijn, het tweede pas, op de dichtstbijzijnde tafel en staarde hem aan, gevleid en verbaasd, maar op de eerste plaats teleurgesteld. 'Zou je dat doen?' vroeg ze. 'Na alles wat je daarnet hebt gezegd zou je je bedrijf op het spel zetten door met een werknemer te slapen?'

Hij maakte een groots handgebaar. 'Bedrijf, leven, leven, bedrijf,' zei hij. 'Ik moet niks hebben van mensen die daar onderscheid tussen maken. Het is allemaal één geheel. Dat zou het tenminste moeten zijn. Niet dan?'

Er hing geen echt gevaar in de lucht. Ze legde haar hand zachtjes op zijn onderarm, boog naar hem toe en gaf hem een kus op zijn wang. 'Jij hebt mijn onderneming ook nieuw leven gegeven,' zei ze. 'Maar kom op. Laten we er niet kinderachtig over doen. Je hoeft niet alle goeds wat je overkomt te vieren met seks. En bovendien, ik heb een dochter thuis, en morgen is er weer school. Beloof mij nou maar dat jij naar die suite in het Roosevelt gaat om eens een nacht goed te slapen, en dan zie ik je morgen op kantoor.'

Hij pakte haar hand en drukte er een kus op. 'Dat zal ik doen,' zei hij. 'Maar als je denkt dat dit alleen maar geiligheid of euforie of zoiets is, dan heb je het mis. Je bent een hoogst opmerkelijke vrouw. Dat zou Joanie met me eens zijn geweest.' Hoewel Helen die naam nog niet eerder had gehoord, hoefde ze niet te vragen wie Joanie was. Nadat Harvey afscheid had genomen van meneer Chin en zijn vrouw liep hij naar buiten om op 3rd Avenue een taxi aan te houden die hem naar het Roosevelt kon brengen. Maar in de taxi, met de raampjes helemaal open, voelde hij zich zo goed, zo wakker, dat hij de chauffeur alsnog vroeg in westelijke richting te rijden, naar zijn kantoor. Hij haalde zijn

auto op bij de bewaker van de ondergrondse parkeergarage tegenover het Empire State Building en reed het centrum uit in
de richting van zijn huis in New Paltz, ook al had hij drie weken
geleden de oliekachel uitgezet en de leidingen geleegd; Joanie
had altijd goed tegen de kou gekund, maar sinds haar dood sloot
hij het huis elk jaar wat eerder af voor de winter. Hij stak de
Henry Hudson Bridge over en verliet de stad. Hij reed met zijn
raampje open, luisterde bij de stoplichten naar de krekels en
voelde de prikkelende verandering in de lucht. Op de Taconic
viel hij in slaap en schoot de auto bij een bocht rechtdoor, een
korte helling af, hij vloog één keer over de kop en kwam toen
weer op zijn banden terecht. Harvey was op slag dood.

2

De bedrijfsleider van zijn ranch had gezegd dat hij van zijn zeldzame aanwezigheid gebruik wilde maken om wat dingen met hem te bespreken, zoals problemen met de afrastering, de komende bezoekjes van het ministerie van Landbouw en van de Immigratiedienst, en een grensconflict met de eigenaar van de ranch aan de zuidkant dat helemaal nergens op sloeg, maar waarvoor wel een landmeter moest worden ingeschakeld. De bespreking stelde niet zoveel voor: een informeel gesprekje na het ontbijt op de veranda van de hacienda met de bedrijfsleider en twee knechten die hij niet bij naam kende. Het had al met al hooguit drie kwartier geduurd. Toch hield hij er een rotgevoel aan over, een rebels of claustrofobisch gevoel dat naarmate de verder lege dag vorderde steeds meer grip op hem kreeg; hij wist dat dit zo'n bui was die niet vanzelf overging, maar alleen met de nodige maatregelen de kop ingedrukt kon worden. Een bespreking! Op de ranch! Die had hij juist gekocht om te ontsnappen aan de wereld van besprekingen. Na afloop had hij het geprobeerd met yoga, hij had een paar vertalingen van Basho gelezen die zijn nieuwe uitgeverijtje zou gaan publiceren, maar zijn concentratie was aan gort en toen de middag half om was, stapte hij in zijn auto en reed met veel opwaaiend stof over het lange, rechte pad naar het toegangshek. Er welde een recalcitrant gevoel in hem op bij de gedachte aan de beveiligingscamera's die hem in beeld kregen toen hij dat hek naderde, ook al had hij bij een eerdere vergadering toestemming gegeven om die te laten installeren. Bij de afrastering langs de berm passeerde hij de bedrijfsleider, die de onmogelijke naam Colt droeg. De man zat rechtop in het zadel, keek naar de auto en tikte tegen zijn hoed, en hij merkte dat hij hem tegelijkertijd minachtte en benijdde.

Vijfhonderd meter verderop was de kruising, maar in plaats van daar zoals altijd links af te slaan, naar het stadje en de landingsbaan, ging hij naar rechts; hij stelde zich daar een nog niet in kaart gebracht gebied voor waar je alleen kon zijn, waar je je hoofd leeg kon maken. Een tijdlang was het net een maanlandschap; alleen de gebarsten weg, wat struikjes en de bergen, maar na een kilometer of vijftien zag hij tot zijn verbazing het bord van een café. Nieuwsgierig minderde hij vaart en zette de auto op het grind. Het bleek een geweldige kroeg te zijn: donker, geen tv, alleen maar ranchknechten en dagloners, stil, behalve bij de pooltafel, en hij zou er veel langer zijn gebleven als hij niet na zijn derde borrel en halverwege zijn glas bier door iemand was herkend. Een achterlijke boerenpummel leunde met zijn ene elleboog op de bar, keek hem van dichtbij aan alsof hij een gezicht op een filmposter was, en zei: 'Krijg nou wat!' Hij lachte naar de pummel alsof hij een boek dichtsloeg, gooide een briefje van twintig op de bar en stapte weer in zijn auto. Hij moest blijkbaar nog verder doorrijden om er echt tussenuit te zijn.

Met de raampjes naar beneden gedraaid was het ontzettend heet en lawaaiig, maar toch hoorde en zag hij de stuiptrekkingen van zijn mobiel op de passagiersstoel. Hij wist niet eens dat hij die had meegenomen. Even overwoog hij om hem uit het raam te mikken, maar dan zou iemand hem vinden en erachter komen van wie hij was, en dan was er pas echt goed stront aan de knikker. Hij stopte de telefoon in de borstzak van zijn overhemd zodat hij het ding in elk geval niet meer zag.

In de volgende bar begon de mobiel weer te trillen, precies ter hoogte van zijn hart. Hij haalde hem tevoorschijn en keek wat er op het schermpje stond: *Hamilton? Waar zit je?* Het was van ene Katie, wat hem niks zei. Hij vroeg aan de barkeeper om hem nog een borrel in te schenken en de fles te laten staan. Dat deden ze hier nog. In L.A. ook, maar dan kwam er aan het eind van de avond iemand naar je toe met een rekening van duizend dollar. Toen zijn mobiel weer ging (het was zo stil in de kroeg dat je hem in zijn zak kon horen trillen) nam hij op.

'Hamilton? Met Katie Marcus van Event Horizon, wij doen de pr voor *A Time of Mourning*. Ik weet niet of u het nog weet, maar wij hebben elkaar een keer ontmoet op de set.'

'Ja, natuurlijk weet ik dat nog,' zei Hamilton. Het stikte in Hollywood van de jonge, borderline-aantrekkelijke, overdreven gretige, onervaren jonge vrouwen waartoe Katie – stelde hij zich voor – ook behoorde; je zag ze op de set, in de studio, in het kantoor van je agent, aan het werk in een club, een restaurant of wat voor gelegenheid ook waar je iets te zoeken zou kunnen hebben, en hij kon ze allemaal echt niet uit elkaar houden. Maar dat betekende nog niet dat je je niet als een heer zou hoeven te gedragen.

'Echt?' vroeg Katie. 'Wow. Maar ik bel alleen even op over dat interview vanmiddag met *The New York Times*. Hebt u onze herinneringen daarover wel gekregen?'

Wat had ze een jonge stem. Steeds jonger werden ze. 'Fris mijn geheugen even op,' zei hij.

'De *Times* wilde met u praten in verband met een artikel over Kevin.' Kevin Ortiz was de regisseur van de laatste film die Hamilton had gemaakt. Voor hem was een film voorbij als de laatste opnamedag achter de rug was en hij naar de ranch kon vliegen, waar hij langzaam uit zijn rol kon kruipen; het verraste hem steeds weer als de hele zaak een paar maanden of een jaar later opnieuw tot leven kwam in de vorm van iets waar onbekenden een kaartje voor konden kopen en waar iedereen het weer over wilde hebben. Ze verwachtten van hem dat hij zich alles nog haarfijn kon herinneren en hadden er geen idee van hoeveel moeite het hem had gekost om het allemaal achter zich te laten. Maar Kevin herinnerde hij zich nog wel. Kevin was een briljant kunstenaar en een fantastische kameraad. Hij zou zich in deze kroeg uitstekend op zijn gemak hebben gevoeld. 'We hebben tegen de *Times* gezegd dat ze u vijf minuten telefonisch mogen interviewen over de samenwerking met Kevin. Ik weet niet of u het nog weet, maar dat hebben we met u besproken en u zei dat het goed was, waar we heel blij mee waren. Het zou fantastische promotie voor de film zijn. Maar als u van gedachten bent veranderd, kunnen we...'

'Nee, Katie, dat is prima.' De barkeeper kwam op hem af. 'Hoe laat begint het?'

'Het was eigenlijk een uur geleden. Maar we kunnen een nieuwe afspraak maken als u dat liever hebt.'

'O, sorry, Katie,' zei Hamilton. De barkeeper bleef vlak voor hem staan. 'Zeg maar dat die man me mag bellen wanneer hij wil.'

'Nou, zo doen we dat eigenlijk nooit, we doen ons best om uw nummer aan niemand te geven. Dus we hebben gezegd dat u hem zou bellen. Hebt u een pen?'

'Heb jij een pen?' vroeg Hamilton aan de barkeeper, die hem met een norse blik aankeek en hem een pen gaf. Hij schreef het telefoonnummer op de mouw van zijn overhemd, hing op, en gaf de pen met een verontschuldigende glimlach terug.

'Dat is hier niet toegestaan,' zei de barkeeper, en hij wees naar Hamiltons telefoon. De ringvinger van de man was in een vreemde hoek gebogen; Hamilton had zoiets een keer bij een footballspeler gezien. Zijn huid was gebarsten als leer. Prachtig, vond Hamilton, om zo de sporen van je leven mee te dragen.

'Neem me niet kwalijk,' zei hij. 'Dat heb ik nergens zien staan.'

'Staat ook nergens,' zei de barkeeper.

Hamilton besloot dat hij het interview dus maar beter in de auto kon doen. Eerst nog twee borrels, en om te laten zien dat hij niet kwaad was, dronk hij er daarna ook nog eentje samen met de barkeeper, die zijn glas plechtig leegde zonder dat er een bedankje af kon. Toen Hamilton tegen de gemeen felle zon in turend over de parkeerplaats naar zijn auto liep, had hij het gevoel dat hij de trage pas van de man imiteerde. Hij reed weg, keek op zijn mouw en belde het nummer in New York.

'Hamilton!' zei een nasale Oostkuststem. 'Fijn dat ik je te pakken heb. Ontzettend bedankt dat je even de moeite neemt. Allereerst: ik vond de film fantastisch en je speelde echt geweldig. Waar zit je nu?'

Hamilton keek uit het raampje. Hij wist het niet precies. Hij was nog nooit zo ver ten noorden van de ranch geweest en die laatste borrel met de barkeeper had iets teweeggebracht, hij merkte dat zijn stemming omsloeg. Maar hij kreeg een inval. 'Ik zit ten noorden van New York,' zei hij. 'Familiebezoek.'

'Echt? Wat cool. Zit je nu misschien in een auto, als ik vragen mag? Want ik kan je niet zo goed verstaan.'

'O, wacht,' zei Hamilton. 'Eén momentje.' Hij deed het raampje aan zijn kant omhoog en leunde opzij om het raampje aan de passagierskant ook omhoog te draaien, waarbij hij het stuur niet los hoefde te laten, maar wel een paar seconden lang te laag hing om over het dashboard heen te kunnen kijken. Hij voelde, en hoorde, dat de banden van de weg reden, maar hij ging op tijd weer rechtop zitten en stuurde terug. Er waren hier toch alleen maar struiken. Geen andere auto's. Je kon wel een kilometer van de weg af rijden voordat je iets raakte wat hoog genoeg was om de as te breken. 'Zo beter?' vroeg hij. Dat klonk veel te hard nu het stil was in de auto.

'Veel beter,' zei de stem. 'Ik zal je niet lang lastigvallen, ik wilde alleen een paar dingen vragen over de samenwerking met Kevin Ortiz. Het is zijn eerste film en hij is een stuk jonger dan jij. Heb je ooit iets gevoeld van…'

'Kevin is verdomd geniaal,' zei Hamilton.

De stem lachte. 'Ongetwijfeld. Maar in het begin, was het toen misschien…'

'Waarom lachte je?' vroeg Hamilton.

'Pardon?'

'Toen ik zei dat hij geniaal was. Waarom lachte je toen?'

Soms had Hamilton de pest aan hoe hij tegen andere mensen deed, maar het had ook weleens een bijkomend voordeel. Hij hoorde dat die zelfingenomen suflul van *The New York Times*, die nooit enig risico had genomen, die nooit iets op het spel had gezet om te proberen iets bijzonders af te scheiden, bang werd door zijn verandering van toon. 'Neem me niet kwalijk,' zei de stem zacht. 'Ik eh… nou ja, eerlijk gezegd lachte ik omdat ik dacht dat je een grapje maakte. Ik begreep het verkeerd.'

'En waarom zou ik daar grappen over maken? Over genialiteit, over kunst? Denk je soms dat ik zulke dingen niet serieus neem?' De zon schroeide langs de bergkam en het licht vloeide uit langs de onregelmatige horizon. Over een paar minuten zou het donker beginnen te worden, en kouder dan iemand die niet bekend was met het gebied voor mogelijk hield.

'Nee, natuurlijk niet. Daar sta je in elk geval niet om bekend. Nogmaals mijn excuses. Ik lachte alleen uit nervositeit, ik was nogal zenuwachtig voor dit gesprek. Zouden we dit misschien even helemaal kunnen resetten, bij wijze van spreken, en opnieuw beginnen?'

'Maar misschien neem jíj zulke dingen wel niet serieus,' zei Hamilton. Er was hier geen verlichting, nergens een andere auto te bekennen. Op de een of andere manier had hij de hele tijd al geweten – in elk geval sinds die vergadering met de bedrijfsleider – dat deze dag zo zou eindigen, maar desalniettemin werd hij overspoeld door een golf van schaamte die zo hevig was dat zijn stem even haperde. 'Kevin is een zeldzame jongen. Een oude ziel. Maar hij is ook nog bijna een kind en ik moet er niet aan denken wat hem allemaal nog te wachten staat; mensen zoals jij, al die druk, de last op zijn schouders als de film flopt maar nog veel meer als het een hit wordt, snap je? Hij is waanzinnig trouw aan het nu, aan het proces, en hij heeft me echt alles gegeven, alles wat ik maar nodig had om te zijn wie ik moest zijn en er helemaal in te kruipen. Kun je me volgen?'

'Niet helemaal,' zei de stem, 'maar ik had eigenlijk maar één bruikbare quote nodig en volgens mij heb ik die nu wel, dus...'

'Niemand begrijpt een jongen als Kevin. Niemand snapt wat er allemaal van je wordt gevraagd. Je bent ontzettend kwetsbaar als je jezelf overgeeft aan een regisseur. Je weet nooit wat je boven het hoofd hangt. Je hebt een plek waar je in moet kruipen, zoals ik net zei, een plek die in je zit en tegelijk ergens heel ver buiten je ligt, en daar heb je zijn hulp bij nodig, maar weet jij veel wie hij is? Je houdt elkaars hand vast en dan spring je samen in het diepe, maar pas als je gesprongen bent en naar beneden valt, kun je opzij kijken naar de vent wiens hand je vasthoudt en vragen: Hé, ik bedoel er verder niks mee hoor, maar wie bén jij in godsnaam?'

De auto was steeds langzamer gaan rijden, zo langzaam zelfs dat hij dacht dat hij zonder benzine zat, maar nee, de tank zat nog voor een kwart vol. Hij moest één oog dichtknijpen om het wijzertje scherp te kunnen zien. Die laatste borrel met de barkeeper – eentje was het er maar geweest, hij herinnerde zich er in elk geval maar één – was de klapper waar hij niet meer bovenop kwam, of waarschijnlijk morgen pas. Die barkeeper had de pest aan hem gehad. Dat was van zijn gezicht af te lezen. Misschien had hij hem een klap op zijn bek moeten geven in plaats van hem op een borrel te trakteren, ook al liep hij daarmee het risico zelf in elkaar te worden geslagen. Soms was iets het waard om voor in elkaar geslagen te worden. *Staat ook nergens.* Wist die boerenlul, die klootzak van een Marlboro Man-lookalike eigenlijk wel wie hij was?

De auto kwam aan de kant van de weg tot stilstand. Zijn voet drukte gewoon niet meer op het gaspedaal. Hij zette de motor uit, maar liet de koplampen branden. Voorbij de lichtbundel zag hij nu bijna niets meer. Hij draaide het raampje omlaag en luisterde naar de donkere wildernis. Het klonk als een opstand.

'Hamilton?' zei de stem. 'Hamilton, ben je daar nog?'

Precies op dat moment, met een timing die in een filmscript had kunnen staan, doorkliefde een coyote de duisternis met een langgerekt treurig gejammer.

'Jezus!' zei de stem. 'Wat gebeurt daar? Ik dacht dat je zei dat je ergens ten noorden van New York zat!'

Hamilton glimlachte en klapte de telefoon dicht. Zijn bewustzijn viel uiteen als de onderdelen van een raket en hij dacht dat hij zich dit morgen waarschijnlijk allemaal niet meer zou herinneren; niet hoe helder en herboren hij zich nu voelde, niet eens hoe hij hier gekomen was. Als hij zo veel dronk kreeg hij vaak een blackout. Jammer eigenlijk. Als hij zich er niets meer van kon herinneren, moest hij er weer opnieuw naar op zoek. Hij ging op de voorbank liggen. Het was nu koud, maar de lucht was hier zo heerlijk dat hij er niet over peinsde om de raampjes dicht te doen. Bovendien zouden ze hem wel komen zoeken. Dat waren ze nu waarschijnlijk al aan het doen.

Ze had Michael Aaron vier dagen geleden voor het eerst gezien op de begrafenis van Harvey: een slordige baard, kalend, en te papperig voor iemand die zo jong was als hij. Ze moest toegeven dat hij in de meeste opzichten heel wat minder charismatisch was dan zijn trotse vader haar had doen geloven, maar toch had ze met hem te doen, want hij moest de zware rouwlast helemaal in zijn eentje dragen. Harvey had verder geen familie, behalve een zus met Alzheimer die in een inrichting zat en die haar broer jaren geleden al niet meer herkende. Michael had geen vrouw of vriendin, of vriend, als hij homo was, maar daar had Helen geen idee van. De hele familie Aaron bestond nu alleen nog uit hem. Hij schudde elke hand, nam elke kus in ontvangst en luisterde naar elk verhaal, en steeds als ze zijn angstige gezicht zag opduiken tussen de mensen die om hem heen stonden, kreeg ze buikpijn; hij was bang om een religieuze of sociale flater te slaan, of om de naam niet meer te weten van iemand die dat wel van hem verwachtte. En dat allemaal terwijl hij waarschijnlijk ook nog moest wennen aan het verlies van zijn vader en aan het feit dat hij nu wees was. Helen betrapte zichzelf op de gedachte dat Sara ooit hetzelfde zou overkomen. Ze had een schuldbewuste overgevoeligheid voor het lot van het enig kind. Die hele middag had ze door de synagoge en daarna door het receptiezaaltje in het souterrain van de synagoge naar hem toe willen lopen om met hem te praten, om hem onopvallend en vriendelijk te hulp te schieten, maar ze had zich er niet toe kunnen zetten.

Want zij was degene die Harvey had vermoord. Ze wist dat het waanzin was, daarom had ze het ook maar niet hardop tegen iemand gezegd, maar het was een feit dat zij hem had afgewezen toen hij zich aan haar had aangeboden, ze had hem meewarig een aai over zijn dronken kop gegeven en hem de dood in gejaagd. Ze had hem weliswaar nog door de ruit van de Peking Grill nagekeken om er zeker van te zijn dat hij een taxi nam, maar wat was dat voor troost? Ze had alleen het minimale gedaan terwijl ze veel meer had kunnen doen. Ze had hem op zijn mobiel kunnen bellen om te controleren of hij echt in het Roosevelt Hotel had ingecheckt, of ze had naar de hotelreceptie kunnen bellen. Ze had zelfs gewoon met hem naar bed kunnen gaan, daarna een half minuutje kunnen wachten tot hij in slaap viel, en dan de trein terug naar Rensselaer Valley kunnen nemen, een uur later dan anders, en een of andere smoes kunnen verzinnen voor Sara. Dan had Harvey nu nog geleefd. Of had ze zichzelf daar soms te goed voor gevonden? Het zou de eerste seks sinds een jaar of waarschijnlijk nog langer zijn geweest.

Misschien zou ze nooit meer zo'n aanbod krijgen. Net goed, als dat zo was. Met haar hooghartige, rechtschapen en schuchtere gedrag had ze die lieve man de dood in gejaagd. Ze was zelfs te schijterig om tegen zijn zoon te zeggen dat ze het jammer vond dat hij er niet meer was uit angst dat hij dwars door haar beleefdheden heen zou zien wat ze allemaal wist.

Maar nu kreeg ze een tweede kans om met Michael te praten en hoewel ze de eerste al potentieel ongemakkelijk had gevonden, was dat nog niets vergeleken met wat haar deze middag te wachten stond. Harvey had blijkbaar geen accountant, maar wel een notaris, en daar werden Michael en zij om half drie verwacht. Helen had die doodsaaie man, die Scapelli heette, al een paar uur aan de telefoon gehad, dus ze wist wel wat ze zo'n beetje voor de boeg had, maar dat gold niet voor Michael. Er was geen wachtruimte of receptie in Scapelli's kantoor, dus Helen moest op een stoel op een halve meter afstand van zijn bureau wachten terwijl hij zonder enige gêne telefoneerde over heel andere zaken. De planken aan de wand achter hem, waar ze diploma's of familiefoto's zou verwachten, werden in beslag genomen door een grote verzameling ingelijste en gesigneerde honkballen. Helen herinnerde zich Michaels uiterlijk nog levendig, maar toen hij om kwart voor drie uit de lift stapte, was ze stomverbaasd over de manier waarop hij zich kennelijk dagelijks kleedde, zelfs voor deze gelegenheid: een t-shirt met korte mouwen over een shirt met lange mouwen, een gescheurde spijkerbroek en zwarte All Stars van het model (maar niet de kleur) die in Helens jeugd populair was. Ze wist dat Michael tweeëndertig was. Hij was muzikant en dj, wat, zo had Harvey haar een keer verteld, tegenwoordig eigenlijk op hetzelfde neerkwam. Harvey had hem alles nagelaten: het huis in New Paltz, de auto die nu total loss was, en de zaak.

'Ga zitten, meneer Aaron,' zei Scapelli afwezig, hoewel Michael die uitnodiging niet had afgewacht. Hij hing al in de versleten leunstoel naast Helen en knikte naar haar, een beetje aarzelend, alsof hij niet zeker wist of ze hier wel vanwege dezelfde kwestie waren.

'Helen Armstead,' zei ze tegen hem. 'Ik heb voor je vader gewerkt.'

'Hoe gaat-ie?' vroeg Michael.

'Theoretisch zijn we hier voor het voorlezen van het testament van uw vader,' zei Scapelli, 'maar dat is in dit geval een formaliteit omdat u beiden al weet wat erin staat en het bovendien maar een regel of vijf lang is. Over het huis hebben we het al gehad, bent u daarover misschien nog van mening veranderd?'

'Nee,' zei Michael. 'Verkopen die handel.'

Het gezicht van geen van beide mannen verried iets van de verbazing die Helen voelde over deze uiting van ongevoeligheid. Maar het ging haar natuurlijk helemaal niets aan. Toch had ze uit naam van de moeder van de jongen met hem te doen. Michael, die zich opeens geneerde, keek haar aan.

'Nou ja, ik heb daar natuurlijk wel allemaal goede herinneringen en zo,' zei hij. 'Maar wat moet ik in New Paltz? Dat is voor mijn werk gewoon niet haalbaar. En ik heb het geld nodig.'

'Natuurlijk,' zei Helen. 'Je moet het helemaal zelf weten.'

'Bovendien, wie wil dat nou? In het huis van je overleden ouders gaan wonen?'

'En dat brengt me op de kwestie waarvoor u hier gekomen bent,' zei Scapelli. 'Uw vader voerde geen erg gedetailleerde boekhouding, maar wij hebben de afgelopen dagen wat forensisch onderzoek gedaan...'

'Hè, wat?' vroeg Michael.

'Forensische accountancy om precies te zijn, en om een lang verhaal kort te maken komt het erop neer dat uw vader u voornamelijk schulden heeft nagelaten. De belastingdienst is de grootste schuldeiser, uw vader was kennelijk een beetje achter met de inkomstenbelasting. Maar wees gerust, u bent weliswaar zijn erfgenaam, maar u bent daarmee nog niet juridisch aansprakelijk voor zijn schulden. We kunnen Harvey Aaron Public Relations failliet laten verklaren en opheffen, daarmee is voor u de kous af. Maar er zijn ook andere mogelijkheden en daarom heb ik mevrouw Armstead vanmiddag ook uitgenodigd.' Hij knikte veelbetekenend naar Helen, alsof ze dit hadden gerepeteerd en dit haar claus was.

Helen keek naar Michaels jongensachtige gezicht – of eigenlijk zijn jongensachtige gezichtsuitdrukking, want het gezicht zelf viel niet meer in die leeftijdscategorie – terwijl hij zijn ogenschijnlijke vermoeidheid de baas probeerde te blijven om de draad van het verhaal niet te verliezen. 'Ik weet niet of je vader en jij het vaak over de zaak hebben gehad,' zei ze, 'maar het tragische, of een van de tragische dingen, aan zijn overlijden is dat het net op een moment gebeurde waarop het na een lange dip weer de goede kant op ging. Hij heeft dat grote en beroemde succes geboekt met de Peking Grill, daar heeft hij je ongetwijfeld over verteld…'

Michael trok zijn wenkbrauwen op alsof ze een vreemde taal sprak.

'Dat succes heeft de zaak veel nieuwe klanten opgeleverd,' ging ze verder. 'Meer dan hij in jaren heeft gehad.' Die enthousiaste toevoeging bedacht ze ter plekke in een poging iets van emotie op het gezicht van Harveys zoon te toveren, maar ze ging ervan uit dat het klopte en Scapelli deed of zei niets om het tegen te spreken. 'Het was zo'n goeie vent, je vader, en iedereen vindt het zo vreselijk dat nét nu de mensen waardering krijgen voor zijn wezenlijke, zijn wezenlijke…'

'Wat we dus voorstellen…' hielp Scapelli haar met een soort hoffelijk ongeduld.

'Wat we dus voorstellen is dat we de zaak nog een tijdje draaiende houden, of eigenlijk voor onbepaalde tijd. Met de inkomsten voor de lopende opdrachten kunnen we de schulden afbetalen die je vader heeft gemaakt en als het allemaal zo goed blijft lopen als nu, schiet er over een tijdje, laten we zeggen over negen maanden tot een jaar, zelfs een kleine erfenis voor jou over; geen fortuin, maar het is beslist, beslíst wat je vader gewild zou hebben. Ik weet zeker dat hij ontzettend veel van je hield.'

Ze zou niet kunnen uitleggen hoe ze dat wist, maar ze voelde dat het waar was, en bovendien sprak hij het niet tegen.

Michael sloeg zijn ogen even neer en keek haar toen weer aan. 'Dus het is niet de bedoeling dat ik de zaak overneem?' vroeg hij.

'Absoluut niet. We vragen je alleen om geen faillissement aan te vragen en de sluiting uit te stellen.'

'Maar wie neemt het dan wel over?'

Helen bloosde. 'Het personeel,' zei ze. 'Wij met elkaar. Dus je zou het als een bijkomend voordeel kunnen zien dat wij daardoor niet op straat komen te staan.'

'Eh… ik wil niet respectloos doen of zo, maar ik weet het gewoon echt niet; wie bent u precies? Was u zijn assistente of zo?'

Ze slikte. 'Ik ben de junior adjunct-directeur.'

Scapelli keek intussen discreet op zijn horloge. Hij was niet ouder dan zij en er was vast een reden dat hij hier een eenmanspraktijk voerde in een kantoor met een samenraapsel van meubels en met vochtplekken op het plafond, maar ze had niet het idee dat ze die ooit te horen zou krijgen. 'Het komt erop neer dat u wordt gevraagd om niets te doen,' zei hij tegen Michael. 'Hebt u daar bezwaar tegen?'

'Absoluut niet,' zei Michael.

'Fantastisch. Mijn taak zal dan voornamelijk bestaan uit het vragen van uitstel aan de belastingdienst en de andere schuldeisers, wat niet veel problemen op zal leveren nu uw vader laten we zeggen de ultieme verklaring van afstand heeft afgelegd. Ze zullen beslist openstaan voor alles waarmee ze alsnog hun geld zullen krijgen. En wat u betreft: mocht het niet zo goed verlopen als mevrouw Armstead denkt, dan loopt u geen enkel risico, althans de eerste maanden niet. Als ook maar de geringste problemen ontstaan, zetten we er alsnog een punt achter en komt alles voor elkaar. Hebt u verder nog vragen?'

'Nee,' zei Michael dankbaar. Hij leek deze zaak net als Scapelli zo snel mogelijk te willen afhandelen, het zelfs zo snel mogelijk uit zijn hoofd te willen zetten, hoe belangwekkend alles wat werd besproken naar Helens idee ook was. De bijna paniekerige haast waarmee Michael zich af wilde maken van het levenswerk van zijn vader zou gemakkelijk kunnen worden opgevat als ondankbaarheid of harteloosheid, bedacht ze, maar zelf zag ze het louter als zijn verlangen om zo snel mogelijk aan de nieuwe situatie gewend te raken, vooruit te kijken, zoals je ook naar voren moet kijken als je op het slappe koord, een brug of een ander gevaarlijk hoog punt staat.

De twee mannen stonden op en gaven elkaar een hand; daarna legde Scapelli zijn futloze hand in de hare ten teken dat hun gesprek afgelopen was. 'Er moeten zeker wel wat papieren worden ingevuld?' vroeg Helen hartelijk, al wist ze dat eigenlijk niet precies.

'Niet echt nodig,' antwoordde Scapelli.

Omdat er maar één lift was, moesten Helen en Michael samen naar beneden, waarbij het ongemakkelijk stil bleef. Er was niet eens een bewaker in de hal, als de duistere rechthoekige ruimte tussen de lift en de voordeur die naam tenminste verdiende. Het bewakingssysteem bestond blijkbaar uit de volslagen onaantrekkelijkheid van het gebouw, die het vrijwel onzichtbaar maakte. Helen voelde een plotselinge sympathie voor dit soort panden en de wankele, marginale bedrijven die er gevestigd waren; ze deden haar denken aan Harvey Aaron Public Relations, de marginale onderneming waarvan ze kennelijk zojuist aan het hoofd was komen te staan. Dat schrok haar niet eens zo erg af als het gezond verstand misschien voorschreef, dacht ze.

Op straat was het uitzonderlijk warm voor begin november. 'Welke kant ga jij op?' vroeg ze aan Michael.

'U dan?' was zijn antwoord.

Ze wees met haar duim naar het noorden. 'Ik denk dat ik maar ga lopen,' zei ze. 'Even een luchtje scheppen.'

'Ik stap op de F,' zei hij, op een opgeluchte toon waaruit ze begreep dat dat de andere kant op was. Maar hij liep nog niet meteen door. 'Nou,' zei hij, 'is het nodig dat wij nog contact houden?'

Ze moest bijna huilen. 'Dat lijkt me wel een goed idee,' zei ze. 'Zo af en toe. Je hebt het telefoonnummer natuurlijk en je kunt ook altijd even langskomen. Wat je wil, jij bent nu de baas. Letterlijk.'

Daar moest hij een beetje om lachen. 'Ik zal maar eerlijk zeggen dat ik al die jaren eigenlijk nooit heb begrepen wat mijn vader de hele dag precies deed.'

'Ik in het begin ook niet,' zei ze. 'Daar hebben we het ook over gehad toen ik hem voor het eerst ontmoette. Hij legde het toen heel fraai uit. Die uitleg heb ik sindsdien ook heel vaak gebruikt.'

Maar Michael lette niet genoeg op om toe te happen. 'Ik googelde hem weleens, maar dat leverde niks op. Weet u wel hoe onmogelijk dat is?' Hij fronste zijn wenkbrauwen. 'En dan heb ik het er nog niet eens over dat jullie zelfs geen website hebben, dat is vandaag de dag echt krankzinnig.'

'Klopt, hebben we niet, en dat zou inderdaad nodig moeten,' zei Helen. 'Weet jij hoe je een website maakt?'

Hij keek alsof een kind daar nog wel genoeg verstand van zou hebben. Maar ze zag ook dat hij een glimlach probeerde te onderdrukken. Hij was misschien te oud voor de kleding die hij droeg en voor de bijbehorende carrière die hij zo vastberaden leek te willen nastreven, maar in emotioneel opzicht was hij als een kleuter zo makkelijk te doorgronden.

'Kom anders over een dag of twee even op kantoor,' zei ze triomfantelijk, 'dan kun je ons daarmee helpen. Als jou dat goed uitkomt. Kom maar gewoon even langs.'

Hij knikte, ze gaven elkaar een hand, en daarna gingen ze elk een andere kant uit, Michael naar de F en Helen naar het troosteloze kantoortje om Mona en Nevaeh te vertellen dat ze nog steeds werk hadden. Dat was wel iets waarop ze zich kon verheugen. Geen van beide vrouwen leek hun baan erg leuk te vinden, maar werk was werk en een verzekering was een verzekering en ze waren allemaal moeder.

Op het kantoor juichten de vrouwen, ze gooiden hun armen in de lucht en omhelsden elkaar zelfs, iets wat nog maar een paar weken geleden ondenkbaar was geweest. Helen was vol optimisme, wat – zo gaf ze zichzelf later in de trein naar huis grif toe – niet zozeer was gebaseerd op een toekomstplan of op een praktisch gevoel over hoe ze alles moest aanpakken, als wel op de luidruchtige, ongegeneerde en bemoedigende zusterlijke energie waarvan het kantoortje nu doordrongen was, terwijl ze daar eerder vooral hun tijd uitzaten en overdreven veel aandacht hadden voor elkaars privacy. Mona en Nevaeh waren in tranen en bedankten haar voor het redden van hun baan, hielden haar hand vast en zeiden sentimenteel dat dit precies was zoals Harvey het gewild zou hebben en dat hij trots op haar geweest zou zijn. En toen zei Nevaeh twee weken later op een vrijdagmiddag na het werk tegen Helen dat dit haar laatste werkdag was geweest.

Helen kon haar oren niet geloven. Het was op Mona's bestudeerd onbewogen gezicht af te lezen dat zij al een tijd wist dat dit eraan zat te komen, maar ervoor had gekozen er niets over te zeggen, waarmee duidelijk werd waar haar loyaliteit lag.

'Ik dacht,' begon Helen, maar ze kon haar zin niet afmaken. Ze wist niet meer wat ze dacht. Nevaeh stond voor haar bureau en keek op haar neer met een soort verholen medelijden.

'Mijn tante heeft een baan voor me geregeld bij het ministerie van Huisvesting,' zei ze. 'Ik wens jullie allemaal het beste, maar dat is een baan bij de overheid, en dan weet je wat je hebt. En dit hier, die onzekerheid, daar kan ik niet meer tegen.'

Helen was heel gevoelig voor de suggestie dat zij hier de baas was; haar functietitel was weliswaar hoger dan die van hen (maar die titels waren hier toch sterk onderhevig aan inflatie), en sinds Harveys dood hadden ze steeds afwachtend naar haar gekeken, niet omdat ze dachten dat zij het beter wist, maar omdat ze gewoon niet dezelfde belangstelling en toewijding hadden als zij. Maar het verschil in ras maakte de hele dynamiek naar haar idee te gecompliceerd. Zo voelde ze dat nu ook weer. Ze zaten nog steeds met z'n drieën opeengepakt in dezelfde ruimte; niemand zou haar ervan weerhouden om met de paar spullen die ze had naar Harveys kamer te verkassen, maar daar was het nog steeds niet van gekomen.

'Is het niet gebruikelijk om een opzegtermijn van twee weken aan te houden?' vroeg Helen.

Nevaeh haalde met een vriendelijk gezicht haar schouders op.

Helen moest na het vertrek van Nevaeh behoorlijk aangeslagen hebben gekeken, want Mona probeerde haar geheel tegen haar karakter in op te vrolijken. 'Joh, dat scheelt elke week een salaris,' zei ze. 'Zo kunnen we het langer uithouden. Bovendien had ze toch niet veel te doen.'

'Je hebt gelijk,' zei Helen, die de tranen voelde branden. 'Natuurlijk heb je gelijk. Waarom kom ik daar zelf nou niet op?'

'Ik ben trouwens ook op zoek naar iets anders,' zei Mona, die zich weer omdraaide naar haar beeldscherm. Misschien bedoelde ze zelfs wel op dit moment, dacht Helen. 'Dat zou jij ook moeten doen. Want het is natuurlijk heel mooi om optimistisch te zijn, maar als je verantwoordelijk bent voor anderen, moet je wel iets achter de hand hebben, als je snapt wat ik bedoel.' Helen dacht heel even dat Mona het over zichzelf had, dat ze bedoelde dat Helen nu verantwoordelijk voor haar was, maar nee, ze had het natuurlijk over Sara, die, hoewel de twee vrouwen acht uur per dag met elkaar doorbrachten, in Mona's beleving het enige was wat er in Helens leven echt toe deed.

Ze werden niet al te zwaar belast door het werk dat er nog te doen viel. Het waren simpele klusjes, al moest Mona Helen wel allerlei kneepjes ervan uitleggen: hoe je een persbericht moest opstellen over een nachtclub die een vergunning wilde aanvragen in een woonwijk in de West Village en daar positieve media-aandacht voor nodig had; hoe je publiciteit kon genereren voor het bescheiden liefdadigheidswerk van een Koreaanse ondernemersvereniging in Flushing; hoe je een verstandig gesprek kon voeren met een man in Floral Park die de merknamen had opgekocht van een paar populaire snacks uit de jaren vijftig en zestig, zoals *Screaming Yellow Zonkers*, en ervan overtuigd was dat hij stervensrijk kon worden door die opnieuw op de markt te brengen. Mona en Helen gingen op zijn gewichtig aandringen helemaal met de metro naar Queens, waar bleek dat hij bij zijn getrouwde zus in het souterrain woonde en werkte. Merkwaardig genoeg betaalde hij wel steeds trouw zijn rekeningen. Het contract met hem liep nog vier maanden. Al die kleine kortetermijncontracten werden op dezelfde manier beëindigd: met een handdruk van de klant en een medelijdend 'Heel tragisch, van Harvey'. Daarmee was de kous af. Over een contractverlenging werd niet gesproken. Helen splitste alle inkomsten in tweeën: de helft was voor hun salaris en de schamele kantoorkosten, en de andere helft ging naar Scapelli, die met onregelmatige tussenpozen bericht stuurde over Harveys slinkende postume schuld. Dat was een prettige gedachte, net als het vooruitzicht dat ze Michael uiteindelijk een cheque zou kunnen overhandigen. Toch had het iets onontkoombaar sombers om de zaak op deze manier af te handelen. Het was net een tweede sterfbed van Harvey, maar nu inclusief dodenwake. Helen zou in Michaels belang haar eigen salaris best willen verlagen, maar dat kon ze zich absoluut niet veroorloven. Mona besteedde ongeveer eenderde van haar werkdag aan het zoeken naar vacatures op internet. Helen wist dat ze dat ook zou moeten doen, maar ze kon het niet opbrengen om verder dan een paar dagen vooruit te kijken.

Op een donderdagmiddag om een uur of vier kwam Michael onaangekondigd langs. Hij leek nogal van zijn stuk gebracht toen hij Helens verbaasde gezicht zag. 'Over die website waar we het over hadden…' begon hij aarzelend. 'Ja, natuurlijk,' zei Helen, zonder acht te slaan op Mona's indiscreet opgetrokken wenkbrauwen, en ze liep met hem naar de computer in de kantoorruimte van zijn vader.

'Hij maakt een website voor de zaak,' fluisterde ze tegen Mona toen ze weer op haar plek zat. 'Die hebben we echt nodig.'

'Waarom?' vroeg Mona, waarna ze met haar handen wapperde alsof ze haar eigen vraag wilde uitwissen. 'Hoeveel vraagt hij daarvoor?'

Helen maakte een nul met haar duim en wijsvinger.

'Zo vader zo zoon,' zei Mona. 'In elk geval ben ik om vijf uur weg.'

'Ik ook,' zei Helen, 'maar hij redt zich hier wel, we geven hem gewoon een sleutel.' Opeens kreeg ze een ingeving.

'Michael?' Ze stond op en leunde tegen de deuropening tussen beide kantoorruimtes. 'Ik had net een idee. Een van de laatste klanten die we nog over hebben is een nachtclub die binnenkort wordt geopend. Van dat soort zaken heb ik absoluut geen verstand. Hoe zou je het vinden om die account samen met mij te doen? Uitzoeken welke problemen er in het verleden zijn geweest met vergunningen, hoe je ze kunt voorkomen, hoe we een zo positief mogelijk beeld van de eigenaren kunnen geven, dat soort dingen.'

Michael zat intussen ontevreden naar zijn vaders computer te kijken, die niet bepaald het nieuwste van het nieuwste was. Nu keek hij even op. 'Hoe heet die nachtclub?'

'Repentance,' zei Helen.

Hij zuchtte. 'Dat wordt dan een beetje lastig, ik ken die lui. Dus nee.' Hij ging weer verder met de computer en Helen liep ontmoedigd terug naar haar bureau. Ze wist eigenlijk zelf niet goed wat ze had willen bereiken.

Die avond was ze op tijd thuis – het was niet nodig om over te werken en ook niet om werk mee te nemen voor onderweg – en toen ze aan het begin van de oprit het raampje van de auto omlaag draaide om de post uit de brievenbus te pakken, vond ze een grote, dikke envelop van het kantoor van Joe Bonifacio. Hij was niet gefrankeerd, dus hij moest hem zelf zijn komen brengen om postzegels uit te sparen. In de schemerige garage zette ze de motor uit, maakte de envelop open en zag dat er papieren voor de scheiding in zaten die ze moest ondertekenen.

'Er is helemaal niks te eten,' was het eerste wat Sara tegen haar zei toen ze de hal binnen kwam. 'Ik had nooit gedacht dat ik op een dag geen zin meer zou hebben in pizza, maar dat lust ik de rest van mijn leven niet meer.'

Helen stapte weer in de auto en reed naar de supermarkt om een kip te gaan kopen. Ze konden het eigenlijk ook helemaal niet betalen om steeds eten te bestellen. Onderweg ging ze langs de slijter en kocht een fles gewürztraminer, wat ze in geen jaren meer had gedronken; Ben was een wijnsnob en kon zelfs de geur ervan niet verdragen. Ze kookte, maakte na het eten de grill schoon, deed de afwas, en toen Sara in bed lag haalde ze de gewürztraminer uit de koelkast en schonk een groot wijnglas bijna tot de rand toe vol. Ze haalde de scheidingspapieren uit haar tas en nam zich voor om herinneringen op te halen totdat het glas wijn leeg was en langer niet; daarna zou ze tekenen en was ze er verder wel klaar mee. Terugkijken naar het verleden was nu alsof ze op het uiterste randje van een perron stond: het was uiteraard niet verstandig om je evenwicht te verliezen, maar als je daar te veel over nadacht, gebeurde dat toch.

Ze wist dat ze zich tot de verkeerde dingen van Ben aangetrokken had gevoeld; zijn zelfvertrouwen, het gemak waarmee hij zich in het sociale verkeer bewoog, de manier waarop hij soms naar haar staarde, de belofte van een leven zonder gebrek, een leven dat zekerheid bood in het gezelschap van een man die wist wat hij wilde. Hij was ontzettend slim. Had altijd iets in zijn hoofd. Hij was liever voor haar dan de andere mannen die ze had gekend, al waren dat er niet veel geweest. Ze vroeg zelfs aan hem wat hij vond dat ze moest lezen, moest dragen, moest bestellen; dat ze dergelijke inbreng van hem later opdringerig en neerbuigend was gaan vinden, was zijn schuld niet – zij was degene die was veranderd. Na de middelbare school was ze naar de stad verhuisd met het geld dat haar vader haar na zijn overlijden in het examenjaar had nagelaten. Met dat geld zou ze het niet lang uithouden, hoe zuinig ze ook was. Ben was derdejaars rechtenstudent en had al een baan aangeboden gekregen. Zij werkte bij Ralph Lauren. Een doorsnee baan, vond ze, maar hoewel ze absoluut niet oppervlakkig was, had ze geen speciale roeping of ambitie. Een vriendin van Helen had haar aan Ben gekoppeld toen hij een weekend in de stad was. Die vriendin was zelf ook een keer met hem uit geweest. 'Je vindt hem vast geweldig,' zei ze. 'Persoonlijk hou ik meer van jongens die nog iets kneedbaarder zijn.' Helen vond hem inderdaad geweldig en hij vond haar ook de moeite waard. Hoe duidelijk en gênant het achteraf ook leek dat zijn zelfbewustzijn en haar naïviteit hen tot elkaar hadden gebracht: het was de basis geweest voor vele gelukkige jaren.

Ze waren zelfs gelukkig gebleven en elkaar blijven steunen tijdens de trieste strijd om zwanger te raken. Na drie miskramen had hun arts een radicaal andere toon aangeslagen. Helen had nooit te horen gekregen dat ze onvruchtbaar was – het leek wel alsof geen enkele vrouw onder de zestig dat tegenwoordig nog te horen kreeg – maar na alle obstakels waarmee ze geconfronteerd werden, de medicijnen, de negen maanden bedrust, plus de kleine kans op een andere uitkomst dan wat ze al drie keer hadden meegemaakt, besloten ze om een kind te adopteren. Dan zouden ze toch nog op redelijk jonge leeftijd ouders worden. Na dertien maanden, twee reisjes naar China, de verhuizing naar een buitenwijk en een flinke financiële aderlating van Ben kregen ze Sara, elf maanden oud. Het was de mooiste dag van hun leven. Eén kind leek toen al zo'n zegen dat een tweede niet eens ter sprake kwam.

Ze stopte met werken, maar Ben ging natuurlijk juist langere dagen maken in de stad, en ergens gedurende die jaren, die in elk opzicht behalve de groei van Sara zelf statisch leken, had de grote aardverschuiving plaatsgevonden. Zijn leven en het hare raakten elkaar alleen aan het begin en het einde van elke dag. Seks, voor zover ze daaraan deden, werd voor Helen een vorm van ontkenning, zoals andere ouders de goede rapportcijfers van hun kinderen aanvoerden als bewijs dat alles thuis helemaal goed was. Ze maakten nooit ruzie, dat lag gewoon niet in hun aard, maar ze zag het gezicht van haar echtgenoot langzaam vervlakken en besloot dat op het conto van zijn veeleisende baan te schrijven. Hij werd partner, Sara ontwikkelde zich tot een kind zonder veel verrassingen, behalve dan een buitengewoon talent voor sport, en gaandeweg vergat Helen om nog meer van het leven te verlangen. Dat veranderde haar in een saai mens, een blok aan zijn been, onderdeel van de vaste lasten, en ze had voor eeuwig zo wezenloos door het leven kunnen zweven, of in elk geval tot Sara uit huis ging om te studeren, als haar man niet knettergek was geworden van haar gebrek aan inhoud.

Ze dronk haar wijn op, zette een handtekening onder de scheidingspapieren, deed ze weer in haar tas, liep met onvaste tred naar haar slaapkamer en ging naar bed.

De volgende ochtend zag ze dat Michael een briefje op haar bureau had gelegd. 'Congreslid terugbellen,' stond er. Dat leek haar onwaarschijnlijk, vooral omdat er een telefoonnummer in New York en niet in Washington bij stond. Helen belde het nummer. 'Kantoor raadslid Bratkowski,' zei de vrouw aan de andere kant van de lijn. Congreslid, raadslid, wat maakte het uit, dacht Helen vrolijk terwijl ze in de wacht stond. Maar die naam kwam haar wel bekend voor. Ze klemde de telefoon tussen haar oor en haar schouder, googelde zijn naam en vond wat ze zocht precies op het moment dat de stem van het raadslid door de telefoon baste.

'Dus jullie bestaan nog wél!' riep hij joviaal. 'Ik sprak gisteren iemand die zei dat Harvey Aaron dood was, dus nog gecondoleerd. Jullie hebben toch die staking van de Peking Grill gedaan?'

Een uur later zat Helen in de tram naar Elmhurst, een rit die lang genoeg duurde om de *Post* en de *Daily News* van die dag te lezen, waarin voornamelijk werd geschreven over de reden dat ze was gebeld. Doug Bratkowski, getrouwd, drie tienerkinderen, bezig aan zijn tweede termijn als raadslid, was door een bewakingscamera in de Bronx gefilmd terwijl hij een jonge vrouw sloeg die zijn maîtresse zou zijn. Helen had het geluidloze filmpje van vijftien seconden op internet gezien terwijl ze haar jas aantrok: eerst zag je een lege gang, daarna een grote man in een overjas die een veel kleinere vrouw aan haar haar meetrekt. De vrouw duwt hem van zich af en slaat hem krachteloos tegen zijn borst, waarna hij haar in het gezicht stompt. Hij duwt haar een trap op en kijkt achterom de gang in. Zijn rood aangelopen gezicht is op dat moment duidelijk herkenbaar.

'Ga zitten,' zei het raadslid toen ze er was. Hij deed de deur achter haar dicht. Het had het kantoor van een eenvoudig advocatenkantoortje kunnen zijn, met witte kunststof schrootjes en een balie die eruitzag alsof hij van mdf was gemaakt. Op zijn bureau stonden ingelijste foto's van zijn gezin en een van hem en burgemeester Bloomberg; beide mannen keken in de camera in plaats van naar elkaar.

'Wachten we nog op iemand?' vroeg Helen.

Zijn glimlach voelde als een hand op haar schouder. 'Nee, het lijkt me gezien de omstandigheden beter om het kringetje zo klein mogelijk te houden. De zaak staat er als volgt voor. De jongedame om wie het gaat, zal geen aangifte doen. Maar het is wel bekend geworden wie het is, dus ik ben bang dat de roddelbladen al met wapperende chequeboekjes voor haar in de rij staan. Het kan zijn dat ze toch gaat doorslaan, dat weet ik niet. Ik wil dus onderzoeken hoe ik de schade zo goed mogelijk kan beperken, niet in juridische zin, maar... nou ja, het is uw vak, u begrijpt vast wat ik bedoel.'

Bratkowski was een beer van een vent, met een gezicht dat zelfs bij kalmte rood was, en in zijn haar stonden de sporen van een kam. Helen moest haar angst voor hem onderdrukken. 'Had u een verhouding met die vrouw, meneer Bratkowski?' vroeg ze.

Hij veinsde verbazing en glimlachte weer. 'Zeg maar Doug, en zullen we er maar jij en jou van maken? Terzake: is het antwoord daarop relevant voor je werk?'

Dat wist ze eigenlijk niet zo goed, maar ze vond toch dat ze het moest weten. 'Beschouw me maar als je advocaat,' antwoordde ze. 'Ik wil niet in een situatie terechtkomen waarin ik verrast word met informatie die de andere partij wel heeft en ik niet.'

Hij knikte. 'Goed dan,' zei hij. 'Aangenomen dat je je dan ook aan de geheimhoudingsplicht houdt: ik had, en heb, inderdaad een verhouding met de jongedame die op de opname staat. Sinds ongeveer twee jaar. Mijn vrouw, die op dit moment niet met mij wil praten, weet dat pas sinds eergisteren. Er is geen liefdesbaby in het spel of zoiets. Ik heb nooit gemeenschapsgeld aan haar uitgegeven en haar nooit ingehuurd voor een of andere zogenaamde publiciteitsopdracht. Ze is gewoon een bloedgeile Latinachick met wie ik naast de pot pis, zoals miljoenen mensen overal ter wereld elke dag doen. Kun je daarmee uit de voeten, denk je?'

Ze sloeg haar benen opnieuw over elkaar en streek haar rok glad om tijd te winnen. Toen verzamelde ze moed en keek hem recht in zijn ogen. 'Ik denk dat er maar één mogelijke koers is,' zei ze. 'Zeg tegen je secretaresse dat alle media naar mij doorverwezen moeten worden. Ik zal zeggen dat je vanavond een verklaring gaat geven, laten we zeggen om half negen, dat is ruim op tijd voor het late nieuws en de ochtendkranten. Ik weet niet hoe je woont, maar als het plaatje klopt, kunnen we het daar doen, buiten, niet binnen, en anders doen we het hier. Hoewel dat een beetje krap is.'

'En wat moet ik dan zeggen?' vroeg het raadslid op vlakke toon.

'Je geeft alles toe. Je biedt die vrouw, die je met naam en toenaam noemt, je excuses aan voor je agressieve gedrag. En dan niet aankomen met termen als "zwak moment" of "betreurenswaardig incident". Je maakt je excuses aan je vrouw, je kinderen, je ouders als die nog leven, het electoraat, of ze nu op je gestemd hebben of niet, en aan vrouwen in het algemeen. In feite voer je jezelf dus naar de slachtbank van de media.'

Terwijl ze tegen hem sprak, trok er iets van de roodheid uit zijn gezicht weg en voelde ze opnieuw, net als in eerdere gevallen, dat haar woorden haar macht over hem gaven. 'Denk je echt dat we het zo moeten spelen?' vroeg hij.

'Het is de enige mogelijkheid. Vergiffenis vragen. Als je ook maar iets achterhoudt, gaat dat verhaal een eigen leven leiden. Mag ik je iets vragen? Je bent waarschijnlijk iemand met ambities. Wat zou je willen dat er nu ging gebeuren? Welke ambities dreigen er door je eigen misstappen in het honderd te lopen?'

Hij leunde achterover. 'Ik wil in functie blijven,' zei hij. 'Herkozen worden. Het was erg stom wat ik heb gedaan en het is ook helemaal niks voor mij. Het was iets eenmaligs en ik wil het uit de wereld hebben.'

'Dat gaat je nooit helemaal lukken,' zei Helen. 'Maar je kunt dat wel in je verhaal opnemen. Je moet eerlijk zijn. Je moet je volkomen kruiperig opstellen, je niet verdedigen en je gedrag op geen enkele manier proberen goed te praten. Dus geen: "Ik was dronken" of "zij begon". Je moet elke vraag beantwoorden en als mensen je proberen uit de tent te lokken, hou je je kalm. Denk je dat dat gaat lukken?'

'Moet mijn vrouw er ook bij zijn?' vroeg hij.

Helen dacht na. Ze wist door dit gesprek zeker dat hij het er goed vanaf zou brengen. 'Dat hangt ervan af,' zei ze. 'Van hoe ze kijkt.'

Zijn blik dwaalde even af. 'Oké, dan waarschijnlijk maar beter van niet,' zei hij. 'Je moet wat ik nu zeg niet verkeerd opvatten, maar ik hoop wel dat dit gaat werken. Het is niet echt iets voor mij om voor een stel camera's in mijn hemd te staan.'

'Het gaat ook niet om jou, maar om de anderen. En dit gaat zeker lukken. Het moet zo en niet anders.'

Hij stond op, pakte Helens jas van de stoel en hield die voor haar op terwijl zij hem de rug toekeerde en haar trillende handen in de mouwen liet glijden. 'Weet je,' zei hij, 'ik heb haar nog nooit eerder geslagen.'

'Dat,' zei ze, 'is nu precies wat je dus tegen niemand anders gaat zeggen.'

Het lukte. Ze wist dat het zou gaan lukken, al snapte ze niet precies waarom. Door haar geloof in deze tactiek van totale onderwerping, leek het alsof ze een soort gezondverstandberisping uitdeelde; niet alleen aan haar ex-man en zijn advocaat, maar aan juristen in het algemeen. Die avond stond ze een uur en drie kwartier achter het raadslid te bibberen op het bordes van zijn herenhuis in Elmhurst, buiten het zicht van de camera's.

Hij deed het zo goed dat het zelfs haar nauwelijks lukte om aan zijn oprechtheid te twijfelen. Zelfs na het unanieme besluit om hem in de gemeenteraad een officiële berisping te geven, was de affaire na vier dagen uit het nieuws.

Mona keek over Helens schouder mee toen die de factuur opstelde voor Bratkowski's kantoor. 'Ben je belazerd?' zei ze. 'We hebben het hier over gemeenschapsgeld. Verdubbel dat maar.' Dat vond Helen wat te ver gaan, maar ze verhoogde het bedrag wel met een paar duizend dollar en de rekening werd zonder morren betaald. Een week later vond Helen bij de post een kerstkaart van Doug en Jane Bratkowski, met een foto van het hele gezin, allemaal gekleed in dezelfde truien. Je kon uit zo'n foto natuurlijk niet veel afleiden, maar ze zette hem toch op haar bureau.

Was het echt zo simpel? vroeg ze zich af. Net zoals na de Peking Grill leek het verhaal over hun succes zich ook deze keer als een lopend vuurtje te verspreiden en gaf het het kantoor een aura dat andere opdrachten aantrok, opdrachten die niets te maken hadden met het lospeuteren van excuses dat ze als haar roeping begon te beschouwen, haar toevallige specialiteit. Dat aura leek zelfs haar leven buiten het kantoor een speciale glans te geven en goed nieuws te genereren. Zo was Sara volgens de tandarts een van de zeldzame kinderen die geen orthodontie nodig hadden, en werd ze aan het eind van het seizoen geselecteerd voor het all-county voetbalteam, een eer die nooit eerder te beurt was gevallen aan een meisje uit Rensselaer Valley. En toen werd Helen op een zaterdagochtend gebeld door Joe Bonifacio. De rechtszaak was nog lang niet ten einde, maar er was wel een doorbraak; de advocaten van Cornelia Hewitt waren in het belang van het kind overeengekomen om het huis te schrappen op de lijst van door de rechtbank bevroren tegoeden onder voorwaarde dat het uitsluitend op Helens naam werd gezet.

'Wat houdt dat precies in?' vroeg Helen zacht, want het was half elf, maar Sara was nog niet op.

'Dat houdt in dat het huis jouw volle eigendom is en dat je het mag verkopen en de winst mag houden.'

'Maar moet Ben daar geen toestemming voor geven?'

'Dat heeft hij gedaan,' zei Bonifacio. 'Is al geregeld.'

Na het telefoongesprek hing Helens mond nog steeds open van verbazing. Ben moest hier een of ander voordeel bij hebben, zei ze tegen zichzelf, want hij had altijd overal een bedoeling mee, in elk geval als het ging om geld. Geld en de wet. Hij betaalde trouwens geen alimentatie, al had de rechter gezegd dat ze daar achteraan zouden gaan zodra er een uitspraak in zijn zaak was en hij werd ontslagen uit de ontwenningskliniek. Ze dacht er te laat aan dat ze Bonifacio nog niet had gevraagd of het al bekend was wanneer dat zou gaan gebeuren, of dat Ben er misschien zelfs al uit was. De rekeningen van Stages gingen rechtstreeks naar het kantoor van de advocaat, dus als niemand eraan had gedacht om haar even in te lichten dan kon ze er, vermoedde ze, niet van op de hoogte zijn. Zou hij misschien te geknakt en beschaamd kunnen zijn om contact met haar op te nemen, zelfs om zijn kind op te zoeken? Niet dat ze dat graag zou willen, tenminste nu nog niet. Ze stond op het punt om Bonifacio terug te bellen en het te vragen, maar op dat moment piepte de deur van Sara's slaapkamer en liet Helen de telefoon op de bank vallen.

Toen ze de volgende avond op de bank voor de tv zaten te eten, zette Helen het geluid uit en zei: 'Sara, weet je nog dat we het een paar maanden geleden over verhuizen hebben gehad?'

'O ja?'

'Ja. Dat we eventueel naar de stad zouden verhuizen. We hebben het niet heel uitgebreid besproken, dus misschien dat je het je daarom niet herinnert, maar je zei wel dat je het leuk zou vinden. Is dat nog steeds zo?'

Sara keek haar met grote ogen aan. 'Dat weet ik niet,' zei ze. 'Misschien wel.'

'Oké, dat is goed om te weten,' zei Helen. Ze leunde naar achteren, zette het geluid van de televisie weer aan en probeerde niet te glimlachen.

Opeens zou deze kerst weleens de laatste kunnen zijn die ze doorbrachten in dit huis, het enige dat Sara kende. Toen Helen Mark Byrne van makelaardij Rensselaer Valley belde, dezelfde makelaar die het huis veertien jaar eerder aan hen had verkocht, en zei dat ze overwoog om het voorzichtig, discreet en als proefballonnetje te koop aan te bieden, stond hij zowat al een TE KOOP-bord in de voortuin te hameren voordat ze had opgehangen. Er werd meteen een paar keer geboden, niet heel hoog, maar Helen had zonder iets tegen Mark Byrne of iemand anders te zeggen besloten om het beste bod te accepteren dat ze voor oudejaarsdag kreeg, hoe hoog of laag het ook was. Het werd tijd om te verkassen.

Dus behalve de bescheiden voorbereidingen voor kerst – cadeautjes voor Sara, een fatsoenlijk kerstdiner, een schoon huis en een kleinigheid voor Mona en Michael – moest ze ook op strooptocht naar een betaalbaar appartement in Manhattan (twee slaapkamers, ze smeekte God op haar blote knieën dat ze in elk geval twee slaapkamers kon betalen omdat Sara anders gruwelijk wraak zou nemen) en een fatsoenlijke openbare school in de buurt. Hoe opwindend Helen het ook vond om verder in de toekomst te denken dan de volgende gasrekening, ze voelde zich ook een beetje schuldig, of eigenlijk eerder nostalgisch dan schuldig, wat in bepaalde opzichten op hetzelfde neerkwam. Want ondanks alles wat hier de afgelopen maanden en jaren was misgegaan: het was toch hun thuis, en het geloof in de toekomst dat nodig was om er zomaar afscheid van te kunnen nemen leek zo arrogant, zo roekeloos zelfs. Wat achter je lag, of het nu goed was of slecht, had iets waarachtigs dat hetgeen voor je lag nog niet kon laten zien. Het was een belangrijk moment en Helen wilde het niet zomaar ongemerkt voorbij laten gaan, ze wilde niet zoals dieren zomaar van het ene seizoen overgaan in het andere. Opeens schoot haar iets te binnen wat ze al heel lang met kerst had willen doen, maar wat Ben altijd pertinent had geweigerd.

'Naar de kerk?' vroeg Sara. 'Ben je gek?'

'Alleen op kerstavond,' zei Helen geruststellend. 'Dat is trouwens voor veel mensen de enige keer dat ze naar de kerk gaan. Ik bedoel niet eens de nachtmis. Deze mis begint om vijf uur dus we zijn op tijd thuis voor het eten. Het is heel relaxed, veel zang, helemaal niet zo kerkachtig.'

'Maar waarom?'

'Ik ging daar vroeger als kind ook naartoe. En ik wil dat graag nog een keer doen, misschien wel alleen om daar nog eens aan terug te denken. Dat is alles, ik ben niet bekeerd of zo. Wil je dat voor mij doen? Alsjeblieft?'

'Oké, ik ga mee,' zei Sara. 'Onder één voorwaarde.'

'Dank je, lieverd,' zei Helen ontdaan. 'En wat is die voorwaarde?'

'Ik wil eerst naar de film. Op die middag. Dan hebben we een beetje jouw idee en een beetje mijn idee van Kerstmis. Oké?'

Helen straalde. 'Natuurlijk! Dat klinkt heel leuk. Misschien kunnen we naar die nieuwe film, *A Time of Mourning*, met Hamilton Barth, die draait in elk geval in de Triplex.'

'Eh, mam? Had ik het over "wij"?'

'O. Nou, oké. Ik dacht alleen dat je *A Time of Mourning* misschien wilde zien, ik in elk geval wel…'

'Je bedoelt dat ik elf dollar wil betalen om naar een of andere vage ouwe vent te kijken waar jij vijftig jaar geleden mee hebt gezoend. Terwijl ik liever elf dollar zou willen betalen aan iemand die dat beeld uit mijn hoofd weg kan poetsen.'

'Dus je gaat liever alleen naar de film?'

'Ja,' zei Sara. Iets in het gezicht van haar dochter, een soort bestudeerde uitdrukkingsloosheid, gaf Helen een idee van wat er werkelijk speelde – o god, dacht ze, er is een jongen in het spel. Iemand van wie ze door de verhuizing afscheid zou moeten nemen.

'Prima,' zei Helen. Ze bloosde. 'Als je maar uiterlijk om vier uur thuis bent. En geen trainingsbroek aan naar de kerk.'

Op de dag voor Kerstmis fietste Sara na de lunch de heuvel op naar Meadow Close. Toen ze bij de hoofdweg kwam, had ze het niet koud meer. Ze reed over de smalle vluchtstrook tot aan het stoplicht, stak het kruispunt van vijf wegen over waar er altijd naar haar getoeterd werd, en fietste over het viaduct naar het centrum. Omdat er langs de smalle hoofdstraat niet veel parkeergelegenheid was, zeker niet in deze tijd van het jaar, lagen er achter de winkels aan de noordkant openbare parkeerplaatsen, waardoor de stad wel iets weg had van een filmdecor. Ze sloeg bij de ijzerhandel rechts af en reed over de stille parkeerterreinen, waar ze soms moest afstappen om over een vangrail te klimmen of tussen geparkeerde auto's door te manoeuvreren. Dat deed ze omdat ze hier minder kans liep te worden gezien door iemand die ze kende. Ze kwam langs de nooduitgang van de bioscoop en reed door, langs de blinde achtermuren van de juwelier, de Starbucks en de apotheek, tot achter de kleine Poolse familiesupermarkt aan het eind van Main Street, een zaak die vreemd genoeg maar bleef bestaan hoewel er nooit iemand iets scheen te kopen. Achterin stonden twee kleine tafeltjes voor het geval iemand er een kop Poolse koffie wilde drinken. Ze zette haar fiets tegen de betonnen muur achter de vuilnisbakken, blies in haar handen en liep door de achterdeur naar binnen, en daar, aan een van de twee tafeltjes, zat haar vader, die opstond toen hij haar zag.

'Hoi lieverd,' zei hij. Hij was er zelf blijkbaar ook nog maar net, want hij had zijn jas weliswaar open geknoopt maar nog niet uitgedaan. Hij nam haar in zijn armen, en het warme gevoel dat ze daarvan kreeg, raakte iets heel diep in haar binnenste, waardoor ze zich vrijwel meteen uit zijn omarming losmaakte.

Hij stond houterig te grijnzen. 'Je ziet er goed uit,' zei hij.

'Dank je,' zei Sara, die ook bleef staan.

Na een korte stilte vroeg hij lachend: 'En? Hoe zie ik eruit?'

Ze keek nadenkend. 'Minder moe.'

'Bedankt dat je bent gekomen,' zei hij, wat heel raar klonk uit de mond van een vader. Ze trokken hun jas uit en gingen zitten. De eigenaar bracht koffie voor hem en gaf haar warme chocolademelk, wat haar ergerde omdat ze ook liever koffie wilde, maar toen kwam hij aan met twee verrukkelijke warme broodjes waar een soort crème in zat. Ze at dat van haar op en begon daarna aan het zijne. Hij haalde een klein ingepakt cadeautje tevoorschijn en zei 'Vrolijk kerstfeest!' Ze likte haar vingers af, pakte het aan en stopte het meteen in haar zak.

'Oké,' zei hij, 'maar pas op als je het openmaakt. Je wilt vast niet dat je moeder merkt dat het van mij komt. Daarom heb ik ook niet iets groters voor je gekocht.'

'Kom je nog thuis?' vroeg Sara opeens. 'Ik bedoel alleen met kerst of zo?'

Hij bloosde. 'Ik denk het niet. Dat zie ik niet gebeuren. Dit jaar in elk geval niet.'

'Maar heb je het wel aan haar gevraagd?' Hij schudde zijn hoofd. 'Waarom niet? Ben je bang dat ze nee zegt?'

'Het is te snel,' zei hij alleen maar. 'Te snel om überhaupt iets te vragen, na wat ik heb gedaan.' Hij keek naar haar terwijl ze at. 'Hoezo eigenlijk? Denk jij dan dat ze nee zou zeggen?'

'Waarschijnlijk wel, ja,' zei Sara. 'Maar als je dit jaar niet komt, kan het nooit meer, want mama gaat het huis verkopen. Ze zegt dat we naar de stad gaan verhuizen.' Hij leek hier niet verbaasd over, wat ze wel had verwacht.

'Ik was vooral bang dat ze hier nee op zou zeggen,' zei hij. 'Dat ik met je wilde afspreken. Daarom heb ik alleen jou ge-sms't, wat ik waarschijnlijk beter niet had kunnen doen. Maar nu wil ik het niet meer over mezelf hebben. Zo veel tijd hebben we niet. Ik wil graag over jou horen. Wat heb ik allemaal gemist?'

Ze vertelde over school, over voetbal, dat ze alleen thuis was als haar moeder werkte – Sara moest toegeven dat ze het eigenlijk wel leuk vond om een paar uur het huis voor zichzelf te hebben. Toen ze vroeg waar hij nu woonde, keek hij gegeneerd en zei: 'Hier in de buurt.' Ze wist niet of hij van haar verwachtte dat ze vroeg hoe het de afgelopen maanden in de ontwenningskliniek was geweest, maar ze dacht dat hij daar zelf wel over zou beginnen als hij er iets over kwijt wilde. Misschien mocht hij dat wel niet. Wat hij niet tegen haar zei was: 'Het spijt me,' maar in zekere zin was ze wel blij dat hij dat niet deed omdat het totaal niet bij hem paste, en op dit moment had ze hem vooral nodig zoals hij werkelijk was.

Buiten gingen de straatlantaarns aan. Sinds ze er zaten, was er nog niet één klant binnengekomen, maar de eigenaar maakte geen aanstalten om de zaak te sluiten. Ben betaalde de rekening, haalde iets uit zijn zak en schoof het over de tafel naar haar toe. Een bioscoopkaartje. 'Dit heb ik onderweg hierheen gekocht,' zei hij. 'Voor de voorstelling van kwart voor twee.'

Ze keek hem niet-begrijpend aan.

'Dan heb je het bewijs,' zei hij bijna trots. 'Ze denkt toch dat je nu naar de film bent? Nou, dan heb je een alibi. Voor het geval ze achterdochtig wordt.'

'Toe even, zeg.' Sara stond op, trok haar jas aan en liet het kaartje op tafel liggen. 'We hebben het over mám.'

3

Niemand die je zo veel over narcisme kan vertellen als een verslaafde, of hij nu aan het afkicken is of niet, en hoewel Ben nergens verslaafd aan was, herkende hij tijdens zijn eerste twee weken in Stages genoeg van zichzelf in de gesprekken over narcisme om zich geen al te grote indringer te voelen. Oké, toen hij aan de beurt was om iets te vertellen (het enige wat ze daar deden was praten, in verschillende samenstellingen, steeds maar weer praten, de hele dag door tot het etenstijd was), vond hij het aanvankelijk nodig om alles wat aan te dikken: zijn drankgebruik, zijn seksuele neigingen, het destructieve gedrag waardoor hij zijn eigen leven en dat van anderen had kapotgemaakt. En ze hadden best door dat hij loog, daar waren ze experts in, maar het grappige was dat ze het beschouwden als ontkenningsgedrag, ze dachten dat hij loog uit lafheid, niet omdat hij bang was om te worden uitgelachen of geminacht omdat zijn problemen relatief gezien luxeproblemen waren. En dus voerde hij het nog een beetje op, tot hij er na een paar weken van groepsgesprekken heel goed in was geworden, zo goed zelfs dat hij zelf niet meer wist of zijn schaamte nu echt was of gemaakt. Aan het eind van de maand voelde hij zich net een levenslang veroordeelde, gewend aan de rituelen en gebruiken in de gevangenis, aan hoe alles eraan toe behoorde te gaan. Hij was dan ook diep geschokt toen zijn therapeut hem de maandag na Thanksgiving aan het eind van een een-op-een-gesprek op zijn knie tikte en zei: 'Benjamin, volgens mij zit jouw werk er hier op.'

En het krankzinnige was dat hij zich nooit eerder zo verslaafd had gevoeld als op de dag waarop hij uit de kliniek werd ontslagen: de wereld achter die lommerrijke, onbewaakte poort scheen hem plotseling heel beangstigend toe. Zijn auto stond nog op de parkeerplaats. Hij liet de motor een paar minuten stationair draaien en probeerde te bedenken wat hij nu praktisch gezien het beste kon doen. Allereerst moest hij Bonifacio bellen, de advocaat, en tegen hem zeggen dat hij de derdenrekening die ze voor zijn behandeling hadden geopend moest opheffen. Hij sprak een voicemailbericht in. En zou hij daarna Helen ervan op de hoogte brengen dat hij uit de kliniek was? Maar toen dacht hij eraan dat de band met haar niet meer bestond, dat ze die hadden verbroken, juridisch en anderszins. Hij wist trouwens toch niet wat hij tegen haar zou moeten zeggen, of tegen Sara; nu in elk geval nog niet. Hij had zijn dochter al bijna drie maanden niet meer gesproken; de therapeuten hadden dat de eerste twee maanden verboden, en zelfs daarna zou er bij elk telefoontje een therapeut hebben meegeluisterd, iets wat Ben onacceptabel vond. Sara zat trouwens de komende zes of zeven uur nog op school met haar mobiel uit. Maar hij had niets om zich op te richten, geen werk, geen huis, en al zijn spullen lagen nog in het huis in Meadow Close, op zijn ene koffer na, tenzij ze alles had opgeslagen, verkocht of verbrand. Hij verbeeldde zich dat hij de ogen van zijn therapeut nog op de stilstaande auto gericht voelde. Zonder ergens een besluit over te nemen, reed hij van de parkeerplaats af en begon aan de rit van drie kwartier naar Rensselaer Valley.

Zoals al eerder was gebeurd, haalde hij het net niet helemaal. Een paar kilometer voor zijn afslag moest hij even stoppen op een halflege parkeerplaats naast een kantorenpark omdat hij dacht dat hij ging hyperventileren. Tien minuten later zat hij weer op de snelweg; deze keer redde hij het om helemaal door te rijden tot de heuvel boven Meadow Close voordat hij weer stopte. De contouren van het huis leken wel te veranderen, te krimpen of te verschrompelen tegen de achtergrond van de kale bomen en de koude, grijze wolken. De tuin was een puinzooi. In de slaapkamer brandde licht. Hij wist nog dat hij op een avond op de rand van zijn bed in een door de therapie teweeggebrachte opwelling van deugdzaam berouw afstand had gedaan van het huis ten gunste van Helen; het was zeer onwaarschijnlijk dat ze het al zo snel had verkocht, maar wist hij veel, voor hetzelfde geld lag er nu een of andere vreemde in die kamer. Hij had sowieso niet meer het recht om er naar binnen te gaan; hij kon zelfs nergens nog met een goede reden naartoe, alleen maar in een opwelling. De angst, waarvan de fysieke symptomen hem versteld hadden doen staan, stond andere gevoelens niet in de weg, want nu hij met zijn handen op schoot door de voorruit staarde, moest hij toegeven dat hij in zekere zin precies gekregen had wat hij wilde hebben. Hij was een ander mens. Welke stap hij nu ook zou gaan zetten: het zou niet de stap zijn die hij al vele malen of zelfs maar één keer eerder had gezet. Het enige wat nog over was van zijn oude leven was het schandelijke einde, en die schande, en de last ervan, had bijna iets gerieflijks; het leek iets waarmee hij aldoor al had geflirt en wat nu van hem was. Dat was wat hem destijds, lang geleden, zo was gaan irriteren aan Helen: ze geloofde te blindelings in hem, ze wilde niet zien dat hij het juk torste van waar hij toe in staat was. Opeens tetterde ergens achter hem een keiharde claxon, waardoor hij bijna met zijn kop door het dak vloog. Een grote gele Hummer kwam pal naast hem tot stilstand, midden op de weg, en het getinte raam aan de passagierskant, een halve meter boven hem, ging naar beneden.

'Ben Armstead?' vroeg dokter Parnell.

Ze zetten allebei de motor uit en praatten door de open raampjes met elkaar. Dat Parnell een hufter, een eikel en een zemel was, wist Ben al jaren, maar nu zijn vroegere buurman hem met een opgetrokken wenkbrauw en een infantiele grijns probeerde duidelijk te maken dat ze hypermannelijke soortgenoten waren, jongens onder mekaar, of ze nu in een monsterlijke auto reden of bloedgeile ondergeschikten pakten in een hotelkamer, walgde hij pas goed van hem. Maar Parnell nodigde Ben tenminste wel uit om binnen te komen en hij gaf hem een kop koffie. En hij scheen wel te begrijpen dat Ben zich in een soort limbo bevond, want hij bood zomaar uit zichzelf aan dat Ben het vakantiehuisje aan Candlewood Lake mocht gebruiken dat hij daar had en naar eigen zeggen gebruikte als hij ging vissen. In deze tijd van het jaar kwam daar toch nooit iemand. Ben bedankte hem, noteerde hoe hij er moest komen, dronk zijn koffie op en reed er rechtstreeks naartoe.

Dat Parnell de blokhut alleen maar gebruikte als hij ging vissen kwam Ben onwaarschijnlijk voor toen hij de lege wijnflessen, de kaarsen en het grote tweepersoonsbed zag. Gelukkig was het huisje wel geschikt om 's winters te bewonen. De andere huisjes die hij vanaf de piepkleine veranda kon zien waren verlaten, ook in de weekenden. Misschien zou dat over een maand of wat, als het meer bevroren was, wel anders zijn, dacht Ben. Intussen kropen de dagen in alle rust voorbij. Hij bracht er de kerst door, opgelucht en tevreden door het geheime, hartelijke maar onbewogen uurtje met Sara de vorige dag. Hij nam geen contact op met zijn ex-vrouw, maar ging ervan uit dat ze wel wist dat hij niet meer in Stages zat, dat Sara of Bonifacio haar dat bij gelegenheid had verteld. Hij had Bonifacio het restant van de derdenrekening naar haar laten sturen, geoormerkt als achterstallige kinderalimentatie. Geen reactie. Toen hij Sara een paar dagen na Nieuwjaar voorstelde om nog een keer af te spreken, stuurde ze een niet mis te verstaan sms'je terug: ze gingen verhuizen, ze waren zelfs het weekend ervoor al verhuisd, naar Manhattan. Daar kon hij het mee doen, de rest van die gure, modderige januarimaand, waarin het ijs op het meer niet dikker werd dan een centimeter of vijf. Zelfs als hij van nature niet geneigd zou zijn tot afwachten, zou hij weinig keus hebben gehad: over zijn toekomst werd elders, zonder zijn directe betrokkenheid onderhandeld, althans in juridische zin, en tot dat proces afgerond was, viel er voor hem geen toekomstplan te maken.

Wat had hij gedaan? Dat vroeg hij zich eerder verwonderd dan berouwvol af. Hij kon zich er niet eens toe zetten om spijt te hebben van de manier waarop het was gebeurd, van de schade die hij anderen had berokkend, want die schade was wat hem nu bepaalde, wat zelfs zijn opflakkerende relatie met Sara bepaalde omdat hij nu iets had wat hij voor haar moest bewijzen, al wist hij nog niet precies wat, of hoe. Hij had afstand gedaan, daar kwam het eigenlijk op neer. Maar die afstand voelde nu wel erg groot.

Het was vijftien kilometer naar het dichtstbijzijnde stadje en bovendien viel daar niets te beleven, dus Ben had de hele dag weinig anders te doen dan nadenken – eigenlijk was er wat dat betreft weinig verschil met de ontwenningskliniek, afgezien van de meedogenloze stilte. Ook door de technologische isolatie van de rest van de wereld leek de blokhut op Stages, want hij werd omringd door bergen en Bens mobiel had hoegenaamd geen bereik. Kabel was er ook al niet. Eén keer per dag, soms twee keer, reed hij naar het stadje, parkeerde naast het Mobil tankstation waar hij vanuit het raam niet gezien kon worden, en keek of een van de weinige contacten die hij nog had hem een bericht had gestuurd. Als hij de afzenders niet meerekende waarvan hij automatisch bankafschriften of overzichten van zijn frequent-flyeraccount kreeg, waren dat er zelfs nog maar twee. Op de grijze namiddagen, als hij de meeste kans had om zijn dochter op weg van school naar huis te pakken te krijgen, zat hij achter het stuur met de verwarming hoog en stuurde haar een

sms. Dat gaf hem tegelijk een voldaan en een gefrustreerd gevoel, want Sara sms'te kortaf en hij wist niet of ze dat altijd deed
– misschien als gevolg van haar eigen ongeduld en gebrek aan
typevaardigheid – of dat ze hem probeerde te vergeten, maar
niet de moed kon opbrengen om dat tegen hem te zeggen.

Hoest op school?

Gaat wel

Hoest nieuwe huis?

Kut

Ze had nu een totaal ander leven, wat je aan haar gebrek aan
affect niet zou zeggen, voor zover het zin had om sms'jes daarop
te beoordelen. In elk geval had ze hem niet geblokkeerd. Na een
minuut of tien van dergelijke uitwisselingen – ze wist niet waar
hij uithing, dat kon haar blijkbaar ook niet schelen – ging hij het
tankstation in en haalde een beker smerige koffie van zes uur
oud en een *New York Times*; daarna ging hij weer naar de auto en
belde zijn advocaat.

Die Bonifacio bleek een lot uit de loterij. Als Ben daar zelf
nog voor in de positie was geweest, had hij hem onmiddellijk
aangenomen. Zoals de meeste goede advocaten die Ben had
meegemaakt, was Bonifacio een pitbull, een misantroop, met
de wraakzuchtige houding van iemand wiens gênante illusies
over de goedheid van de mens reeds lang geleden in rook waren
opgegaan. Misschien had hij gewoon een erg goede privédetective, maar hij had zó'n beerput over die Cornelia Hewitt weten
open te trekken – fantastisch was bijvoorbeeld de beëdigde verklaring dat ze op Duke met een van haar professoren naar bed
was geweest – dat ze de zaak hadden kunnen schikken voor wat
een appel en een ei leek vergeleken met het rampscenario van
nog maar enkele maanden geleden. Ben zou dus toch nog wat
geld overhouden. Maar degene die er in financieel opzicht het
best vanaf kwam, was Bonifacio zelf, die een keer met uitda-
gende geniepigheid had laten vallen dat zijn vrouw en hij met

de gedachte hadden gespeeld om Bens oude huis te kopen toen Helen dat te koop had aangeboden.

De strafzaak was weliswaar beïnvloedbaar, maar bleek toch niet zo gemakkelijk af te handelen. De aanklacht wegens aanranding werd, zoals Bonifacio al had voorspeld, ingetrokken nog voordat hij kon worden afgewezen, wat er godzijdank op duidde dat er geen rechtszaak zou komen, maar ook dat er onderhandelingen werden gevoerd. Ben had geen flauw idee hoe de zaak ervoor stond of wanneer hij een uitspraak kon verwachten. Toen het februari werd, en hij zich al twee volle maanden in de blokhut van Parnell zat te vervelen, er eindelijk een dikke laag ijs op het meer kwam en hij alle stompzinnige Tom Clancy's en James Pattersons had gelezen die daar in de kast stonden, en het zelfs in zijn auto ijskoud en donker was tijdens het half uurtje dat hij met zijn dochter zat te sms'en terwijl zij in hun nieuwe appartement tv zat te kijken en dan opeens afsloot met *Mam komt, moet stoppen*, kreeg hij in een telefoongesprek met Bonifacio te horen dat zelfs de beste deal die zijn advocaat kon sluiten inhield dat hij een symbolische gevangenisstraf moest uitzitten.

'Achtentwintig dagen,' zei Bonifacio. 'Lager kan de officier van justitie niet gaan. De zaak trekt nogal veel aandacht en rijden onder invloed staat nu eenmaal hoog op de politieke agenda. En als je nagaat hoe het er drie of vier maanden geleden voor stond, vind ik eerlijk gezegd dat je nog in je handjes mag knijpen.'

Ben zat te bibberen, hoewel hij zich vreemd kalm voelde. Met zijn vrije hand zette hij de verwarming nog wat hoger. 'Dat is een goeie deal, dat weet ik wel,' zei hij. 'Knap werk van je.'

'Ach, het is een oud studievriendje van me,' zei Bonifacio.

'Ik ga ervan uit dat jij Helen wel even op de hoogte brengt?'

'Daar zou ik niet van uitgaan,' zei Bonifacio koeltjes. 'Ik vertegenwoordig jullie nu afzonderlijk, in elk geval tot jullie de voogdij geregeld hebben, waar geen van jullie beiden tot op heden toe bereid lijkt. Verder hoef ik alleen openheid van zaken te geven betreffende financiële aangelegenheden. Het geld dat nog op de derdenrekening staat, is tot ik meen de zomer toereikend voor de kinderalimentatie. Ik zal tegen haar zeggen waar je zit als zij me dat vraagt. Verder reikt mijn verantwoordelijkheid niet.'

'Heeft ze weleens gevraagd waar ik ben?'

'Tot op heden niet. Maar ze weet wel dat je ergens zit.'

Wow, dacht Ben, goed van haar. 'Weet ze dat ik contact heb gehad met Sara?'

'Oei,' zei Bonifacio. 'Da's niet slim. Ik doe maar alsof ik dat niet heb gehoord. Ik heb Helen trouwens al in geen maanden meer gezien. En jou zelfs nog langer niet. En dat voor mijn belangrijkste cliënten! We spreken elkaar alleen nog maar per telefoon.'

Ben zou zijn straf moeten uitzitten in een lichtbeveiligde gevangenis in Mineville, een stad ten noorden van Albany. Bonifacio was daar nog nooit geweest, maar hem was verzekerd dat het de comfortabelste gevangenis in de wijde omtrek was. Over tien dagen moest Ben naar de rechtbank in Poughkeepsie komen, waar hij zich moest melden en een korte zitting moest bijwonen om schuld te bekennen; daarna zou hij door een paar agenten naar de gevangenis worden gebracht, vier uur rijden ten noorden van de rechtbank. Ben wist precies hoe alles zou gaan, maar hij liet het zich door de advocaat toch allemaal uitleggen. Daarna ging hij naar binnen, kocht een in plastic verpakt broodje rosbief en een blikje bier, en reed terug naar de blokhut.

Hij was een paria, een dolende ziel, en hij vroeg zich af door hoeveel vagevuren hij moest gaan voordat hij uiteindelijk weer terug zou keren naar de wereld. Zijn leven, dat ooit werd gedomineerd door sleur en verplichtingen, was nu elke dag vrijwel volmaakt leeg, maar toen er nog maar vijf van die zinloze dagen restten en het echt dichtbij kwam, merkte hij toch dat hij in paniek begon te raken. Daardoor kon hij niet langer dan een uur aan één stuk slapen. Het was niet zozeer dat hij bang was voor de gevangenis. Voor zover hij op de hoogte was van het gevangenisregime, zou het niet veel verschillen van zijn verblijf in Stages, maar dan met eenvoudiger eten en minder gesprekken. De laatste dagen in de blokhut braken aan en gingen voorbij, leken onredelijk kort, ook al kon hij niets anders doen dan met zijn voeten op de gevelkachel naar het verlaten meer staren. Hij overwoog om op de vlucht te slaan. Hij overwoog om zich slaaptabletten te laten voorschrijven, maar behalve de dikke jongen achter de balie van het tankstation kende hij hier geen sterveling, en al helemaal geen dokter. Iets weerhield hem ervan Parnell om een tweede gunst te vragen, hoe futiel die ook was. Hij belde wel Bonifacio op om te vragen of je in die gevangenis mocht telefoneren; dat mocht niet, maar gevangenen mochten wel elke dag even op internet via de server van de gevangenis. Hij kon Sara dus wel mailen. Die e-mails zouden wel van een ander ip-adres komen, misschien zou ze zich afvragen hoe dat kwam, of misschien zou het haar niet eens opvallen.

Hij kwam tot de conclusie dat zijn angst domweg een instinctieve kwestie was en dat er niets aan te doen viel. Op zijn laatste dag in de blokhut werd hij tegen het ochtendgloren wakker, haalde het bed af en veegde de vloer aan met een bezem die hij ergens vond. Toen het licht over het bevroren meer gleed, zag hij door het raam dat er ongeveer honderd meter vanaf de kant iemand bij een gat in het ijs zat. De thermometer gaf min twaalf graden Celcius aan. Allemachtig, dacht Ben. Waarom deed die vent dat? Hij dronk een beker oploskoffie en keek een tijd naar de man, die niet bewoog. Daarna spoelde hij de beker om, legde de sleutel van de blokhut op de latei boven de voordeur en vertrok, op weg naar de autoriteiten.

Crisismanagement, zo had ze het leren noemen, maar het beeld dat Helen zelf had van haar niche in de wereld van public relations – de wereld van verhaaltjes vertellen, zoals Harvey haar had geleerd het te beschouwen – werd er door die term niet veel hoogdravender op. Ze had geen idee hoe ze de aandacht moest vestigen op haar eigen prestaties, of gebruik moest maken van de media-aandacht die ze soms in de schoot geworpen kreeg als een toevallig maar toch logisch uitvloeisel van haar succes (bijvoorbeeld toen de *Times* haar noemde in een artikeltje nadat Bratkowski op de vingers was getikt door de gemeenteraad). Ze wist niet hoe ze aan nieuwe klanten moest komen, ze zei gewoon ja of nee tegen degenen die haar benaderden, hoewel ze zich nog niet de luxe meende te kunnen veroorloven om ze te weigeren. Ze was niet handig genoeg, of misschien miste ze de agressieve houding, om op eigen initiatief op te bellen naar mensen die negatief in het nieuws waren gekomen: een docent die iets met een leerling had, een kapsalon waar een klant brandwonden had opgelopen, een liefdadigheidsinstelling waar gesjoemeld werd met de boekhouding. Haar businessplan, en dat van Mona, bestond uit het opnemen van de telefoon als die overging. Dat was duidelijk niet de manier om rijk te worden. Het was een manier om het hoofd boven water te houden, en dat was dan ook wat ze deden: zonder plan, zonder vangnet voor de toekomst en zonder iemand die haar goede raad kon geven.

Ze had wel een vaag besef van haar talent, al beschouwde zij het eerder als intuïtie dan als talent. Ze wist hoe ze machtige mannen hun excuses kon laten maken. Vrouwen misschien ook wel, daar was ze zelf eigenlijk een beetje nieuwsgierig naar, want ze had nog nooit een vrouwelijke klant gehad. Het gekke was dat ze er niet eens erg haar best voor hoefde te doen. Ze kreeg ze zover omdat ze tegen haar blijkbaar niet wilden liegen. En als de klanten die drempel eenmaal over waren, was het relatief simpel om bij ze in de buurt te staan terwijl ze voor de microfoon of voor de camera opbiechtten wat ze hadden gedaan, waarbij haar weleens het gevoel bekroop dat de camera's en microfoons een soort surrogaten of fetisjen waren, materiële symbolen van haarzelf.

Ze maakte zich er natuurlijk ook weleens zorgen over dat dit talent om verontschuldigingen los te weken misschien eerder een lucratieve dan een aantrekkelijke eigenschap was. Om elke hypocrisie te vermijden stak ze de hand in eigen boezem en kwam tot het besef dat ze zelf zeker niet zonder zonden was. Haar ex-man had dan wel heel wat uit te leggen over zijn gedrag van de afgelopen twee jaar, maar het feit was dat hij als twintiger een totaal andere man was geweest dan hij nu als veertiger was geworden, en de enige variabele, de enige nieuwe factor die daarvoor verantwoordelijk kon zijn, was zij. Ze had haar dochter impliciet een warm, stabiel thuis beloofd en had haar met die belofte uit haar geboorteland weggevoerd naar de andere kant van de wereld, maar nu zat Sara overdag op een immense en sociaal bedreigende openbare school waar ze niemand kende, en was buiten schooltijd opgesloten in een benauwd tweekamerflatje met een uitgeputte moeder, at 's avonds een afhaalmaaltijd en moest niet vergeten om de slaapbank uit te klappen voordat ze in slaap viel. (Helen had haar de slaapkamer aangeboden, maar die was nog kleiner dan de woonkamer en er stond geen tv.) En dan had je nog het overlijden van Harvey, dat ze door haar onzinnige trots niet had weten te voorkomen en dat verscheidene levens ten kwade had veranderd. Wie was zij eigenlijk om andere mensen te vertellen dat ze hun zonden onder ogen moesten zien en door moesten gaan?

Toch bleven de klanten maar komen, al stonden ze niet in drommen op de stoep. In maart werd ze voor het eerst gebeld door een bedrijf, al was het dan een lokaal bedrijf: Amalgamated Supermarkets. Deze goedkope supermarktketen, een onverslaanbaar alternatief voor florerende winkels als Whole Foods en Gourmet Garages, maakte een ware pr-nachtmerrie door nadat een jonge moeder een tros bananen had gekocht waar scheermesjes in bleken te zitten. Ze had dat pas gemerkt toen ze de bananen aan haar kinderen had gegeven en er eentje bijna was doodgegaan. Helen had dat verhaal in de krant gelezen over de schouder van een medepassagier in de bus naar kantoor, en ze had zich voor de verandering meteen afgevraagd of ze haar misschien zouden bellen. Op dat moment had het bedrijf al een voicemailbericht ingesproken. Toen ze dat had beluisterd, ging ze direct naar het hoofdkantoor van Amalgamated, waar de schrikbarend jonge manager die haar had gebeld haar vrijwel meteen, zij het met tegenzin, inhuurde.

'Ik vind het verschrikkelijk dat u hier bent,' zei hij. 'Alsof we Magere Hein over de vloer krijgen. En het ergste is dat we hele-maal niets verkeerd hebben gedaan. Het is echt een klotestreek.'

'Wat is een klotestreek?' vroeg Helen. Hij was zo jong dat hij haar zoon had kunnen zijn. En hij was ook vast en zeker ie-mands zoon, want anders zou hij op die leeftijd nooit zo'n hoge managementfunctie kunnen hebben.

'Hebt u weleens geprobeerd om een scheermesje in een ba-naan te stoppen?' vroeg hij, iets luider dan noodzakelijk. 'Dat lukt nooit! Het is onmogelijk! Ik heb het gisteravond zelf ge-probeerd!' Hij hield zijn handen omhoog; op drie vingertoppen zaten pleisters. 'Het lijkt me duidelijk dat dat wijf het zelf heeft gedaan om een valse aanklacht in te dienen, dat is natuurlijk veel gemakkelijker dan een baan zoeken en werken, maar nu zullen we wel een schikking moeten treffen om dat kutverhaal de kop in te drukken ook al is het godverdomme overduidelijk uit de duim gezogen, neem me niet kwalijk hoor, maar daarom heb ik zo de pest aan pr-mensen, want die zeggen altijd dat je met de staart tussen de benen af moet druipen en een schikking moet treffen, terwijl elke vezel in mijn lijf zegt dat we dit moe-ten aanvechten.'

Helen voelde de tegenintuïtieve rust opwellen die ze al kende uit dit soort situaties. 'Dus u denkt dat die mevrouw haar zoon een scheermesje heeft laten opeten om jullie voor de rechter te kunnen slepen?' vroeg ze.

Als antwoord haalde de jonge manager – die zo'n gestreept overhemd met een witte kraag droeg, god, wat had Helen de pest aan zulke overhemden, het waren net sandwichborden voor klootzakken – een dossiermap uit zijn bureaulade en smeet die met een theatraal gebaar op zijn bureau. 'Haar psychiatrische rapport,' zei hij. 'Ik heb gisteren een mannetje ingehuurd en hij heeft dit nu al te pakken. Wilt u het lezen?'

'Nee,' zei Helen. 'Daar gaat u het volgende mee doen. U geeft het aan uw advocaat, en als u al een kopie hebt gemaakt, haalt u die door de papierversnipperaar. Ik wil dat niemand in het openbaar ook maar iets over dat rapport zegt, ook niet per ongeluk, en de gemakkelijkste manier om dat te bereiken is door ervoor te zorgen dat niemand het leest.'

De man in het klootzakkenoverhemd liep rood aan en leunde naar voren. Om deze man te bekeren zou ze wat meer moeite moeten doen dan anders. 'Ik begrijp mensen zoals jullie niet,' zei hij. 'Jullie geven dat gestoorde wijf een vrijbrief om ons te bestelen. En waar is die Harvey eigenlijk? Volgens mij zou een man beter snappen wat ik bedoel.'

'Jullie?' Wie dacht hij eigenlijk dat zij vertegenwoordigde? 'Niemand gaat uw bedrijf bestelen,' zei ze. 'Jullie hebben je advocaten om ervoor te zorgen dat dat niet gebeurt. Die gaan achter gesloten deuren die arme, zieke vrouw binnenstebuiten keren, maar het is belangrijk dat niemand daar iets van kan zien. Mijn werk daarentegen speelt zich in de openbaarheid af.'

'Oké,' zei hij.

'Wat ik voor jullie doe, heeft niets met geld te maken.'

'Nee?'

'Nou ja, in zekere zin natuurlijk wel,' zei Helen. 'Maar alleen indirect. Dat wil zeggen: als jullie nu op de juiste manier handelen, ook al lijkt dat misschien op het eerste gezicht tegengesteld aan jullie belangen, zal Amalgamated daar zeker voor beloond worden.'

Er verscheen een irritant lachje op zijn gezicht. 'Ik heb een neef die bij een kerk hoort waar ze zulke dingen ook altijd roepen,' zei hij.

Helen had geen idee waar hij het over had; ze deed haar ogen dicht en schudde eens met haar hoofd om haar gedachten weer op het juiste spoor te krijgen. 'Beschouw het maar als een verhaaltje vertellen,' zei ze. 'Probeert u zich eens voor te stellen welk beeld de klanten over laten we zeggen een maand of twee van Amalgamated zouden moeten hebben. Vervolgens gaan wij ze een verhaaltje vertellen dat dat beeld schetst. Als dat een verhaal is over onze schuld, over ons verlangen om fouten te herstellen, als dat het begin van het verhaal is, dan zij het zo. Langetermijndenken, daar gaat het om, ook al houdt dat in dat er nu offers moeten worden gebracht ten behoeve van die grotere waarheid.'

Hij leunde achterover. Ze zag dat hij bijdraaide, zoals ze uiteindelijk altijd deden. 'Ja, maar ik kom toch weer terug op het punt dat de fout waarschijnlijk, vrijwel zeker, niet bij ons ligt.'

'Dat weet u niet. U weet het niet, ik weet het niet, niemand weet het. Maar de mensen willen nu eenmaal graag geloven dat jullie wel iets verkeerd hebben gedaan. En als jullie steeds ontkennen wat zij geloven, dan worden ze alleen maar achterdochtiger. Voor de klanten zijn jullie al veroordeeld. Maar als jullie de schuld op je nemen en toegeven dat het jullie fout is, dan houden jullie ze vast, dan maken jullie de keuzes die het verhaal vanaf nu gaan bepalen. Misschien helpt het om het te beschouwen als een boetedoening voor dingen die het bedrijf wél verkeerd heeft gedaan, voor andere, legitieme grieven die de mensen misschien hebben, een manier dus om fouten goed te maken waar jullie je niet eens bewust van zijn.'

Hij grijnsde en schudde zijn hoofd. 'Halleluja, u bent aangenomen,' zei hij. 'En wat nu?'

Ze schroefde haar honorarium opnieuw op en ze betaalden zonder morren. Toch konden Sara en zij het maar net redden: ze maakten geen schulden en konden rondkomen, maar ze konden niets opzijzetten. Alles was hier ook zo krankzinnig duur. Het was stom geweest om die tweekamerflat aan de Upper East Side te huren, maar iedereen zei dat haar dochter dan meer kans had om op een goede school te komen. Daarom had ze het gedaan, hoewel Sara al over vier maanden naar een andere school zou gaan en de paniekerige zoektocht dan weer van voren af aan zou beginnen. Als er ooit een dag kwam waarop het kantoor alle schulden had afgelost, de salarissen waren betaald en er nog twintigduizend dollar op de bank stond, zou ze de zaak sluiten en het geld aan de kennelijk onbemiddelde Michael geven; dat had ze zich voorgenomen, maar hoewel ze dat hypothetische bedrag na verloop van tijd had verlaagd tot vijftienduizend, was het nog steeds lang niet in zicht. Ze hadden niet veel kosten, maar die wisten haar toch elke maand weer te verrassen. In december had ze een bod geaccepteerd op haar huis in Rensselaer Valley, maar hoewel ze ongeveer eens per week contact opnam met Bonifacio, zat er geen schot in en was er nog steeds geen overdrachtsdatum bekend.

Haar grootste angst was dat haar voortdurende onvermogen om een nieuw, stabiel leven op te bouwen een vertragende uitwerking zou hebben op Sara's herstel van het trauma van de afgelopen herfst, maar Sara zelf had het gevoel dat ze die onzekerheid juist prima aan kon, ook al wilde ze haar moeder niet het genoegen doen om dat toe te geven. School, waar normaal gesproken voor iemand van die leeftijd zo'n beetje het hele leven uit bestaat, was nu op een vreemde en in zekere zin opbeurende manier zinloos geworden. Ze zou er toch nog maar een klein half jaar blijven, dan brak de vakantie aan en daarna ging iedereen naar de high school. En hier was niet maar één high school waar je naartoe kon, zoals in Rensselaer Valley, waar alle kliekjes gewoon bleven bestaan en naar een ander gebouw verhuisden. Nee, hier hoorde je leerlingen praten over toelatingstesten en over privéscholen, en sommige meisjes hadden het waanidee dat ze goed genoeg waren om te worden toegelaten tot LaGuardia of Sinatra. Maar de meeste leerlingen gingen na de zomervakantie, die in juni begon, naar een van de drie high schools in de buurt, en voor zover Sara had begrepen waren die drie afzichtelijke leerfabrieken nog massaler en verraderlijker dan alles wat je tot nu toe gewend was. Waar Sara na de zomer ook terecht zou komen, ze moest er in sociaal opzicht en wat betreft de lesstof weer helemaal overnieuw beginnen. Ze was toch te laat naar New York verhuisd voor de toelatingstesten voor de high schools voor hoogbegaafden; niet dat ze die zou hebben gehaald, ook al scheen iedereen te denken dat Aziaten daar automatisch voor slaagden. Ze kende niemand die ervoor geslaagd was.

Vreemd genoeg gaven al die aspecten van haar nieuwe leven waar ze eigenlijk depressief van zou moeten worden – ze had geen vrienden, geen idee waar ze binnenkort terecht zou komen, alles en iedereen was nieuw en het was allemaal geheimschrift voor haar – haar juist een opgetogen gevoel. Het was alsof haar hele persoonlijkheid een kosmische make-over kreeg. Dat kwam niet alleen doordat niemand hier wist wie haar vader was, of zich daar ook maar iets voor interesseerde. Die kwestie boeide mensen van haar leeftijd totaal niet, dat was een schandaal voor ouwe mensen, iets waar de ouders van haar klasgenoten misschien wel iets vanaf wisten, maar ze werd toch nooit ergens thuis uitgenodigd. Het was fantastisch om niemand te kennen, een onbekende te zijn voor iedereen. Ze was er niet mee bezig om zichzelf opnieuw uit te vinden, nog niet tenminste, maar ze had het sterke en prettige gevoel dat ze in een soort winterslaap verkeerde, en pas wakker zou worden als ze in de gaten had waar ze terechtgekomen was en hoe ze wilde dat de komende jaren eruit zouden zien.

Ze was er niet aan gewend om zo veel tijd alleen door te brengen, in elk geval niet thuis, waar haar moeder, hoewel die niet meer hoefde te forenzen, desondanks 's avonds zo moe was dat ze nooit meer Sara's huiswerk controleerde. Dat huiswerk stelde trouwens toch niet veel voor. Deze school was een verademing vergeleken met Rensselaer Valley, waar de leerlingen de hele tijd zaten te stressen en constant liepen op te scheppen over hoe weinig slaap ze wel niet kregen. Ze vond het ongelofelijk dat niemand hier op die manier probeerde op te vallen. Heel bevrijdend was dat. De school had geen speciaal sportprogramma, zelfs de kleine speelplaats was volgebouwd met noodlokalen. Haar moeder was nog georganiseerd genoeg om haar op te geven voor een basketbalclub in de West Side. Op dinsdag en vrijdag nam ze de bus naar Broadway met haar sporttenue onder haar kleren. En ook die club was van een ontzettend laag niveau vergeleken met wat ze gewend was: geen selectie, geen schreeuwende coach, zelfs geen trainingen, alleen maar wedstrijdjes. Alleen maar spelen.

Bijna elke avond bestelden ze eten – in de stad was dat zo gemakkelijk en zoveel beter dan zelfbereide maaltijden dat het waanzin zou zijn om het niet te doen – en na de eerste paar weken werd ook dat Sara's taak. Ze aten voor de tv, en ergens tussen acht en negen uur zag ze vanuit haar ooghoeken haar moeders kin op haar borst zakken, met een ruk weer omhoog schieten en daarna definitief opnieuw zakken. Het was gênant en triest, maar Sara zou toch niet willen dat alles weer wat meer zoals vroeger werd, want ze vond het fijn om eigen baas te zijn, zelf te bepalen wat ze at, hoe laat ze ging slapen, waar ze naartoe ging. Ze ging een keer meteen na school naar de film, in haar eentje, en was toch nog terug voordat haar moeder thuiskwam; toen die vroeg wat ze 's middags had gedaan, zei ze dat ze bij een vriendin was geweest om een proefwerk te leren. Een totaal zinloze leugen – haar moeder zou het best leuk hebben gevonden als ze hoorde dat ze naar de film was geweest – maar het toonde wel uitstekend aan dat het nu helemaal aan haar was wat ze in haar vrije tijd deed. Veel dingen die vroeger zo kenmerkend voor haar waren, betekenden nu niets meer: het stikte in New York van de enig kinderen, van de Aziaten, van de kinderen aan wie je meteen zag dat ze geadopteerd waren omdat ze totaal niet op hun vader of moeder leken. Er was een Facebookpagina van haar school, en zelfs een van haar klas, maar daar keek ze nooit op. Ze wist toch zeker dat niemand het ooit over haar had. Ze was niet hot en niet raar genoeg om de belangstelling te wekken van de jongens of de meisjes, en ook dat gaf haar een vreemd maar duidelijk opgelucht gevoel.

Zelfs voor haar vader scheen ze tegelijkertijd wel en niet te bestaan. Hij mailde haar vaak, maar om de een of andere reden had hij haar al in geen weken meer gebeld of ge-sms't. Misschien voelde hij zich nog schuldig om wat hij had gedaan, wat er voor zover ze had begrepen op neerkwam dat hij had geprobeerd om een veel jongere vrouw die voor hem werkte te versieren, waarna hij door haar vriend in elkaar geslagen was en dronken en bloedend als een rund achter het stuur was gekropen. Dat was gênant en walgelijk, ook al was Sara niet erg geschokt door de leeftijd van die meid, want ze waren allebei volwassen. Wat haar vooral teleurstelde was dat haar vader het blijkbaar niet had gedaan omdat hij verliefd op haar was of om een andere logische reden; hij was in paniek geraakt omdat hij zijn leven ondraaglijk vond, en dat was iets wat ouders gewoon niet hoorden te doen. Afgezien van het seksuele aspect snapte ze best hoe hij zich had gevoeld – dit kan niet mijn leven zijn, mijn echte leven en mijn echte familie zijn ergens anders. Want iedereen voelde zich weleens zo, maar op zijn leeftijd mocht je daar niet aan toegeven, zeker niet als je op een gegeven moment had besloten om vader te worden.

Een tijdlang kreeg ze elke dag op dezelfde tijd een mailtje van hem. Daarin stelde hij haar alleen maar vragen, alsof hij goed wilde maken dat hij een hele poos alleen maar zogenaamd in haar geïnteresseerd was geweest. Geen detail was te klein om aan zijn gespannen aandacht te ontsnappen; als ze had verteld dat ze een basketbalwedstrijd had, wilde hij de uitslag weten; als ze antwoordde dat het 24-22 was, vroeg hij wie het beslissende punt had gescoord. Ook al zei die naam hem niets. Soms stuurde ze hem een sms, maar ze kreeg nooit antwoord. Ze had nog steeds niets tegen haar moeder gezegd, want ze had het vage vermoeden dat die paniekerig en woest zou reageren, en hoe fragiel de band met haar vader ook was, ze wilde niet dat die weer werd verbroken. Bovendien: als haar ouders op een dag zomaar in hun eentje konden besluiten dat ze gescheiden wilden leven, mocht zij toch zeker wel besluiten dat ze de relatie met hen in het vervolg ook gescheiden wilde houden? Op een avond, toen haar moeder erg laat was, belde Sara hem op, maar ze kreeg zijn voicemail. Ze liet een bericht achter, maar in de mail die hij de volgende dag stuurde, zei hij daar niets over. 'Ben je je telefoon kwijt?' mailde ze hem. Geen reactie. Daarna stuurde ze hem een mail waarin ze schreef dat ze het zich wel kon voorstellen als hij niet over zichzelf wilde praten uit schuldgevoel of zoiets, maar dat ze het wel een beetje vreemd begon te vinden dat hij haar niet eens wilde vertellen waar hij was, waar hij woonde, waar hij werkte en zo. Zou ze hem ooit nog eens zien? De volgende dag, op hetzelfde tijdstip als anders, kreeg ze weer een mail van hem, deze keer met als onderwerpregel: 'bekentenis'.

'De reden dat ik je niet heb verteld waar ik zit, is dat ik me ervoor schaam. Ik dacht dat ik met het verlies van mijn huis en mijn gezin wel genoeg had geboet voor mijn gedrag van afgelopen zomer, maar ik moet een nog hogere prijs betalen. Ik zit in een lichtbeveiligde gevangenis in Mineville, dat is ongeveer twee uur rijden ten noorden van Albany. Het is hier absoluut niet ruig of gevaarlijk, maar we mogen geen telefoons gebruiken en ik mag maar een korte periode per dag op internet, nu dus. Ik heb een gevangenisstraf van achtentwintig dagen gekregen, waarvan er nu tweeëntwintig voorbij zijn. Ik had gedacht dat ik dat nog wel zes dagen voor jou geheim kon houden; dat had ik eigenlijk helemaal niet moeten doen, maar ik hoop dat je in elk geval wel snapt waarom ik dat deed. Vergeef het me alsjeblieft, niet alleen dit, maar alles. Je verdient veel beter van je vader.'

Die avond was er niets te eten in huis en sprak ze met haar moeder af in Hunan Garden, waar je snel werd bediend en ze slechte maar gratis witte wijn schonken. Toen de borden waren afgeruimd en Helen tevergeefs een enorme geeuw probeerde te onderdrukken, zei Sara: 'Mam, weet jij waar papa nu woont?'

Helen was even uit het veld geslagen. 'Nee, eigenlijk niet. Ik weet alleen dat hij niet meer in Stages zit. De kinderalimentatie komt via het advocatenkantoor, dus volgens mij wil hij op dit moment liever helemaal geen contact. Ik vind het best, ik hoef ook geen contact met hem. We zijn officieel gescheiden, dus zolang hij zijn verplichtingen jegens jou nakomt, heb ik ook niet meer het recht om bij te houden waar hij zit en wat hij doet.'

Sara keek haar onderzoekend aan. Ze was er zeker van dat haar moeder niet zat te liegen. Ze wist het echt niet. Liegen had haar moeder nooit goed gekund.

'Denk je dat jullie ooit nog weer bij elkaar zullen komen?' vroeg Sara.

Helens mond viel open van verbazing. Dat was natuurlijk geen ongebruikelijke vraag voor een kind, maar in de afgelopen zes of zeven turbulente, dramatische maanden had Sara hem nooit eerder gesteld. Toch voelde Helen het als een nederlaag

dat ze dit helemaal niet had zien aankomen. Natuurlijk, natúúr-
lijk wilde ze dat de band tussen Ben en Sara werd hersteld, maar
pas als de tijd daar rijp voor was, als ze erop kon vertrouwen
dat hij genoeg bij zinnen was gekomen om haar niet opnieuw te
kwetsen. En op dit moment had ze daar geen flauw idee van en
kon hij voor hetzelfde geld nog steeds een ongeremd impulsief
wrak zijn. Ze had zich voorgenomen om in Sara's bijzijn nooit
kwaad te spreken over hem, maar dat had tot gevolg gehad dat
ze helemaal niets meer over hem zei. Wees maar gewoon eerlijk,
zei ze nu in zichzelf. Ze merkt het toch wel als je liegt. 'Nee,'
antwoordde ze, maar niet hardvochtig. 'Ik kan hem niet vergeven wat hij ons heeft aangedaan. Maar dat hoeft voor jou niet
zo te zijn. Wil je hem zien? Dat is volkomen natuurlijk. Ik zat
er eigenlijk een beetje op te wachten tot hij de eerste stap zou
zetten, maar je hebt gelijk: ik heb veel te lang afgewacht. Ik zal
morgen de advocaat bellen, dan...'

'Nee,' zei Sara snel. 'Ik bedoel, dank je wel. Misschien over
een poosje. Ik vroeg het me alleen maar af.'

Die vrijdag nam ze de bus naar basketbal, maar omdat Amsterdam Avenue was afgezet in verband met een of ander reli-
gieus festival moesten ze helemaal omrijden via 96th Street. De
mensen in de bus vloekten en keken geïrriteerd. Maar het rook
buiten heerlijk, vooral naar vlees, en Sara stapte in een opwelling uit en keek de wegrijdende bus na. Ze drentelde een uur
rond aan de rand van het festival, keek naar een korte optocht
waar ze niet veel van begreep en slenterde langs de kraampjes.
Ze kocht voor een dollar een grote empanada die zo lekker was
dat ze terugging om er nog een te halen, maar de kar was al weg
en het verkeer kwam weer op gang. Ze liep terug tot 86th Street
en stapte op de bus naar huis, waar ze haar sportkleding uittrok
en elke paar minuten in de mailbox van haar moeder keek tot er
een mailtje van haar coach binnenkwam; hij was niet boos dat
ze niet was komen opdagen, maar wilde alleen even weten of er

niks aan de hand was. Ze wiste het. Een uur later kwam Helen terug van kantoor. 'Hoe was het?' vroeg ze. Sara zei dat haar team na een spannende wedstrijd met 30-29 had gewonnen en dat zij het winnende punt had gescoord.

De klanten kwamen nooit op kantoor, wat maar goed was ook, want het was er een troosteloze en onderbezette bedoening: de twee vrouwen zaten samen in de voorste ruimte en Harveys kamer bleef leeg, als een bijzonder stoffig heiligdom, behalve wanneer zijn zoon langskwam. Dat gebeurde vaker naarmate de winter vorderde, al viel er van de website waar hij aan beweerde te werken nog steeds niets te bespeuren en werd daar zelfs haast nooit meer over gesproken. Hij was een echt gewoontedier en leek verder niet veel te doen te hebben. Hij kwam altijd 's middags, liep dan door de niet-afgesloten deur naar binnen, knikte ongemakkelijk naar Helen en Mona, ging naar de kamer van zijn vader en deed de deur achter zich dicht. Op een maandagochtend (hij kwam nooit eerder dan uiterlijk twee uur voordat ze naar huis gingen) stond Mona op en beende doelgericht naar Harveys kamer om de computer aan te zetten en de internetgeschiedenis te bekijken. Een tijdje later kwam ze terug, keek eerder verbijsterd dan schaapachtig, en meldde dat hij vooral op allerlei muziekblogs zat en daar reacties postte, iets wat hij ook gemakkelijk thuis in Brooklyn kon doen. 'In elk geval geen porno,' zei ze, even opgelucht als verbaasd.

Dus behalve wanneer Michael om een uur of drie binnenkwam, en wanneer een uur daarvoor de post werd bezorgd, ging de deur van Harvey Aaron Public Relations bijna nooit open, waardoor ze zich in elk geval niet opgelaten voelden wanneer er geen echt werk te doen was. Op een vrijdagochtend om half tien bijvoorbeeld, kon Helen zonder gewetensbezwaren het artikel over Hamilton Barth in *Vanity Fair* lezen waarin ze onderweg in de metro was begonnen. Ze las alles wat los en vast zat over Hamilton, vooral in de hoop dat er iets in zou staan over hun oude school of de plaats waar ze vandaan kwamen. Maar daar scheen hij nooit over te willen praten, of misschien vroeg niemand daar ooit naar. Zijn gedachten waren meestal veel verhevener.

'Barth, die in de stad is voor het filmfestival, wilde een ander hotel omdat de ramen niet open konden,' las Helen. 'Hij kwam terecht in een goedkoop motel een paar kilometer verderop, waar de ramen wel open konden, maar de gordijnen gesloten moesten blijven vanwege de fotografen op de parkeerplaats. Rusteloos als hij was, stelde hij voor dat we verhuisden naar de Art Gallery van Ontario, waar een tentoonstelling was van tekeningen van Motherwell. Ik vroeg hem hoe laat hij die avond terug moest zijn voor de première van zijn film, waarop hij grinnikend antwoordde: "Ik hoopte dat jij dat wist."'

Mona nam de telefoon op, die niet rinkelde. Dat deed ze soms om te controleren of hij het nog wel deed.

'"Ik ben niet bang om dood te gaan," zei hij naar aanleiding van de Motherwell waar we voor stonden, of misschien naar aanleiding van niets, "maar ik stoor me eraan. Ik vind het oneerlijk en irritant. Ik weet dat ik niet naar alle mooie plaatsen kan waar ik naartoe wil, dat ik niet alle boeken kan lezen die ik wil lezen, niet nog eens alle mooie schilderijen kan zien die ik wil zien. Er zit een grens aan." Hij zweeg een tijdje. "Ik snap wel dat grenzen ergens goed voor zijn, voor je karakter, maar ik zou liever eeuwig blijven leven."'

Er werd zacht op de deur geklopt, en de twee vrouwen schoten van schrik overeind. Helen smeet de *Vanity Fair* op z'n kop op haar bureau en deed in een reflex alsof ze iets typte.

'Binnen!' riep ze, na een schouderophalen naar Mona.

Er kwam een man met grijswit haar en gekleed in een prachtig pak binnen, wiens dikke wangen een klein, modern brilletje ondersteunden. Die wangen leken eigenlijk alleen zo dik omdat hij voortdurend lachte, zelfs toen hij de situatie in zich opnam, wat in één oogwenk was gebeurd: twee vrouwen aan de niet bij elkaar passende, haaks op elkaar staande bureaus in de voorste ruimte, en een op dat uur van de dag verlaten tweede vertrek waarvan de deur openstond.

'Is dit Harvey Aaron Public Relations?' vroeg hij. Helen knikte. Eigenlijk leek hij wel een beetje op Harvey, of misschien kwam dat doordat hij van dezelfde leeftijd was, maar wel iemand die Harvey op de reünie van zijn school zou ontlopen omdat hij zo'n succesvolle indruk maakte.

'Ik zal niet naar Harvey zelf vragen, want ik weet dat die helaas niet meer onder ons is,' zei de man. 'Ik ben zo vrij om hem Harvey te noemen, want we hebben elkaar een keer ontmoet, een jaar of twintig geleden. Meer dan twintig jaar geleden.' Zijn glimlach leek nog stralender te worden. Helens en Mona's handen zweefden nog steeds boven de toetsenborden. 'Mag ik vragen wie van de twee dames mevrouw Armstead is?'

Helen stak dwaas genoeg haar hand op. De man met het grijze haar keek nog eens naar Harveys lege kamer, alsof hij die niet eerder had gezien, en zei: 'Ik vroeg me af of ik u misschien een ogenblikje zou mogen storen, als u het niet te druk hebt. Tenminste...' hij wierp Mona een charmante glimlach toe '... als u daar geen bezwaar tegen hebt.'

Mona snoof sceptisch. 'Bent u van de overheid?' vroeg ze. 'Want u lijkt me typisch iemand die van de overheid is.'

Helen keek haar ontzet aan, al had zij ook het gevoel dat de man geen potentiële klant was. Te onbezorgd, misschien. Hij wekte de indruk al behoorlijk tevreden te zijn met zijn imago.

'Absoluut niet,' zei hij. 'Ik ben Teddy Malloy.' Het klonk alsof hij verwachtte daar indruk mee te maken en Helen vond het stom van zichzelf dat ze geen flauw idee had wie de man was. Hij gebaarde uitnodigend naar de deur van Harveys kamer, charmant en aanmatigend tegelijk. 'Zullen we?' zei hij tegen Helen.

In elk geval liet hij de stoel achter Harveys bureau vrij voor haar, dacht ze terwijl hij de deur achter hen dichtdeed, maar hij kon natuurlijk niet weten hoe vreemd en fout zij het vond om op Harveys oude draaistoel te zitten. 'Zo!' zei hij tevreden toen hij zat en zijn handen gevouwen voor zijn buik hield. 'Dus u bent Helen Armstead.'

Helen glimlachte zwakjes. 'Wat kan ik voor u doen?'

'U bent de vrouw die de Peking Grill heeft gedaan, toch? En Amalgamated Supermarkets? We volgen uw werk al een tijdje en krijgen er steeds meer bewondering voor.'

'Wie zijn "wij"?' vroeg Helen beleefd.

Steeds als ze iets zei, werd zijn glimlach nog wat breder, maar daarna praatte hij gewoon door alsof ze niets had gezegd. 'Ik hoef u vast niet te vertellen dat crisismanagement de snelstgroeiende tak van onze sport is. Ik ben oud genoeg om me nog te kunnen herinneren dat het beïnvloeden van de publieke opinie een kwestie was van journalisten mee uit eten nemen en dronken voeren. Maar tegenwoordig, met internet...'

'Dus u zit ook in de pr?' vroeg Helen.

Nu keek hij haar echt aan. Ze kreeg in de gaten dat die glimlach als een soort vangnet of golfbreker voor alle soorten emoties fungeerde en zelfs nóg iets breder leek te worden toen het tot hem doordrong dat zijn naam haar niets zei. 'Ja,' zei hij. 'Neem me niet kwalijk, ik sta aan het hoofd van Malloy Worldwide, dat is bij gebrek aan een beter woord een pr-bureau, het op vijf na grootste ter wereld. Wij hebben kantoren in Los Angeles, Londen, Tokio en Rome, en natuurlijk hier in New York. We hebben ongeveer twaalfhonderd mensen in dienst, inclusief acht fulltime leden van het crisismanagementteam op ons hoofdkantoor, twintig straten ten noorden van hier. Het bedrijf is opgericht door mijn oom, maar ik heb sinds zijn overlijden in 1979 de leiding.'

Er viel een stilte. 'Wat grappig,' zei Helen. 'Want Malloy is de naam van mijn geboorteplaats.'

'Dat is ook toevallig,' zei Malloy.

'Wacht, wilt u misschien iets drinken? Dat had ik natuurlijk eerder moeten vragen. Sorry, ik ben dit niet zo gewend, we krijgen hier niet zo vaak bezoek.'

'Heel vriendelijk van u, maar nee, bedankt. U hebt misschien al begrepen wat ik kom doen. Wij houden onze concurrenten natuurlijk een beetje in de peiling – we zijn niet zo arrogant om te denken dat wij ook van de kleinste bureautjes niets zouden kunnen leren – en het is duidelijk dat u wat betreft de kunst van het imagoherstel, als ik het een kunst mag noemen, buitengewoon talentvol bent. Ik ben hier om te informeren of u bij ons in dienst zou willen komen.'

Nu was het haar beurt om iets te zeggen. Hij wachtte geduldig af. 'Nou,' wist ze na een tijdje uit te brengen, 'we zitten hier in een nogal gecompliceerde situatie.'

'Dat zie ik. En nu ik hier ben, begrijp ik niet zo goed bij wie ik om uw gunst zou moeten dingen. Wie is de eigenaar nu Harvey niet langer onder ons is? Wie betaalt de rekeningen?'

'Eerlijk gezegd niemand,' zei Helen. Ze vervloekte de blos die ze voelde opkomen. 'Of eigenlijk Harveys zoon. Maar toen Harvey was overleden, bleken er schulden te zijn waar wij niets vanaf wisten, en mijn collega Mona en ik besloten om de bestaande contracten af te werken, zodat Michael iets meer van zijn vader zou erven dan alleen maar juridische rompslomp. Hij werkt hier zelf niet, komt alleen zo nu en dan langs. Vrij vaak, zelfs. Hij is een beetje een einzelgänger.'

Malloy tuitte zijn lippen. 'Wat bijzonder dat jullie dat doen. Maar ik begrijp hieruit dat jullie toch al van plan zijn om de zaak te sluiten?'

'Ja, nou ja, dat is inderdaad het idee. Het duurt alleen wat langer om uit het dal te komen, ben ik bang, dan ik aanvankelijk had berekend. De puur zakelijke kant van het bedrijf is niet mijn sterkste punt.'

'Nee, dat geloof ik graag,' zei Malloy.

'Hoezo?'

Hij richtte zijn blik weer op haar. 'Ik bedoel dat ik zie dat u een gave hebt,' zei hij. 'Een gave die strikt genomen niets met zakendoen te maken heeft. Daarom wilde ik u ook graag persoonlijk spreken.' Hij tikte zijn vingertoppen tegen elkaar aan en dacht na. 'Hebt u enig idee hoe hoog die schuld op dit moment precies is?'

Ze zou het gênant hebben gevonden om het lage bedrag te noemen, want dan wist hij hoe ondiep het dal was waar ze uit probeerden te klimmen. 'Het is niet alleen maar een kwestie van die schuld vereffenen,' zei ze. 'Ik heb ook mijn verantwoordelijkheden, tegenover de anderen hier, onze klanten...'

'Dat snap ik wel,' zei hij toegeeflijk. 'Maar als we nu eens in plaats van u in dienst te nemen het hele kantoor overnamen van Harveys zoon? En het dan, hoe zal ik het noemen, in ons bedrijf integreren? Dan zou die schuld zijn afbetaald en houdt hij er vast nog iets aan over ook.'

Helen kreeg er hartkloppingen van. Ze durfde hem niet te vragen hoeveel hij dacht dat de hele zaak waard was. Door haar gebrek aan zakelijk inzicht had ze nooit gedacht dat het bedrijf voor iemand anders ook maar een cent waard zou zijn.

'En Mona dan?' vroeg ze tot haar eigen verbazing. 'Ik kan haar niet zomaar ontslaan. Ze heeft een gezin.'

'We zouden haar een baan aanbieden,' Malloy kalm,' hoewel ik op dit moment nog niet op de hoogte ben van haar specifieke kwaliteiten. Het alternatief zou een zeer behoorlijke afkoopsom zijn.'

Helen leunde achterover in Harveys stoel. Een gezegde van de nonnen van vroeger schoot haar te binnen: *Doe je mond dicht, het tocht hier.* Ze had nog nooit aan een scenario als dit gedacht en ze ging automatisch op zoek naar een reden waarom het niks zou worden. Die kon ze niet meteen bedenken. Toch voelde ze geen opwinding of opluchting, maar angst.

'Waarom wilt u dat doen?' vroeg ze aan hem.

Hij leunde naar voren, met zijn ellebogen op zijn knieën. 'Ik zal eerlijk zijn,' zei hij. 'Die andere mensen interesseren me niet, al snap ik wel dat dat voor u anders ligt. Maar er zijn niet veel mensen die kunnen wat u kunt. En ze kunnen het ook niet leren, ook al verdienen business schools goudgeld door te doen alsof dat wel zo is. Het is een roeping. Daarom heb ik niet een van mijn managers gestuurd, maar ben ik hier zelf naartoe gekomen om te proberen u over te halen. U moet het zo zien: dit kantoortje is uw leerschool. Maar de wereld is veel groter en er zijn erg veel mensen die uw hulp hard nodig hebben. Het wordt tijd om uw grenzen te verleggen.'

Toen Helen hem een kwartier later had uitgelaten, draaide ze zich om naar Mona en probeerde haar directe, sceptische blik met een pokerface te beantwoorden. Ze wist dat die pokerface van haar meestal niet zo goed lukte, dat hoorde ze haar hele leven al. 'Waar ging dat in godsnaam over?' vroeg Mona.

Helen glimlachte nerveus. 'Het blijkt dus dat die man werkt bij...'

'Ik weet al waar hij werkt, ik heb hem gegoogeld toen ik hier achter mijn bureau naar die dichte deur zat te staren. Wat wou hij?'

Helen liep naar haar bureau, maar ging niet zitten en legde haar handen op de rugleuning van haar stoel. 'Heb je zin om vandaag ergens te gaan lunchen?' vroeg ze.

Mona keek met een ruk op. 'Wat?' vroeg ze zacht. 'Je bedoelt samen?'

Helen knikte ernstig.

Mona keek naar de spullen op haar bureau, pakte dingen op, zette ze weer neer. Ze keek op haar horloge: het was pas kwart over tien. 'Als je slecht nieuws hebt, zeg het dan maar meteen, ik ben niet zo goed in wachten. Ik snap trouwens niet waarom mensen altijd denken dat je slecht nieuws onder het eten moet vertellen.'

'Het is geen slecht nieuws,' zei Helen. 'Het is… of goed of geen nieuws.' Daarmee bedoelde ze, hoewel Mona dat natuurlijk niet kon weten, dat als Mona niet openstond voor het aanbod, in welke vorm dan ook, ze het zouden afslaan en alles bij het oude zou blijven.

'Oké,' zei Mona, nog niet erg overtuigd. 'Als je me zo gaat kwellen, laat ik me door jou op een dure lunch trakteren.'

'Geen probleem,' zei Helen met een glimlach.

Vijf minuten later pakte Mona haar tas en zei: 'Ik hou het niet meer uit. Op de hoek zit een Hot and Crusty. Kom mee.'

Toen ze even later aan een piepklein tweepersoons formica tafeltje achter een kop koffie en een enorme in tweeën gesneden muffin zaten, vertelde Helen dat Teddy Malloy de zaak wilde overnemen en hun allebei een baan bij Malloy Worldwide had aangeboden; ze realiseerde zich nu pas dat ze vergeten was om naar het salaris te vragen, maar dat was ongetwijfeld meer dan wat ze nu vingen.

'Jou, bedoel je,' zei Mona. 'Hij wil jou, niet ons allebei. Hij heeft niet eens iets tegen mij gezegd. Waarom zouden ze mij willen? Ik ben best goed, maar ze hebben vast genoeg mensen die hetzelfde kunnen.'

'Toch is het zo,' zei Helen. 'Hij wil ons allebei.' Ze nam een slok koffie en keek naar Mona, die een stuk van haar helft van de muffin brak. 'Hoewel hij ook met een alternatief voorstel kwam, voor jou. Als je daar niet wilt werken, biedt hij je een afkoopsom.'

'Een afkoopsom?' vroeg Mona strijdlustig. 'Hij bedoelt dat ik dan word ontslagen.'

'Ja, zoiets. Maar niet zomaar. Hij wil je een jaarsalaris geven.'

Mona stopte lange tijd met kauwen en ging daar toen haastig mee verder zodat ze het kon herhalen: 'Een jaarsalaris?'

Helen knikte. 'Plus een jaar ziektekostenvergoeding, mocht je dat nodig hebben. Dus dat is behoorlijk gul. Maar Mona, ik wil niet dat je het gevoel hebt dat je…'

'Deal,' zei Mona, en ze lachte. 'Verkocht. Aangenomen. Laten we die ouwe lul meteen bellen voordat hij van gedachten verandert of doodgaat of zo.'

Helen was uit het veld geslagen. 'Ga je dat zomaar doen?' vroeg ze. 'Moet je er niet eerst even over nadenken? Ben je dan niet benieuwd hoe het daar bij dat Malloy is, of hoe het zou zijn om ons werk te doen op een mooie plek met goede faciliteiten?'

'Als iemand je een jaarsalaris biedt, dan pak je dat aan,' zei Mona. 'Dat is gewoon gezond verstand.'

'Maar wil je dan niet gewoon blijven werken?'

'Wie zegt dat ik niet blijf werken? Ik zoek wel een ander baantje. Banen zat. Ik kan toch niet stilzitten. Maar als ik dit doe, verdien ik twee keer geld met maar één baan. Waarom zou ik… wat is er?'

'Niks.'

'Zit je nou te húílen?'

'Nee,' zei Helen, ook al was dat wel een beetje zo.

'Godallemachtig,' zei Mona. Ze leunde naar achteren op de te kleine stoel en keek Helen eerder met verbazing dan met medeleven aan. 'Het is maar werk, hoor. Voor jou ook, bedoel ik. Er zijn genoeg banen die je kunt krijgen als je hard werkt en slim bent. Een baan is gewoon iets om geld te verdienen zodat je voor je kinderen kunt zorgen, en ze misschien ook af en toe nog iets moois kunt geven wat je zelf nooit hebt gehad. Daar gaat het toch om? Jij bent ook alleenstaande moeder, jij moet dat toch snappen.'

Helen knikte en droogde haar ogen met een ruw papieren servetje. 'Tuurlijk, maar we hebben samen iets opgebouwd. Aan de praat gehouden. Wij samen, met z'n tweeën. Betekent dat dan niet wat meer voor je dan alleen je loon en je ziektekostenpremie? Ik bedoel, ik weet dat we geen echte vriendinnen zijn, maar nu zie ik je vast nooit meer, hè?'

Mona reikte over het piepkleine tafeltje en kneep in Helens hand. 'Je moet niet denken dat ik je niet mag, want ik mag je graag,' zei ze. 'Maar zal ik eens zeggen wat ik vind? Jij maakt je altijd druk om de verkeerde dingen.'

Helen knikte en kneep in Mona's hand. Ze wilde het nu snel achter de rug hebben. Toen ze weer op kantoor waren, liep ze meteen naar Harveys kamer, deed de deur dicht, belde Teddy Malloy om zijn aanbod te accepteren, en sprak een bericht in voor Scapelli, de notaris. Daarna haalde ze diep adem en belde Harveys zoon. 'Cool,' was Michaels enige reactie, maar hij klonk wat schor van de schrik. Daarna vroeg hij wanneer hij het geld kon verwachten, en ze merkte dat hij dat niet vroeg uit hebberigheid of ongeduld, maar uit noodzaak. Hij hoefde niet per se dankbaar te zijn. Ze had alleen gehoopt dat wat ze voor hem had gedaan een band tussen hen zou hebben gesmeed. Maar hem zou ze ook nooit meer terugzien. Ze hoorde aan de hapering in zijn stem dat het te veel geld voor hem was, en dat hij zelf wist dat hij dat niet aankon. Hij had niemand die hem tegen zichzelf in bescherming kon nemen. Maar ze moest deze relaties kunnen loslaten. Ze waren vanaf het begin af aan al niet helemaal echt geweest. Je kon je moeilijk voor iedereen verantwoordelijk voelen.

4

'Op de tweede verdieping zit een health club,' zei Yvette. 'Daar kom je binnen met je keycard. Als je er een locker wilt stuur je me maar een mailtje, dan regel ik dat voor je. Hij is vierentwintig uur per dag open, met uitzondering van het zwembad en de jacuzzi, dat spreekt vanzelf.' Helen vond helemaal niets vanzelfsprekend. Ze liep maar gewoon achter Yvette aan, de office manager, die eruitzag als een model uit een modecatalogus, knikte af en toe, maakte instemmende geluiden en wenste intussen dat die onnodig uitvoerige rondleiding langs de voorzieningen van Malloy Worldwide erop zat en ze bij haar bureau waren, want ze snakte ernaar daarachter te zitten en alles een beetje te laten bezinken. Aan haar schouder hing een nieuwe, zachte aktetas met daarin alleen een *New York Times*, een pen, een bakje yoghurt en een plastic lepel.

'Op de derde verdieping zit de personeelskantine,' vervolgde Yvette. Ze liep zoals de meeste mensen rennen. 'Daar krijg je ook een kaart voor – wel veel kaarten, hè? – in verband met de personeelskorting. Als je wilt kun je contant betalen, maar de meesten laten het gewoon inhouden op hun salaris. Het eten' – ze draaide zich vertrouwelijk naar Helen om – 'is echt goed, moet ik zeggen. Ik bedoel, natuurlijk is dat alleen maar om je over te halen in het gebouw te blijven en korter pauze te nemen, maar toch. De hele tent is wel notenvrij, dat spreekt vanzelf, dus als je, zeg maar, zit te springen om noten, dan moet je de deur uit.'

Helen had genoeg aan één blik in de kantine, op dat uur voornamelijk bevolkt door mensen die in de rij stonden bij de cappuccinobar, om te weten dat ze daar vermoedelijk niet vaak zou eten. Ze zat nu midden in de wereld die ze had ontdekt toen ze ging solliciteren in Manhattan, de wereld waarin nergens mensen van haar leeftijd te bekennen waren, waar zij oud genoeg was, zich in elk geval oud genoeg voelde, om ieders moeder te zijn; ze zag zichzelf niet aan een van die lange tafels zitten in zo'n kluitje magere vrouwen van in de twintig, die zaten te klagen over wat het ook was waarover zulke wezens meenden te moeten klagen. Er zaten er maar een paar tussen die bij Malloy werkten – ze deelden het gebouw met onder andere een castingbureau en een website die aan shoppen gewijd was. Het leek nog steeds erg belangrijk om goedkoop te eten; Helen moest zichzelf voortdurend voorhouden dat ze niet alleen een nieuwe baan had maar ook een nieuw salaris, en dat een paar dollar op de lunch besparen dus niet meer zo hard nodig was als nog maar enkele weken geleden. Toch dacht ze dat ze haar lunch meestal wel gewoon van thuis zou meebrengen.

'En hier is dan jouw kamer,' zei Yvette ineens. Het was echt een kamer – niet zo'n hokje, zoals ze had gevreesd – en er welde een trots gevoel in haar op bij de aanblik van haar naambordje aan de wand naast de deur, ook al zat het zo te zien met klittenband vast. Ze wilde alleen dat ze beter had opgelet hoe ze daar waren gekomen. Voorzichtig legde ze haar tas op het lege bureau. Foto's, dacht ze – die hadden mensen op hun bureau staan. Morgen zou ze een paar ingelijste exemplaren van Sara meenemen, als ze erachter kon komen in welke nog dichtgeplakte doos ze die voor hun verhuizing uit Rensselaer Valley had ingepakt. 'Dan laat ik je nu alleen,' zei Yvette, die nog op de drempel stond. 'Als je iets nodig hebt: je hebt mijn mailadres. Fijn dat je bij ons komt werken.' Helen bedankte haar met een glimlachje. De rondleiding had bijna een uur in beslag genomen en voor het grootste deel betrekking gehad op aspecten van het kantoorleven die niet het feitelijke werk betroffen; niet één keer had Yvette er iets over gezegd hoe Helen werd verondersteld haar tijd te gebruiken wanneer ze niet bezig was met fitnessen, roken, eten of in de jacuzzi zitten.

Hoewel meneer Malloy er geen twijfel over had laten bestaan dat het om een fulltimebaan ging, had Helen zich in de weken voor ze begon voorgesteld dat ze een soort consultant zou zijn, oproepbaar voor nieuwe of oude klanten op het moment dat zich een buitengewone noodsituatie op imagogebied voordeed; ze kon zich niet voorstellen dat er veertig uur per week een crisis te bezweren, een spreekwoordelijke brand te blussen zou zijn. Daarin bleek ze zich te vergissen. Vroeger bij Harvey Aaron hadden ze soms dagenlang zitten wachten, met niet meer dan vervelende karweitjes te doen, tot een of andere schandelijke gebeurtenis het proces in gang zette dat haar werk was en waarvoor ze werd betaald; hier daarentegen werd er bijna meer beroep op hun tijd gedaan dan ze aankonden, merkte ze algauw. Deels kwam dat doordat de definitie van het woord 'crisis' bij Malloy soms zo kleinzielig was dat het onder minder veeleisende omstandigheden komisch zou hebben geleken: in haar eerste week op haar nieuwe plek werd Helen op zaterdag opgeroepen omdat een Broadwaystuk waarin een klant van hen had geïnvesteerd, de dag ervoor in *The New York Times* de grond in was geboord. Maar het had er ook mee te maken dat Helen toen ze de baan bij Malloy accepteerde domweg niet had overzien wat een enorm gebied de organisatie in feite bestreek. Ze hadden duizenden machtige klanten overal ter wereld, en op elk moment van de dag was er minstens één, paranoïde en dwingend, die er al dan niet terecht van werd beschuldigd iets verkeerd te hebben gedaan, iemand die zag welke kant het op ging met zijn leven en dat wilde bijsturen.

Ze had een baas, of beter gezegd een supervisor, een heel knappe jongeman die Arturo heette – homo, werd haar snel en preventief gemeld, alsof ze zich bij de gedachte aan een hetero Arturo niet meer zou kunnen concentreren – die graag de indruk wekte dat hij al wist wat je ging zeggen voor je helemaal uitgesproken was. Elke ochtend om half elf kwam de groep Crisismanagement bijeen in de vergaderzaal op de vierde verdieping, een ruimte die de werknemers onderling vanwege de glazen binnenmuren het aquarium noemden. Er stond zo'n koffieapparaat voor één kopje tegelijk, met een assortiment koffiebroodjes en fruit, al was dat meestal al grondig geplunderd tijdens de vergadering van de afdeling Promotie om half tien.

Arturo's toezicht op de individuele leden van de groep was intimiderend maar losjes. Vaak was de vergadering van half elf het enige moment van de dag dat hij hen sprak. Maar, en daar ging het om, het was zijn taak hen aan nieuwe klanten toe te wijzen, of aan oude klanten met nieuwe crises, en op dat gebied legde hij een dermate koppige onverschilligheid voor Helens specifieke vaardigheden aan de dag, om nog maar te zwijgen van haar beperkte ervaring tot dan toe, dat ze zich afvroeg of het opzet was. Ze kon zich nauwelijks voorstellen dat hij er niet van op de hoogte was dat zijn baas haar persoonlijk had aangenomen. Maar meneer Malloy was daar eerder een geest dan een aanwezigheid – zijn kamer, die maar drie verdiepingen boven die van hen lag, had een eigen lift, zodat meneer Malloy maar zelden werd waargenomen – en met ongenadige onpartijdigheid permitteerde Arturo het zich haar toe te wijzen aan de gekrenkte Broadwayinvesteerder, aan een online-gamingbedrijf waarvan de ipo-waarde werd bedreigd doordat de ceo onlangs was gestorven, en aan andere klanten, die vaak even weinig snapten van haar ongerustheid als zij van die van hen.

Op een vrijdagochtend kwam Arturo in het aquarium met het nieuws dat twistende bestuurders van een producent van telefoonchips die zij vertegenwoordigden – zo'n bedrijf waarvan je nog nooit had gehoord en dat dan opeens een essentiële hoek van je wereld bleek te beheersen – in het geniep elkaars gesprekken hadden opgenomen, zowel bij telefonisch contact als bij ontmoetingen, en dat de transcripties daarvan naar *The Wall Street Journal* waren gelekt, waar op datzelfde moment de juridische aspecten op hoog niveau werden bekeken om te zien wat ze veilig konden publiceren en wat niet. 'Ashok neemt onze reactie met jullie door,' zei hij met een bruusk knikje naar iemand anders in de groep, een bedeesde jongeman (ze waren in haar ogen allemaal jong) die Helen als fatsoenlijk had bestempeld, al klampte hij zich nog zo nerveus vast aan een handvol aforismen van de opleiding bedrijfskunde.

'Het spreekt vanzelf dat we hier bovenop moeten zitten,' zei Ashok, waarop iedereen, ook Helen, knikte; maar daarmee bleek hij te bedoelen dat ze een grootscheepse aanval tegen *The Wall Street Journal* moesten inzetten, gericht op de vraag hoe ethisch verantwoord het was te verdienen aan andermans misdrijf.

'Wil dat zeggen dat we de vraag mogen opwerpen of die tapes eigenlijk wel echt zijn?' vroeg Shelley, die naast Helen aan de vergadertafel zat. Niet toevallig: Helen probeerde tijdens die vergaderingen altijd een stoel te krijgen naast Ashok of naast Shelley, een jonge vrouw die erin slaagde een zekere goedhartigheid uit te stralen, ondanks haar strakke gespierde lijf, haar hoge spreektempo en de griezelige tatoeage van iemands initialen in haar nek, niet erg passend in het bedrijfsleven. Je kon hem niet altijd zien; dat hing ervan af wat Shelley die dag aanhad.

'Dat lijkt me niet,' zei Ashok. 'Er zijn tientallen uren opnamen, naar wat ik heb gehoord. Ik denk dat we ze beter niet kunnen aanspreken op de mate van authenticiteit. Hoe dan ook, in een situatie als deze is de eerste stap het zwartmaken van de boodschapper, indien mogelijk. En hier lijkt dat maar al te goed mogelijk. Iedereen heeft de pest aan Murdoch. Iedereen hecht aan privacy, en dit hele geschil heeft zijn wortels in illegaal afgetapte gesprekken, wat in wezen gestolen goederen zijn.'

'Wat staat er op die tapes?' vroeg Shelley.

Ashok fronste zijn wenkbrauwen. 'Kijk, alleen al door die vraag te stellen verschuift het gesprek...'

'Weet ik,' zei Arturo. 'Maar het is wel informatie die ze vermoedelijk moeten hebben.'

Ashok zuchtte. 'Prijsafspraken,' zei hij ongeduldig. 'Ergens in die honderden bladzijden verborgen zitten een paar geheime gesprekken over prijsafspraken. Maar dat is info die binnen deze muren blijft, omdat die niet relevant is voor het huidige probleem.'

Dat geloof je zelf niet, dacht Helen, maar ze hield haar mond terwijl de noodzakelijke taken werden uitgedeeld, geen van alle aan haar. Dit was haar eerste echte ervaring met een bedrijfsmatige klus en de bijbehorende hiërarchieën, en waar ze op dat moment vooral naar streefde was geen aanstoot geven. Ouder of niet, ze was niet zo arrogant ervan uit te gaan dat haar intuïtie beter was dan die van anderen. Ashok riep Shelleys hulp in bij het schrijven van een anoniem blog waarop de *Journal* en Murdoch zouden worden aangevallen omdat ze er in hun hebzucht als de kippen bij waren om munt te slaan uit andermans misdrijf, en zo de werking van het rechtssysteem dwarszaten. De fictieve blogger, die zou beweren een spion bij de *Journal* te hebben, zou stukje bij beetje alles vrijgeven wat de groep Crisismanagement wist over conflicten binnen de krant, gecombineerd met andere, dubbelzinnige pareltjes die Ashok domweg zou verzinnen, bijvoorbeeld de suggestie dat de *Journal* mogelijk niet achteraf maar al van tevoren voor de tapes had betaald. Twee andere teamleden kregen opdracht een non-profitclub op te zetten onder de naam Amerikanen voor een Verantwoordelijke Pers, om in krantenadvertenties de minachting uit te buiten die, zoals uit frauduleuze opiniepeilingen bleek, de gemiddelde burger voelde voor de immorele methoden van de media. Ze bespraken de mogelijkheid een heuse demonstratie voor het redactiekantoor van de *Journal* te ensceneren, maar daarvoor zouden acteurs ingehuurd moeten worden, met de bijbehorende, onmiskenbare risico's, zodat Arturo dat voorstel met enige tegenzin opschortte.

In de loop van tien dagen voerden ze hun plannen uit, zonder enig idee hoelang het nog zou duren voor de *Journal* zijn verhaal publiceerde. Helen werkte het grootste deel van die tijd aan een andere zaak: ze regelde fotomomenten voor een hedgefondsmanager die een liefdadigheidsstichting had opgericht voor het onderhoud van openbare scholen, eerst in New York en toen, na wat hij zag als zijn onvermijdelijke succes dicht bij huis, door het hele land. De fotomomenten moesten zo worden ingericht dat geen enkele verslaggever deze klant iets kon vragen: het chronische probleem was namelijk dat hij het nooit kon laten de leerkrachten, bestuurders, gezinnen en zelfs de kinderen aan wie hij zogenaamd zijn tijd en deskundigheid besteedde, in het openbaar te beledigen. 'Liefdadigheid' leek Helen maar een vreemd woord voor iets wat meer op een agressieve campagne leek, maar ze probeerde het beste in mensen te zien, en natuurlijk was het doel eerzaam. Ze woonde elke dag de vergadering van half elf bij en gaf desgevraagd haar update, ook al had ze niet het gevoel daadwerkelijk met crisismanagement bezig te zijn.

Een of twee keer per week at ze met Shelley en Ashok in de kantine. Het eten was opmerkelijk goed en hun jeugd vormde haar dekmantel. Shelley was een jaar of achtentwintig, maar wat haar echt imposant maakte was haar fenomenale lichamelijke conditie. Alleen al aan haar armen – Helen moest zich er bewust van weerhouden ernaar te staren – moest ze zo ongeveer een parttimebaan hebben. Toen het onderwerp ter sprake kwam mompelde Ashok met een gegeneerd gezicht iets over een lidmaatschap van een sportschool, en dat hij nooit tijd had om er gebruik van te maken. Hoewel met name Shelley Helen dolgraag uithoorde over haar achtergrond, lieten Ashok en zij nooit veel los over hun leven buiten het kantoor. Toen Shelley een keer wegliep om een nieuw flesje Vitaminwater te halen vroeg Helen – benieuwd hoe goed die twee werkvrienden elkaar eigenlijk kenden – met een samenzweerderig lachje aan Ashok wat dat toch voor tatoeage was in Shelleys nek. Niet dat ze een oud mens wilde lijken, maar hoorden die eigenlijk niet op een minder zichtbare plek te zitten? Moest alles tegenwoordig per se zo open en bloot? Hij deed zijn best om terug te lachen voor hij antwoord gaf.

'Ze heeft een kind verloren,' zei hij. 'Dat zijn zijn initialen.'

En hoezeer ze zich daardoor ook terechtgewezen voelde, Helen vergat nooit Ashoks flauwe maar zorgvuldig medeplichtige glimlach, duidelijk bedoeld om te zorgen dat zij zich achteraf minder schuldig voelde omdat ze nietsvermoedend zo luchtig had gedaan over iets tragisch. Haar mening over hem klopte, was haar conclusie.

Haar salaris bedroeg nu bijna negentigduizend dollar per jaar plus verzekeringen, toegang tot een autoservice en nog een assortiment aan gratis extraatjes, zoals koffie, waar haar collega's geen moment bij stilstonden maar die Helen nog niet zo lang geleden elke week in haar budget had opgenomen. Plotseling beschikten Sara en zij over geld dat niet alleen toereikend was maar waar ze ook vast op konden rekenen. Nu konden ze zich echt betere woonruimte permitteren dan het krappe tweekamerappartement dat ze sinds januari huurden. Alleen was een woning zoeken in Manhattan belachelijk ingewikkeld en arbeidsintensief. Helen maakte nu wel niet meer uren dan toen ze bij Harvey werkte, maar ze had veel minder vrijheid om midden op de dag een uur of twee vrij te nemen als ze weer eens een opgewonden telefoontje van een makelaar had gekregen.

'Brooklyn is er ook nog,' zei Sara toen ze het er op een zondag onder het ontbijt over hadden.

'Zal ik je eens een geheimpje vertellen, lieverd,' zei Helen terwijl ze een warme bagel vol pitjes doormidden sneed. 'Ik ben te oud om uit te vogelen waar alles is in Brooklyn.'

Uiteindelijk kwam ze tot de conclusie dat een ander huurappartement, zelfs een dat groter was dan ze nu hadden, hun alleen maar de ellende van alweer inpakken en verhuizen zou bezorgen; ze konden beter wachten tot het haalbaar leek om naar een koopappartement te gaan uitkijken. Zover had het al kunnen zijn als de verkoop van hun oude huis in Rensselaer Valley, waarop ze in hun naïviteit hun oorspronkelijke plannen hadden gebaseerd, niet was afgeketst. De kopers waren de definitieve koopovereenkomst steeds maar blijven uitstellen met eisen die tot in het absurde opliepen – een tweede waterbrononderzoek, een certificaat van een boomchirurg, vervanging van de schuimisolatie in de garage – en toen Bonifacio het niet meer vertrouwde en zich eens in hen verdiepte, ontdekte hij dat de man onlangs zijn baan was kwijtgeraakt en dat hun financiering was ingetrokken. Hij zou hun het liefst hebben gezegd dat ze het konden vergeten, maar op Helens voorstel wachtten ze af of de kopers zich soms zouden herstellen en een nieuwe hypotheek zouden krijgen. Dat lukte echter niet en na verloop van tijd trokken ze zich helemaal terug en haalde Helen zich de minachting van Bonifacio op de hals door die treuzelaars hun aanbetaling terug te geven, ook al hadden ze daar geen recht op. Ze hadden een zoontje van een jaar.

Uiteindelijk melkte de *Journal* de afgeluisterde telefoongesprekken uit tot niet één maar ruim tien artikelen, twee zware weken lang elke dag een, alsof ze de indruk wilden wekken dat ze nog steeds koortsachtig bezig waren de tapes te transcriberen, met de meest belastende citaten er nog eens in een kader bij om de aandacht te trekken. Het was een uitputtingsslag, en het ontbrak Ashok en zijn team aan de middelen om die te winnen. Met hoeveel liefdevol vakmanschap zijn publieke offensief ook gefingeerd was, het werd ronduit genegeerd. Ten slotte brak de dag aan dat de CEO van het chipbedrijf zijn ontslag indiende, en met hem het grootste deel van de raad van bestuur. Afgezien van een hoopvolle opleving op het moment dat de ontslagen werden aangekondigd kelderden de aandelen van het bedrijf steeds verder.

Helen beleefde geen plezier aan de sfeer van paniek en mislukking die tijdens die weken in het aquarium leek te hangen. Ze hield zich op de achtergrond en maakte zinloze aantekeningen. Toen begon Arturo op een maandagochtend de vergadering van half elf met de mededeling dat de nieuw aangestelde raad van bestuur van de chipfabrikant hen zojuist had ontslagen, en barstten de wederzijdse beschuldigingen los.

'Heeft er behalve ik ook maar iemand naar dat blog gekeken?' vroeg een van de teamleden smalend. 'Het las alsof het door een kind was geschreven. Zelfs de reacties kwamen haast allemaal van mensen die er de vloer mee aanveegden.'

'Het deed er niet toe wie het had geschreven,' zei een ander, 'of hoe goed. Het is een ouderwetse aanpak. Een idee uit het jaar nul, zo uit het eerstejaarslesboek van de bedrijfsopleiding. Zelfs Ivy Lee zou het al achterhaald hebben gevonden.'

Ashok sloeg, duidelijk in paniek, met de muis van zijn hand op tafel. 'Wat fijn om van je te horen,' zei hij, 'eindelijk, na al die weken. Want op het moment dat we naar ideeën zochten heb ik van jou anders niets gehoord. Natuurlijk is het veel makkelijker om als een aasgier af te wachten en pas achteraf te zeggen dat jij het allemaal heel anders zou hebben aangepakt. En trouwens, Ivy Lee was niet voor niets Ivy Lee…'

'Zo is het genoeg,' zei Arturo. Hij ging staan, knoopte zijn jasje dicht en richtte toen zo'n demonstratief kille blik op hen dat een minder knappe man er nooit mee weggekomen zou zijn.

'Niemand die er hierom uit vliegt,' zei hij, 'dus nergens voor nodig om elkaar af te maken. Luister, we kunnen hierbinnen over strategie blijven bekvechten tot we een ons wegen, maar wat we buiten deze ruimte doen – wat we in de buitenwereld doen – berust op geloof. We moeten één front vormen, iedereen moet achter het idee staan waar we mee bezig zijn, alsof hij het zelf heeft bedacht. Iedereen moet niet alleen begrijpen maar ook volledig internaliseren waarvoor we strijden. Je mag geen onpartijdige pleitbezorger zijn. Je doet voor honderd procent mee of je hoort bij datgene waartegen we strijden. Begrijpen jullie wat ik bedoel als ik het woord "geloof" gebruik? Geen toneelspel maar werkelijkheid. Niet "ik zal doen *alsof* mijn klant gelijk heeft". Daar kijkt het publiek meteen doorheen. En ik ook. Twijfel is een kwaadaardig gezwel, of het nu twijfel aan onze strategie is of twijfel aan de mensen die we vertegenwoordigen. Dat maakt niks uit. Het blijft hetzelfde. Als jullie zo meteen deze kamer uit lopen, doe dat dan met de gedachte aan je missie daarbuiten. En als je dat niet kunt hoef je ook niet meer terug te komen.'

Hij sloot zijn aktetas en liep de deur uit. Ze keken hem door de glazen wanden helemaal tot aan de liften na. 'Wow,' zei Shelley. 'Supersexy als hij kwaad is.'

Of ze wilde of niet, het liet Helen niet onberoerd. Daar gaat een ware leider, dacht ze. Zulk werk zou ik nooit kunnen doen. Hoe langer ze over Arturo's woorden nadacht, hoe meer ze ging twijfelen waar hij het nu precies over had – het was eigenlijk alleen maar 'jullie doen wat ik zeg en anders is daar het gat van de deur', maar dan met een messiasachtig tintje – maar evengoed had hij gelijk: het ging er niet alleen om wat je tegen de buitenwereld zei, het ging erom wat je er vanbinnen bij voelde terwijl je het zei.

Zonder haar familie, zonder haar vertrouwde omgeving, zonder leeftijdgenoten die alles van haar wisten, zonder bekende voorwerpen: dat had ze allemaal al eens eerder meegemaakt, bedacht Sara, maar toen was ze niet oud genoeg geweest om zich er nu nog iets van te herinneren. 'Wedergeboorte' was misschien wat sterk uitgedrukt; het kwam dichter bij de waarheid en klonk ook gewaagder om te zeggen dat ze het gevoel had opnieuw een kandidaat voor adoptie te zijn.

Een van de verschillen tussen haar ouders: ze wist dat ze in geen honderd jaar achter het e-mailwachtwoord van haar vader zou kunnen komen, maar ze had maar vijf seconden nodig gehad om dat van haar moeder goed te raden: dat was 'Sara'. Ze stuurde vanuit haar moeders account een mailtje aan haar basketbalcoach dat ze definitief stopte; ze wiste zorgvuldig zowel het verstuurde bericht als zijn begripvolle reactie. Ze ging nog wel elke dinsdag en vrijdag met de bus naar de andere kant van de stad, waar ze meestal alleen maar winkels in en uit slenterde of, toen het wat warmer werd, op het gras tussen de West Side Highway en de rivier de Hudson ging liggen, een plek die ze rustgevend vond en die bovendien zo ver weg lag van het meeste menselijk verkeer dat ze niet bang hoefde te zijn voor ontdekking. Af en toe nam ze een foto van de rivier en uploadde die rechtstreeks op Facebook, minder voor het plezier van die paar klasgenoten die hem misschien zouden zien dan domweg om ergens vast te leggen waar ze was. Soms reageerden die klasgenoten, en soms ook niet, en toen kwamen er tot haar verrassing op een dag opeens een paar naar haar toe, twee die ze kende en nog drie anderen. In plaats van een paar honderd meter om te lopen en de tunnel te nemen sprintten ze als gekken de snelweg over om bij de oever te komen.

Ze gingen naar de boten zitten kijken, Sara met rode wangen daar zo tussen hen in, en praatten over onbenulligheden – ze zaten vooral te wachten tot er een jogger langskwam of een man van middelbare leeftijd opdook boven het dek van zijn verweerde boot, zodat ze konden stilvallen en hem zodra hij weer was verdwenen belachelijk konden maken. Een van hen, een jongen in een groen legerjack en met een sneue bos krullen die door de wind vanaf de Hudson voortdurend als een drilpuddinkje heen en weer wiebelde, had een heupfles Jägermeister bij zich; alleen deden ze al na één slok allemaal alsof ze er roezig van waren om die smaak maar niet meer te hoeven proeven. Tracy, min of meer Sara's vriendin en partner bij het scheikundepracticum, leek de indruk te willen wekken dat ze iets had met een van de andere jongens, die in dezelfde klas zat als zij en Cutter heette (dat wil zeggen, zo noemde hij zichzelf) en van wie ze had horen zeggen dat niemand op school zulke rijke ouders had als hij; omdat hij zwart was had dat misschien niet ironisch mogen klinken, maar dat deed het wel. Cutter merkte het steeds als Sara naar hen zat te staren, wat niet cool was; daarom dwong ze zichzelf naar het tij te kijken dat met kracht landinwaarts op de George Washington Bridge af stroomde.

Ze hoorde zijn stem op de helling achter haar, verwaterd door de zoevende verkeersgeluiden van de snelweg, en toen drong tot haar door dat hij zei: 'Hoe heet ze?'

'Sara,' antwoordde iemand.

'Hé, Sara,' zei Cutter, 'woon je hier in de buurt?'

Ze slikte. 'Nee,' zei ze, 'helemaal aan de andere kant van het centrum. Niet ver van school.'

'Dus je houdt gewoon van boten?'

Ze lachte, nog steeds zonder hem aan te kijken. 'Mijn moeder denkt dat ik in een basketbalcompetitie speel,' zei ze. 'Maar ik ga altijd hiernaartoe.'

'Waarom?'

'Weet ik niet. Omdat ik van boten hou?'

'En je vader?' vroeg Cutter. 'Waar denkt die dat je uithangt?'

'Geen idee,' zei Sara, maar niemand hoorde het omdat ze allemaal tegen Cutter tekeergingen dat hij zich verdomme met zijn eigen zaken moest bemoeien en niet altijd van die persoonlijke dingen moest vragen. 'Daarom wil er nooit iemand met jou optrekken behalve wij,' zei de jongen met de krullenbol.

Toen Sara de volgende woensdag in de kantine op school in de rij stond, die doorliep tot aan de deur, voelde ze een hand op haar schouder. 'Hoi, botenmeisje,' zei Cutter. 'Wat heb jij het eerst na de pauze?'

'Engels,' zei Sara.

Hij lachte schamper. 'Kom mee,' zei hij. 'Het is zo'n mooie dag.' Hij pakte haar bij de hand, wat haar belette te lang na te denken wat er verder gebeurde terwijl ze dwars door de keuken en door de branddeur naar buiten liepen, 77th Street in. Hij hield een taxi aan die in westelijke richting reed, en eerst dacht ze dat hij om een of andere bizarre romantische reden weer naar de oever bij de ligplaatsen wilde waar ze hadden kennisgemaakt, maar nee, de taxi reed helemaal naar het zuiden, naar de aanlegplaatsen van de veerboot over de Hudson, waar hij twee kaartjes kocht voor de Circle Line. Ze gingen aan dek zitten – dat was voor tweederde leeg, alleen wat toeristen die het hoogseizoen meden en een paar schoolklassen op een achterlijke excursie – voeren om het eiland Manhattan heen en keken naar de zon die doorkliefd werd door de spitse bovenkanten van de gebouwen, naar de geluidloze auto's, naar de doorgaande straten die zich precies op het moment dat je erlangs voer in hun volle diepte voor je openden, om daarna weer te versmallen. Cutter duwde met één vinger haar haar uit haar ogen. Sara voelde zich een beetje zoals ze had gehoord dat je je van drugs ging voelen: gevaarlijk ontvankelijk, alsof het voortaan te moeilijk zou zijn om weerstand te bieden aan de wetenschap dat het in je macht lag je opnieuw zo te voelen.

'Beter, toch?' vroeg Cutter. Ze keek hem vragend aan. 'Om zelf op de boot te zitten,' verduidelijkte hij, 'en bekeken te worden door de mensen op de kant.'

Hij had iets met boten, bleek het, ook al waren ze niet bepaald iets nieuws voor hem, omdat zijn ouders er een hadden; die lag bij hun huis in Sag Harbor. Sara was een tikje teleurgesteld toen ze erachter kwam dat daarin de oorsprong van zijn belangstelling voor haar school: dat ze een interesse met hem deelde. Op wat zogenaamd de laatste vrijdag van het basketbalseizoen voor haar was nam hij haar mee op de veerboot naar Staten Island. De boot zelf was zo'n beetje het minst schilderachtige wat je je kon voorstellen, het was onverwacht druk in de haven en als je te goed naar het water keek zag je dat het behoorlijk vol afval lag, maar evengoed genoot Sara, voornamelijk vanwege de glimlach die Cutter ervan op zijn gezicht kreeg, een zeldzaamheid. Op Staten Island zelf viel eigenlijk niet veel te beleven – een paar winkelpuien, een leeg honkbalstadion, MTA-bussen die god mocht weten waar naartoe gingen – maar je kon je vast verheugen op de terugvaart, als Manhattan zich voor je ontvouwde en je uit dat woud van ongelijksoortige bouwsels langs het water die ene kleine muil probeerde te vinden waar de veerboot op af koerste.

Ze was nog nooit iemands vriendinnetje geweest en wist ook niet zeker of ze dat nu wel was; wat daar nog het meest officieel op leek te duiden was het feit dat Tracy niet meer met haar praatte.

Cutter en zij kwamen nooit bij elkaar thuis, hoewel ze zag aankomen dat dat als het buiten guurder werd en ze zo met elkaar bleven optrekken een probleem zou kunnen worden. Voorlopig brachten ze hun tijd samen door zoals ze zich voorstelde dat een dakloos stelletje zou doen. De eerste keer dat hij haar serieus probeerde te zoenen zaten ze op een bankje aan de boulevard langs East River en verging ze van de kou. Ze trok haar hoofd weg en keek hem in zijn ogen, die troebel waren van begeerte.

'Hoe heet je eigenlijk echt?' vroeg ze om tijd te winnen. 'Ik kan echt geen jongen zoenen als ik niet eens weet hoe zijn eigen moeder hem heeft genoemd.'

Hij haalde zijn schouders op. 'Hoe heeft jouw moeder jou dan genoemd?' vroeg hij.

Wat zo'n afknapper was dat ze meteen geen zin meer had om verder te praten; ze ritste zijn jack los zodat ze haar armen erin kon steken om warm te worden en zoende hem tot ze haar hele keel voelde gloeien.

Hij had het eigenlijk wel vaak over adoptie, en over ras, met vuur maar zonder het besef dat zij over die onderwerpen wellicht iets zou kunnen weten wat hij niet wist. Volgens hem gingen veel mensen ervan uit dat hij geadopteerd was, omdat hij zwart was en geld had. Daar had Sara nog nooit iets van gemerkt; misschien had hij dat één keer meegemaakt, dacht ze, maar had het in zijn gedachten zo veel gewicht gekregen dat hij er een overdreven herinnering aan had. Het was wel zo dat niemand wist waarom zijn ouders hem op een openbare school hadden gedaan terwijl ze de middelen hadden om elke school voor hem te kiezen die ze maar wilden. Liberaal schuldgevoel, zei Cutter: de blanken zijn niet de enigen die daarmee zitten. Al voegde hij er in één adem aan toe dat hij voor geen goud op zo'n elitaire particuliere bankiersfabriek zou willen zitten. Slechts enkele van zijn vrienden hadden met eigen ogen gezien waar Cutter woonde, of beweerden dat in elk geval, en ze waren het er allemaal plechtig over eens dat het er gigantisch was.

'Ik heb alles,' zei Cutter tegen Sara, 'maar de mensen zijn bang voor me omdat ze denken dat ik recht meen te hebben op wat zij hebben. Omdat ik zwart ben.' Ze zaten op een trap vlak bij Park Avenue, in de buurt van 90th Street, nadat ze er voor het laatste uur tussenuit waren geknepen; nu gingen er links en rechts van hen andere scholen uit, en af en toe keken ze passerende groepjes jongere kinderen in schooluniform na die druk liepen te sms'en. Cutter en Sara deelden een halveliterfles cranberrywodka in een papieren zak, al was Sara na de eerste twee smerige slokjes gestopt; nu nam ze de fles alleen nog van hem aan om hem dan even later weer terug te geven, terwijl hij aan het woord was.

'Blanken zijn bang voor ons omdat ze hun schuldgevoel op ons projecteren. Ze nemen aan dat wij ons hele leven aan hen lopen te denken, onszelf naar hun maatstaven beoordelen. Dat voedt hun schuldgevoel. Het is meer schuldgevoel dan racisme, maar dat schuldgevoel op zich is toch zeker al racistisch?'

Dit was een kant van hem waar Sara niet bijzonder op gesteld was, al was ze ervan onder de indruk dat hij sowieso al over zulk abstract gedoe nadacht. Wist ze maar hoe ze van die wodka af kon komen, want die scheen dat in hem boven te halen. De enige manier om hem minder te laten drinken was er zelf meer van te nemen. Ze nam weer een klein slokje en gaf hem de fles terug.

'Maar ik merk eigenlijk nooit dat mensen zo op ons reageren,' zei ze bijna fluisterend, in de hoop dat hij daardoor ook zijn stem zou dempen.

'Ja, op jou niet zo vaak, omdat je Aziatisch bent,' zei hij. 'Dat roept weer een heel ander stel vooroordelen op.'

'Oké,' zei ze lichtelijk geïrriteerd, 'dank je wel voor je diepe inzicht in mijn Aziatisme, maar wat ik eigenlijk bedoelde: ik merk ook niet dat ze zo op jou reageren.'

Er kwam weer een groepje jongens in schooluniform door 90th Street; een van hen, die een jaar of tien leek, bleef vlak voor hen stilstaan om zijn veter te strikken. Hij luisterde naar een iPod en liet niet merken zich ervan bewust te zijn dat Sara en Cutter maar een meter of wat verderop op hem neer zaten te kijken.

'O nee?' zei Cutter met een binnensmonds, schor lachje. Het jongetje in de blazer kwam overeind en liep door. Cutter stond op en sprong de treden af.

'Hé,' zei Sara zwakjes. Ze dacht dat hij kwaad was en haar dumpte. Maar toen hij bij het jongetje in de blazer was, dat achterop was geraakt bij zijn vriendjes, tikte Cutter hem op de schouder en begon tegen hem te praten. Ze stonden maar een meter of tien van het kruispunt, voor een herenhuis met een voortuin vol keurig gesnoeide struiken. Sara had er geen idee van wat ze zeiden of deden – Cutters rug zorgde ervoor dat ze niet veel meer kon zien dan de lage schoenen die het jongetje aanhad. Toen wendden de voeten zich af en renden in de richting van Park Avenue, en keerde Cutter zich om en kwam op zijn gemak terug naar de trap met zo'n brede grijns op zijn gezicht dat zijn hele mond er in verwondering van openspleet, en in zijn handen de iPod van het jongetje, plus zo te zien wel veertig of vijftig dollar in contanten.

'Om dat geld vroeg ik niet eens,' zei Cutter. Opgetogen schudde hij zijn hoofd. 'Als dát niet geschift is?'

Hoe vreselijk Ben er ook tegen op had gezien, de gevangenis bleek vooral de zoveelste versie van het luchtledige waarin hij zich nu al een half jaar bevond. Er zaten zelfs, net als in Stages, een paar tweederangs beroemdheden, die je op weg naar de kantine of de sportzaal tegen het lijf kon lopen en die dan met een zuurzoet glimlachje bevestigden dat ze waren voor wie je hen aanzag. En op de dag dat het erop zat mocht Ben weer de heldere zonneschijn in met zijn autosleutels, nog geen honderd dollar in contanten – hoewel hij om eerlijk te zijn veel meer geld tot zijn beschikking had, op rekeningen op diverse plaatsen – geen thuis en nergens om naartoe te gaan. Voor de mensen die hem kenden werd hij nu gekarakteriseerd door zijn overtredingen, door alles wat hem nooit zou worden vergeven, en hoe zwaar dat ook was, het leek nog triester om te overwegen zomaar ergens anders naartoe te gaan en daar opnieuw te beginnen, om op zijn leeftijd te doen alsof hij iemand anders was. Daar kwam nog bij dat hij om bij zijn geld te kunnen minstens één keer bij Bonifacio langs moest om een paar documenten te ondertekenen, en hij zou er niet eens van opkijken als hij die eerst zelf moest opstellen. Daarom nam hij, half uit wrok tegen zichzelf en half omdat hij toch niets dringenders te doen had, de bus naar Poughkeepsie, waar zijn auto nog steeds stond, stak de doorgaande weg over en belandde zo weer in Rensselaer Valley. Hij stopte eerst om zijn intrek te nemen in een motel vlak bij de Saw Mill, een motel waar hij de afgelopen vijftien jaar tien keer per week langs was gereden zonder ooit nieuwsgierig genoeg te zijn om het vanbinnen te gaan bekijken. Alles wat hij bezat paste nu in één tas – nou ja, misschien niet alles, maar als je geen flauw idee had waar je spullen waren gebleven, had het er toch verdomd veel van dat ze niet eens meer van jou waren. Ergens opgeslagen – als dat het geval was, dan mocht dat voorlopig zo blijven. Zo uit het blote hoofd kon hij zich niet eens herinneren wat er, afgezien van een hele vracht pakken, overhemden en stropdassen, eigenlijk zou kunnen liggen.

Hij verging van de honger, maar toen zijn route naar het centrum hem langs Meadow Close voerde kon hij het niet laten er even in te rijden voor een vluchtige blik. Een paar maanden verwaarlozing was niet lang genoeg om het uiterlijk van het huis te veranderen; toch hapte hij naar adem toen hij het zag: donker en duidelijk onbewoond, midden in een rommelige bruine tuin waar Parnell en hun andere buren vast een rolberoerte van kregen. Het schilderwerk hield het goed en de open luiken hingen keurig recht, en toch wist het huis de indruk te wekken dat het noodlot er had toegeslagen. Nog even en de kinderen zouden elkaar uitdagen steentjes op de ruiten te mikken. Hij voelde de neiging uit te stappen en achterom te lopen om de beschutte veranda te inspecteren. Maar het was midden op de dag. Hij reed Parnells oprit op, toen weer achteruit zodat hij met de neus in de andere richting stond, en vervolgde zijn weg naar het centrum.

Nadat hij in Main Street had geparkeerd liep hij de straat op en neer, gluurde in vertrouwde etalages en incasseerde de blikken van verbazing en zelfs afschuw op de gezichten van degenen die hem nog herkenden, wat misschien een keer of zes gebeurde. Hij ging naar binnen bij de Poolse kruidenierszaak waar hij in december zijn dochter had ontmoet, en bestelde weer zo'n puddingbroodje, maar al had hij nog zo'n trek, na een maand lang gevangeniskost vond hij het zo machtig dat hij het niet op kreeg. Daarna wandelde hij aan de overkant van Main Street verder, in de namiddagschaduw en de bijbehorende kilte, waar hij niet op gekleed was. Bij de ijzerhandel liep hij de trap op die langs de zijkant van het twee verdiepingen hoge gebouw omhoog leidde naar de vestiging van Advocatenkantoor Joseph Bonifacio (zo stond het op het naambord naast de trap; dat meervoud, 'advocaten', werkte nogal op Bens lachspieren).

'De geest van Jacob Marley!' zei Bonifacio toen Ben binnenkwam. Het kostte hem verbazend lang om overeind te komen – hij zat met zijn voeten op zijn bureau iets op zijn computer te bekijken. 'Ik had het in mijn agenda moeten zetten. Maar eerlijk gezegd was ik er bijna van overtuigd dat ik je nooit meer terug zou zien. Zeker niet hier in de Valley. Terug naar de plaats van het misdrijf, wat jou?'

'Zoiets,' zei Ben.

'Goed, weet je wat, laten we er eentje drinken om het einde van je straf te vieren. Dat wil zeggen, als ik nog ergens een fles kan vinden… Aha, wat zeg je me daarvan?' Hij haalde een fles Jameson uit de bovenste la van zijn bureau. 'Als dat niet toevallig is!'

Het was ongeveer half vijf en een uur later – een uur waarin Ben de telefoon in het kantoor niet één keer hoorde gaan – nodigde de advocaat zijn cliënt uit om bij hem thuis te komen eten. Er zat een scherp kantje aan Bonifacio's agressieve vriendelijkheid, iets wat Joe zich volgens Ben nauwelijks bewust was. Hij leek er trots op dat zijn huis zo klein, zo rommelig en zo slecht geïsoleerd was, trots dat iemand als Ben – precies zo'n bevoorrechte figuur waar hij altijd de pest aan had gehad – zo diep was gezonken dat hij zelfs dankbaar moest zijn voor het lauwe, ongeïnspireerde maal dat Bonifacio's gelaten, stuurse vrouw hem voorzette.

'Hoelang blijf je in de stad?' vroeg ze. 'Kom je alleen wat spullen ophalen?'

Hij kauwde met moeite een taai stuk rundvlees weg. 'Dat weet ik nog niet,' zei hij. 'Ik heb eigenlijk geen plannen, om eerlijk te zijn. Ik ben geloof ik alleen maar teruggekomen om me te herpakken.'

'Te herpakken waarvoor?' vroeg ze sceptisch.

'Weet ik nog niet precies. Ik ben aan het nadenken.'

'Waarover?'

'Doe nou niet zo onbeleefd tegen het bezoek, Ginny,' zei Bonifacio. 'Mijn cliënt heeft zijn schuld aan de samenleving voldaan. En zijn rekening ook, wat hem hier in de buurt een witte raaf maakt. Wat ons betreft wordt hij gewassen in het bloed van het lam.'

Ginny haalde haar schouders op en begon af te ruimen. 'Je zult weer aan het werk moeten,' zei ze zonder hem aan te kijken tegen Ben. 'Iedereen moet werken.'

'Aantoonbaar onjuist,' zei Bonifacio.

'Juridisch werk is eigenlijk het enige wat ik kan,' zei Ben, 'maar met een gevangenisverleden zou dat weleens lastig kunnen worden.'

'Hoe dan ook,' zei Ginny terwijl ze doelbewust wegliep naar de keuken, 'één advocaat is al meer dan genoeg voor een kleine plaats als deze.'

Ben en Joe keken elkaar met opgetrokken wenkbrauwen aan, ze realiseerden zich tegelijkertijd waar Ginny het al die tijd over had gehad: ze was bang dat Ben van plan was zijn eigen advocatenkantoor in Rensselaer Valley te beginnen en zo haar man brodeloos zou maken. In haar idee was dat hoe rijke mensen zich gedroegen, en Ben moest het haar nageven: als stereotype sloeg het de plank niet ver mis.

'Daar zou ik maar niet over inzitten, liefje,' zei Bonifacio, die zijn best deed een glimlach te onderdrukken. Hij zat nu, al deed hij nog zo rustig aan, zeker drie uur achter elkaar aan de Jameson. 'Ben is slim genoeg om te beseffen dat hij er beter aan zou doen zijn naambord ergens op te hangen waar hij nog geen reputatie als klootzak heeft.'

Ben glimlachte en zei toen om van onderwerp te veranderen: 'Mag ik je iets vragen, Joe? Ik ben daarstraks, voor ik naar jou kwam, bij mijn oude huis langsgereden, en het lijkt er sterk op dat daar niemand woont. Jij hebt toch de verkoop voor Helen gedaan? Is het nu van iemand die er niet zelf woont of zo?'

'Nee. Of eigenlijk ja, in de zin dat die afwezige eigenaar je ex-vrouw is. De verkoop is niet doorgegaan, al heeft het maanden geduurd voordat dat echt vaststond, omdat Helen die klaplopers steeds maar extra tijd gaf. Officieel staat het nog steeds in de verkoop. Niet het beste moment voor onroerend goed hier in de buurt, mocht het je zijn ontgaan.'

'Serieus?' vroeg Ben op luide toon. 'Waar leeft ze dan in godsnaam van?'

Joe haalde zijn schouders op, terwijl het ijs onder uit zijn glas alweer tegen zijn tanden tikte.

De volgende ochtend ging Ben weer naar het huis in Meadow Close. Eerst keek hij vanaf het grasveld achter door de ongeschonden hor van de veranda; daarna probeerde hij op goed geluk zijn sleutel in het voordeurslot. Die paste nog. Alle meubels waren weg en de kamers roken naar vocht en iets wat vermoedelijk muizen waren. Midden in elke lege kamer bleef hij even staan. Hij zette alle ramen open en deed ze voor hij wegging weer dicht en op slot.

Het was een raar gevoel om daarna naar zijn motelkamer te gaan en daar op zijn bed te zitten. Hij hield zijn mobieltje in zijn hand en bedacht dat er op dat moment misschien wel niets in zijn leven was wat dichter in de buurt van een thuis kwam dan die telefoon, niets wat sterker gekoppeld was aan zijn gevoel van identiteit, waar hij al langer een band mee had. *Wat is n goed tydstip om je t bellen?* sms'te hij aan Sara, maar ze reageerde niet. Misschien leefde ze in de waan dat hij nog ver weg in de gevangenis zat, bedacht hij, maar toen hij sms'te om haar te laten weten dat hij weer vrij was schreef ze terug: *ja weet ik, kan tellen.* Ze vroeg niet waar hij was.

Twee avonden later zat hij in zijn motelkamer tv te kijken toen Bonifacio hem belde en zei: 'Moet je horen, ik heb een voorstel. Jij bent toch thuis in trusts en nalatenschappen, hè? Of dat was je. Oké, ik heb zojuist een erfrechtzaak binnengehaald die een ontzettende kluif is.'

'Wie is er dood?' vroeg Ben.

'Je kent de Feldmans, die aan Colonial Avenue wonen? Hij zat in de goederenhandel?' Ben kende ze vaag; in de beginjaren, toen hij altijd met de trein ging, zag hij Jay Feldman tien keer per week. 'Nou, die is gestorven aan een hartaanval, tijdens het joggen nota bene, en het zotte is dat de Feldmans op dat moment twee dagen voor de afronding van hun scheiding stonden. Hoe dan ook, het is een warboel en ik vroeg me af of jij ervoor zou voelen me een week of twee te komen helpen om alles uit te zoeken. Als je niks beters te doen hebt.'

Bonifacio genoot hier een beetje te veel van, vond Ben, maar hij stemde toch toe. Een week lang zat hij in een klapstoel met zijn voeten op Joes vensterbank en hielp hij hem namens de kwade weduwe een verzoekschrift op te stellen dat de middelmatige plattelandsrechter die de zaak op zijn bord kreeg vast en zeker hoofdpijn zou bezorgen. Om een uur of vier kwam gewoonlijk de fles Jameson uit de la. Ben begreep dat die op de een of andere manier samenhing met het probleem dat Bonifacio had, niet met zijn werk maar met het naar huis gaan. Laat op de vrijdagmiddag voordat hij namens mevrouw Feldman voor de rechter moest verschijnen, begon Bonifacio tegen Ben over zijn honorarium.

'Het zal zwart moeten gebeuren,' zei hij. 'Ik hoop dat je daar geen problemen mee krijgt. Ik kan je tweeduizend bieden. Ik weet best dat je veel meer waard bent, maar ja, kijk eens om je heen.' Met het glas in de hand gebaarde hij naar de kleine kantoorruimte; het licht was aan, de zon verdween al achter het vale treinstation ertegenover. 'Dit is alles wat ik heb.'

Wat Bonifacio eigenlijk hoorde te doen, wist Ben, was hem een percentage van de uiteindelijke regeling aanbieden, maar daar zei hij maar liever niets over. Hij had iets anders in gedachten.

'Hou maar,' zei hij. 'Ik heb met plezier geholpen. Jij hebt genoeg voor mij gedaan, dus het is prettig om iets terug te kunnen doen.'

'Ja, ik heb je goed werk geleverd, hè?' zei Bonifacio. 'Oké, ik heb je niet uit de bak kunnen houden, dat spijt me, maar uiteindelijk heb je toch een aardig bedrag overgehouden, als je nagaat dat je in drie verschillende processen tegelijk gedaagd was.'

Ben hief waarderend zijn glas. 'Precies,' zei hij. 'En daarom heb ik die rottige tweeduizend van jou niet nodig.'

Bonifacio lachte. 'Jij je zin,' zei hij. 'Hoe dan ook, een beter hulpje dan jij heb ik nog nooit in huis gehad.'

Het leek waarachtig wel of hij net zo lang rondwroette tot hij op de opmerking stuitte waarvoor je hem het liefst een klap in zijn gezicht zou geven. Alsof hij daar op uit was. Geen wonder dat hij geen andere vrienden scheen te hebben. Ben dronk zijn glas leeg en stak het hem vrolijk toe om het te laten bijvullen.

'Je bent beter als jurist dan als werkgever,' zei hij. 'En je bent nog steeds de enige verdediger die ik heb. Wat ons op nieuw werk brengt. Ik heb een klus voor je.'

Een nieuwe, in Korea geproduceerde zuinige auto kreeg van Consumer Reports het oordeel 'voldoende', waarop het team Crisismanagement onmiddellijk en intuïtief als een team superhelden bijeenkwam; maar vervolgens ging het grootste deel van hun tijd en vindingrijkheid op aan het zich als ninja's door de eindeloze banaliteiten van de diverse sociale netwerken bewegen om klachten te weerleggen en gunstige reacties te plaatsen. De vraag of de klant de crisis misschien beter zou kunnen bezweren door veiligere auto's te bouwen werd niet eens gesteld. Helen begreep dat je macht afnam en je denkwijze moest veranderen zodra je het domein verliet waar je klanten personen waren met wie je oog in oog om de tafel ging zitten; toch stelden zelfs hun ingrijpendste en meest gedetailleerde strategieën in haar ogen vaak verbazend weinig voor.

Malloy werd ingehuurd door een bedrijf dat kunstknieën maakte, nog geen week na de publicatie van een FDA-rapport waarin werd gesuggereerd dat de knieën het veel sneller begaven dan voorspeld, en dat de daaruit voortvloeiende complicaties al één dode tot gevolg hadden gehad. De twee orthopedisch chirurgen die de uitvinders waren van de prothese, die hen eerst rijker had gemaakt dan ze ooit hadden kunnen dromen, maar hen nu dreigde te ruïneren, keerden zich tegen elkaar. De een bleef tegen de klippen op volhouden dat de prothese precies zo werkte als bedoeld en dat alle beschuldigingen genegeerd dienden te worden omdat elke reactie erop ze alleen maar meer geloofwaardigheid verleende. De ander, wiens advocaat zo ongeveer bij hem ingetrokken leek, zei dat zwijgen gelijkstond aan schuld bekennen, maar dat er in zaken als deze een manier bestond om je te verontschuldigen zonder met zo veel woorden iets toe te geven, een manier die alleen juristen begrepen.

'Dat krijg je als mensen er een advocaat bij halen,' zei Arturo tijdens de vergadering in het aquarium waar deze nieuwe zaak op tafel kwam. 'Die zijn gespecialiseerd in egoïstisch denken.

Wat moeten we de mensen dan volgens hem vragen te geloven over die kapotte knieën?'

'Gods wil,' zei Shelley, 'was meen ik de formulering die we van hem moesten gebruiken.'

Arturo snoof. 'Gods wil bestaat niet meer,' zei hij. 'Amerikanen geloven in nalatigheid. Helen, wat vind jij?'

Dat was een vraag die Helen in al die weken dat ze daar werkte nog nooit had gehoord. 'Pardon?' zei ze.

'Van het idee van een niet-verontschuldigende verontschuldiging. Jij zou toch de verontschuldigingsexpert zijn. Dat hoor ik tenminste van hogerhand.'

Iedereen keek haar kant op. 'Tja, het moet wel oprecht zijn,' zei ze. Ze werd er rood van. 'Oprecht en gedetailleerd. Als het ook maar enigszins de indruk wekt te zijn goedgekeurd door een jurist, dan doet het in mijn ogen meer kwaad dan helemaal niets zeggen.'

'Maar dat wordt hun ondergang,' zei iemand anders. 'Als ze naar buiten komen met de mededeling: hé, sorry hoor, onze knieën werken niet zo goed als we dachten, dan kunnen ze hun bedrijf wel opdoeken, althans wat dit product betreft.'

'Dus, Helen, jij stelt voor dat we onze klant aanraden zijn falen te accepteren?' vroeg Arturo.

Helen, die niet gewend was haar intuïtie te rechtvaardigen, wist zo gauw niets te zeggen en er viel een ongemakkelijke stilte.

'Ik zie het eigenlijk wel min of meer voor me,' zei Arturo ten slotte. 'Als je op wederopstanding uit bent moet je eerst dood zijn.'

De volgende woensdag was Helen net haar spullen aan het inpakken om naar huis te gaan en misschien Sara eens een keer een fatsoenlijk maal voor te zetten toen Arturo plotseling in de deuropening stond, iets wat nog nooit was vertoond, met zijn hand op de schouder van een deerniswekkend ogende Ashok. 'Wij zijn op zoek naar de excuusexpert,' zei Arturo opgewekt.

De arme Ashok, die de laatste tijd moeite had een succesje te boeken, lag al een week in de clinch met een kamer vol bloedserieuze dogmatici die de interne pr voor Pepsi behartigden. Ze hadden uit betrouwbare bron dat de gemeenteraad van New York op het punt stond opnieuw een wet te introduceren voor de heffing van zogenaamde zondebelasting op frisdrank, die hun verkoop weliswaar niet significant zou beïnvloeden maar hen wel op één hoop gooide met sigaretten en gokken. Daarmee werd een soort morele deur opengezet waarvan iedereen het erover eens was dat hij als het maar enigszins mogelijk was gesloten diende te blijven. De paniek was zo groot dat Ashoks voorzichtige voorstel voor een 'tweeledige benadering' – met als ene lid: toegeven dat het in theorie mogelijk was dat iemand te veel Pepsi dronk – tijdens een vergadering die ochtend in het PepsiCo-hoofdkwartier in Purchase, ertoe had geleid dat ze zijn ontslag eisten.

'Ik wil graag dat jullie er morgen naartoe gaan,' zei Arturo. Hij was beheerst en vriendelijk, maar de uitdrukking op Ashoks gezicht wees erop dat hij daarnet nog achter gesloten deuren de wind van voren had gekregen. 'Jullie samen, al lijkt het me beter als jij in je eentje het woord voert. Volgens meneer Malloy ben je goed in excuses, dus geef maar eens een staaltje van die toverkunsten van je!'

Met dat laatste had hij het natuurlijk niet helemaal bij het juiste eind, maar omdat Helen begreep dat Ashoks baan mogelijk op het spel stond, stemde ze toe. De volgende dag zat ze tegenover zes mensen, allemaal strak in het pak, aan een vergadertafel; degene die ze als woordvoerder hadden aangewezen, was, heel verfrissend, een vrouw, al had Helen er geen idee van of dat haar taak wellicht zou vergemakkelijken of juist niet.

'Uiteraard moeten we zo snel mogelijk een aanval op poten zetten,' zei de vrouw. Ze leek een jaar of tweeëntwintig, op haar strakke, zakelijke kapsel na, dat eerder veertig of vijfenveertig was. 'We moeten dit afschilderen als het werk van een doorgedraaide overheid. In die map die ik voor jullie heb meegebracht' – ze boog naar voren en tikte erop – 'staan enquête-uitslagen voor verschillende sleutelformuleringen. "Betutteling" staat het op een na hoogste maar vertoont ook de grootste stijging sinds onze vorige peiling. Daar kunnen we maar beter goed op inspelen.'

Helen bladerde ongeïnteresseerd de gegevens door. '"Amerikanen tegen hogere belasting"?' vroeg ze. 'Wat is dat?'

De Pepsi-vrouw keek verbaasd. 'Dat is de non-profit die we hebben opgericht om als sponsor te dienen voor onze advertenties tegen deze wet, in de pers en op tv,' zei ze. 'Om ze op ideële reclame te laten lijken.'

Helen kneep in de brug van haar neus. 'Ik heb het gevoel dat jullie emotioneel reageren,' zei ze. 'Wat de lange termijn betreft weten jullie heus wel beter, daar ben ik van overtuigd. Met dit soort agressie bereik je uiteindelijk niets. Frisdrank is niet bijzonder goed voor je; in combinatie met andere dingen die niet goed voor je zijn kan het je gezondheid aantasten. Jullie kunnen de feiten blijven tegenspreken of nieuwe onderzoeken laten doen. Maar willen jullie nu echt blijven hozen om de boot drijvende te houden, of willen jullie een heel nieuwe boot?'

De Pepsi-vrouw zat als versteend.

'Nou, hoe dan ook, waar het om gaat is dat jullie je moeten aanpassen. Vijftig jaar geleden werden sigaretten nota bene aangeprezen met de leus dat ze goed voor je gezondheid zouden zijn, maar als je dat vandaag de dag probeerde zou je toch zeker de tent uit worden gehoond? Dus wat jullie doen is dit: jullie geven het toe. Jullie pakken hun wapen af. Jullie geven toe medeplichtig te zijn aan de zonden uit het verleden, want daarmee wordt het verleden buiten de discussie geplaatst. Jullie beloven je in de toekomst anders te zullen gedragen, en weet je wat? Dat doen jullie ook echt. Zo kunnen jullie verder. De mensen reageren op merken alsof ze er een emotionele band mee hebben. Daarom moeten jullie de rol spelen waarin zij jullie willen zien, jullie moeten het persoonlijk maken en om vergeving vragen zoals je zou doen als je in een gesprek onder vier ogen zat. Het eerste wat jullie moeten doen is dat belachelijke "Amerikanen tegen hogere belasting" de nek omdraaien. Daar trapt het publiek vandaag de dag niet meer in. Je mag je pr-beleid niet baseren op het idee dat de mensen achterlijk zijn. Wie heeft dat pareltje trouwens verzonnen?'

'Jullie,' zei de Pepsi-vrouw geïrriteerd.

Helen keek niet in Ashoks richting. Wat ze wel deed was hen zover krijgen dat ze toezegden in elk geval een hypothetische verklaring op te stellen waarin ze de beweegredenen van gezondheidsbewuste politici toejuichten: het ging erom Amerikanen van alle leeftijden te helpen langer te leven, en ze keken ernaar uit daar een belangrijke rol in te spelen. Ze zouden het 'Het initiatief voor de volgende eeuw' of een soortgelijke toekomstgerichte naam geven. Helen was er niet van overtuigd dat ze het helemaal zouden kunnen doorzetten, maar de uitdrukking op Ashoks gezicht toen ze in de limo terugreden naar Manhattan – hij keek als iemand die op het nippertje aan de galg is ontsnapt – gaf haar het gevoel dat die dag in elk geval een succes was.

De volgende dag – weer precies op het moment dat ze haar spullen pakte om naar huis te gaan – kwam hij haar kamer in en deed de deur zachtjes achter zich dicht. 'Ik wilde je even bedanken,' mompelde hij.

'Graag gedaan. Ze leven daarginds in een soort zeepbel, dat is alles. De ene keer moet je het publiek uitleg geven over je klant, de andere keer je klant over het publiek.'

'Precies. Maar hoor eens, ik dacht zo dat jij, omdat je thuis met je dochter zit, vast niet zo vaak uitgaat…'

'Dat valt best mee, hoor.' Ze lachte, ook al had hij wel gelijk.

'…en ik heb twee kaartjes voor de première van *Code of Conduct* volgende week dinsdag. Die heb ik van Julie van Promotie gekregen. Ik dacht dat jij daar misschien wel naartoe zou willen.'

'Dinsdag,' zei ze, en ze bedacht hoe leuk het zou zijn iets met Sara samen te doen, haar te laten meegenieten van zo'n extraatje van de grote stad. 'Ze heeft de dag erna natuurlijk wel school.'

'Wat?'

'Dat verschijnsel ken je toch nog wel, "op tijd naar bed want morgen heb je school"? Maar ik denk niet dat Sara ermee zou zitten als ik deze keer een uitzondering maakte. Dank je wel. We willen ze graag hebben.'

'Ah,' zei Ashok. Hij keek om naar de dichte deur. 'Nou, ze zijn je van harte gegund. Zelf zou ik ze natuurlijk niet kunnen gebruiken, en daarom… Dus je dochter heet Sara. Mooie naam. Afgesproken dan.' Maar hij bleef staan.

Heb ik iets verkeerds gezegd? dacht Helen, en toen drong het ineens door: hij vroeg haar mee uit. Hij wilde een date met haar. Goeie god. Het was ontstellend ongepast van hem, en toch was haar eerste reactie schaamte omdat ze hem zo had vernederd door niet eens te snappen waar het hem om te doen was, door hem niet serieus genoeg te nemen om expliciet nee te zeggen.

Maar hij was zeker zo'n vijftien jaar jonger dan zij. Of nog meer. Ze had geen idee wat ze ervan moest denken. Misschien had hij een of ander geschift moedercomplex. Misschien voelde hij aankomen dat zij het in het bedrijf nog ver zou schoppen en probeerde hij alleen maar zijn eigen carrière een zetje te geven. Trouwens, misschien wíst hij al dat ze nee zou zeggen, maar gokte hij erop dat het vleiende van zijn vraag zou blijven hangen en ooit nog eens in zijn voordeel zou werken. Want wie zou haar nu mee uit willen vragen? Een oude vrouw als zij? Zullen we oma eens een pleziertje doen?

'Ik bedoelde natuurlijk niet dat we zelden uitgaan,' zei ze een tikje nijdiger dan haar bedoeling was. 'Ze is net veertien. Ik maak me heus nog geen zorgen dat ze niet vaker uitgaat. Wat is dat *Code of Weetikveel* eigenlijk?'

'Een film.'

'Waar gaat hij over?'

'Waar hij over gáát? Geen flauw idee.'

'Wie speelt erin?'

'Hamilton Barth, Minka Kelly, Bradley Cooper.'

Helens wenkbrauwen schoten omhoog.

'Waarom krijgen wij er kaartjes voor?'

'Omdat we die overal voor krijgen.'

'Maar vertegenwoordigen wij al die mensen, bedoel ik? Is Hamilton Barth een klant van ons?'

'Niet echt. Nou ja, in zekere zin wel,' zei Ashok wat ontspannener toen hij haar uitdrukking zag veranderen. 'We vertegenwoordigen de studio's, de studio's die films maken waarin hij speelt, dus je zou kunnen zeggen dat hij soms een klant van ons is. Ben je een fan van hem?'

'Dus hij is er ook?'

'Ik stel me zo voor dat ze er allemaal zullen zijn. Je weet hoe dat gaat bij hem. Hij wordt verwacht, maar het blijft altijd even spannend.'

Helen glimlachte.

'Dus jullie gaan?' vroeg Ashok. 'Mooi. Ik zal tegen Julie zeggen dat ze jullie op de lijst zet. Het is in de Ziegfeld.'

Helen kende haar dochter goed genoeg om het glamourelement van zo'n première en zo'n rode loper niet te veel te benadrukken; op Sara's leeftijd was aangestaard worden, zeker door een heleboel mensen, wel het laatste wat je wilde. 'Het schijnt een goede film te zijn,' zei ze daarom, 'en wij krijgen hem het eerst van iedereen te zien, en waarschijnlijk kunnen we ook nog een heel stel beroemdheden van dichtbij bekijken.' Ze zei niets over Hamilton, om zich de hevige verzuchtingen en gekwelde blikken te besparen die zijn naam altijd opriep.

'Ik hoef toch geen nieuwe jurk te kopen of zo, hè?' vroeg Sara achterdochtig.

Ze was een totaal ander meisje dan haar moeder was geweest. Maar zo waren ze tegenwoordig allemaal. 'Je mag zelf weten wat je aandoet,' zei Helen, 'binnen redelijke grenzen.'

'Cool,' zei Sara. 'En ik moet met jou samen?'

Zulke momenten kwamen de laatste tijd steeds vaker voor: kille, geringschattende blikken van haar eigen dochter, des te verbijsterender door de nonchalance waarmee ze haar werden toegeworpen. Helen werd al minstens twee jaar zonder enig respect toegesproken, maar dit was anders. Opmerkingen als deze waren vroeger bedoeld om haar te kwetsen, wat naar was maar wel begrijpelijk. Nu leek het Sara eerder volkomen koud te laten wat het effect van haar woorden was. Ze zag er de laatste tijd zelfs wat anders uit, vooral haar uitdrukking was anders. Ze was vaker weg, 's avonds en in het weekend; Helen dacht dat er weleens een vriendje in beeld zou kunnen zijn, maar ze was maar één keer zo dom geweest daarnaar te vragen. Ze had Sara opgegeven voor weekendvoetbal, alleen had Sara haar om de een of andere reden nota bene de belofte ontfutseld dat ze niet naar de wedstrijden zou komen kijken. Ze zei dat ze zich dood zou schamen als haar moeder erbij was, want dat was nergens voor nodig.

Toch waren de beledigingen niet het belangrijkste; het belangrijkste was dat ze Helen het gevoel gaven dat haar kind haar ontglipte. Ze probeerde steeds nieuwe manieren te verzinnen om met haar om te gaan. Ze moesten meer van de stad profiteren, wist Helen, en samen naar musea gaan, of naar het theater, of stadswandelingen maken. Ze moesten – allebei – wat beter beseffen hoe goed ze het hadden en op zoek gaan naar vrijwilligerswerk of liefdadigheidswerk dat ze samen konden doen, liefst in het weekend. Niet dat wat extra lessen cultuur en nederigheid op zich genoeg waren om verdere verwijdering tussen Sara en haar te voorkomen: Helens positieve invloed werd, vreesde ze, overtroefd door onzichtbare negatieve invloeden, en in dat licht begon ze zich af te vragen hoe ze Sara van die vreselijke school af kon krijgen, die volgens alle gepubliceerde beoordelingen zo goed zou zijn. De eerste formulieren van de high school waar ze volgend jaar naartoe zou gaan vielen al in de bus, een school die, zoals zelfs Sara toegaf, niet veel verschilde van haar huidige, maar dan groter en dus vermoedelijk slechter. Waarom volgend jaar geen particuliere school in plaats van een openbare? dacht Helen, maar toen ze Trinity belde om te vragen of er dat najaar misschien nog plaats was, schoot de vrouw die ze aan de lijn had zelfs in de lach, om zich daarna beleefd en omstandig te verontschuldigen: ze had aangenomen dat Helen een grapje maakte. Dan misschien voor het jaar daarna, besloot Helen. Ze zouden er op de een of andere manier wel geld voor vinden.

'Probeer me toch niet steeds te verbeteren,' beet Sara haar vaak toe als zo'n onderwerp ter sprake kwam. 'Alsof je zelf zo perfect bent.' Helen kreeg het doodsbenauwd bij de schuldbewuste gedachte dat het allemaal een vertraagde reactie was op het trauma van de verhuizing, of van de scheiding – dat zij zelf weleens de bron van niet alleen liefde maar ook beschadiging zou kunnen zijn. Maar als ze met haar eigen daden aan die beschadiging had bijgedragen, kon ze die ook met haar eigen daden herstellen. Niet dat ze bereid was de hele, of zelfs de halve, schuld op zich te nemen van de gebeurtenissen die Sara van het liefdevolle evenwicht hadden beroofd waarvan ze als kind altijd blijk had gegeven. Maar Helen was de ouder die was gebleven, die er altijd was, dus natuurlijk was zij ook degene die het moest ontgelden. Een dezer dagen zou ze zich wel genoeg vermannen om zich te verdiepen in de kwestie van contact met Ben, maar eerlijk gezegd was ze bang dat hij van de gelegenheid gebruik zou maken om ook over de voogdij te beginnen, en dat kon ze voorlopig nog niet aan. Dat ze geen zin had om in haar eentje Sara's beledigingen over zich heen te krijgen was, zo sprak ze zichzelf bestraffend toe, geen erg bewonderenswaardige reden om haar vader weer bij hun leven te willen betrekken.

Natuurlijk zouden de namen en gezichten van de meeste beroemdheden op de première Sara of wie ook van haar leeftijd niets zeggen, maar Helen en zij zouden wel een paar uur doorbrengen binnen de barricades van die wereld waarin filmsterren zich bewogen. Ze zouden over een rode loper wandelen, ook al was dat uren voordat die loper werd vrijgemaakt voor hen die de toeristen, nieuwsgierigen en journalisten echt wilden zien, ook al zouden de mensen hun blik teleurgesteld of honend afwenden als ze een niet meer zo jonge moeder en haar dochter in feestjurk zagen langskomen. Het moest haar dochter toch iets doen, of ze dat nu kon toegeven of niet, dat ze zich, nadat ze samen eerst zo diep waren gezonken, nu zo ver hadden opgericht dat ze tenminste weer zichtbaar waren.

Helen vond het in elk geval opwindend en stond zichzelf zelfs toe te fantaseren dat ze Hamilton Barth misschien gedag zou kunnen zeggen, of bij hem in de buurt op de afgezette vipplaatsen terecht zou kunnen komen, misschien zelfs met hem over vroeger zou kunnen praten en haar dochter aan hem zou kunnen voorstellen. Ze wist best dat het bij zulke strak georganiseerde openbare evenementen meestal niet zo werkte, maar evengoed genoot ze ervan het zich voor te stellen. En toen kreeg haar gevoel dat het leven over de hele linie een stijgende lijn vertoonde, een nieuwe kick door zo'n zeldzaam telefoontje van hun advocaat uit de donkere dagen in Rensselaer Valley, Joe Bonifacio. Alleen al bij het horen van zijn stem voelde ze de angst in haar keel, maar hij bleek uitstekend nieuws te hebben. Er had zich een nieuwe koper gemeld voor hun leegstaande huis. Natuurlijk had ze de moed nog niet opgegeven, maar het feit dat het huis al lang en breed volledig was afbetaald voorkwam dat het bestaan ervan haar dagelijks ernstig bezighield.

'Niet dat het me iets kan schelen,' zei ze vrolijk, 'maar hoe ver heb je met de prijs moeten zakken?'

'De koper biedt de volle vraagprijs...'

'Dat méén je niet!'

'...in ruil voor een paar afspraken met betrekking tot de overdracht. De belangrijkste is dat hij graag anoniem wil blijven. Hij zal niet persoonlijk bij de overdracht aanwezig zijn, maar heeft mij gemachtigd om namens hem alle verklaringen en zo te tekenen.'

'En de financiering? Is al die geheimzinnigheid daar geen probleem voor?'

'Hij heeft geen financiering nodig.'

'Goeie god,' zei Helen. Hun leven was al een stuk stabieler dan eerst, en nu kwam er opeens een cheque van driehonderdvijftienduizend dollar uit de lucht vallen. 'Wat is dat voor iemand, een beroemdheid of zo?'

'Ja, inderdaad,' zei Bonifacio kalm. 'Hij is wel een beetje bekend, en daarom zou hij het fijn vinden als alles zo snel mogelijk en met zo min mogelijk ruchtbaarheid en poespas kan worden afgehandeld. Een snelle overdracht. Is dat aanvaardbaar voor jou?'

Dat beaamde Helen. De dag voor de première nam ze 's middags vrij om met de trein naar haar oude woonplaats te reizen en bij Bonifacio in zijn haveloze kantoortje een stapel documenten te tekenen, waarmee de laatste band met hun oude leven werd verbroken. Ze was verbaasd dat ze niet meer ambivalentie of weemoed voelde. Haar belangrijkste gevoel was trots, een nieuw verschijnsel voor haar. Uit de puinhopen van haar huwelijk had ze zonder enige hulp van buiten een nieuw bestaan opgebouwd voor zichzelf en haar dochter, een bestaan dat op dat moment een daverend succes genoemd mocht worden.

Met bioscopen was het in wezen net zo gegaan als met vliegtuigen: wat ooit een nu haast onvoorstelbaar aura van luxe had bezeten moest vandaag de dag zo efficiënt en rendabel zijn dat je er depressief van werd. Van de Ziegfeld was men echter in zoverre afgebleven dat op avonden die om wat ouderwetse Hollywood-glamour vroegen, alles uit de kast gehaald kon worden. Helen had instructie gekregen er uiterlijk half zes te zijn, hoewel de film pas om acht uur begon. Ze begreep wel waarom. Net als Sara, daar was ze van overtuigd, maar dat weerhield het arme kind – dat er geweldig uitzag, vond Helen, geweldig en tegelijkertijd meelijwekkend verlegen – er niet van de hele onderneming af te doen als een perfect verfijnd symptoom van alle huichelarij waarvoor ze haar moeder op de een of andere manier verantwoordelijk hield. Ze stapten bij een zijstraat uit een gele taxi (dichterbij mocht die van de daar geposteerde verkeersagent niet komen) en liepen naar het begin van de smetteloze rode loper, waar de schijnwerpers uit stonden en tientallen fotografen, bijtijds gekomen om zich van een goed plekje te verzekeren, geïrriteerd aan hun uitrusting morrelden. Helen wist niet goed of ze van het moment moest genieten en glimlachend en met geheven hoofd op haar gemak moest lopen, of zich beter zo onopvallend mogelijk het theater in kon haasten. Sara liep vlak achter haar tussen de verveelde meute door en bleef toen – niet te geloven! – halverwege ineens staan om haar telefoon te beantwoorden.

'Lieverd,' zei Helen verwijtend, maar Sara stak een hand op om haar tot zwijgen te manen. Ze las een sms'je; van wie het ook was, het bracht een welkome glimlach op haar gezicht en ze draaide de telefoon in haar hand om en begon foto's te nemen van de paparazzi. 'Even lachen!' riep ze, en een of twee deden dat ook, al leken de meesten alleen maar geërgerd dat ze het waagde de geladen openbare ruimte te blokkeren met haar alledaagsheid. Terwijl ze haar telefoon omhoog hield voor een nieuwe foto bliepte hij weer; ze liet hem zakken, las wat er op het schermpje stond, lachte en begon terug te sms'en.

'Sara!' zei Helen, en ze legde een hand op haar schouder. Sara schudde hem af. 'Wie sms je?' Helen hield haar gezicht naast dat van haar dochter om mee te kunnen kijken; ze ving een vleugje van iets zoets en medicinaals op.

'Oké,' zei Sara; ze klapte haar telefoon dicht en beende naar binnen, met haar moeder in haar kielzog.

Ze werden een nogal kale ontvangstruimte vol catering-tafels in geloodst, waar ze zich een uur lang volpropten met hapjes en intussen naar een scherm keken met beelden van een stationaire camera gericht op de rode loper waar zij daarnet overheen waren gekomen. Eerst kwamen er nog meer ano-nieme genodigden van bedrijven binnendruppelen, mensen in te opzichtige kleding die onderaan uit beeld liepen om even later in de deuropening van de ontvangstruimte te verschij-nen, met de blik op oneindig maar tegelijkertijd op zoek naar een vertrouwd gezicht. Helen vond het jammer dat er verder niemand een jonge zoon of dochter bij zich had. Daarna kwam de volgende lading: mensen die blijkbaar bekend waren bij hen die deel uitmaakten van de filmindustrie, te oordelen naar de zachte, indiscrete geluidjes van herkenning die Helen door de menigte hoorde gaan.

'Wie is die gast?' vroeg Sara.

'Geen flauw idee,' zei Helen.

Sara haalde haar schouders op. 'Ze wachten natuurlijk tot de laatste van de genetisch minderwaardigen de rode loper over is,' zei ze, 'en dan verzegelen ze de deuren en draaien de gaskraan open.'

Helen wilde haar net vragen wat zachter te praten toen er een intenser geroezemoes door de ruimte ging en ze haar schouders in de knel voelde komen doordat anderen ineens in de richting van de deur drongen die hen van de lobby scheidde. Toen ze naar het scherm keek zag ze een gezicht dat ze herkende, al wist ze er geen naam bij, en daarna een jonge vrouw die ofwel Amy Ryan ofwel Amy Adams was. Ze durfde niemand te vragen wie van de twee, zeker Sara niet; als die in een bepaalde bui was zag ze alles wat je tegen haar zei als een provocatie.

'Ik weet haast wel zeker,' zei Sara, 'dat ik hier de enige Aziaat ben.'

'Ach, daar geloof ik niks van.' Helen probeerde haar verbazing te verbergen; dit was typisch zoiets waarvan ze altijd met een gerust hart had aangenomen dat Sara het niet opmerkte. Ze bleef naar het scherm kijken. Hoewel de camera zo stond dat de booglampen buiten beeld bleven, kon je aan de gloed die nu de gezichten op de videobeelden omlijstte zien dat ze aan waren, en telkens als de lobbydeuren opengingen bereikte hen een geluid van buiten dat op doffe menselijke paniek leek, tot de deuren weer dicht gingen. Ze hoorden niet echt bij de insiders, die overal met hun neus bovenop stonden, dacht Helen, maar ook niet bij de outsiders; ze wist niet goed waarbij dan wel. En toen was er een collectieve verschuiving van een octaaf op het moment dat de menigte Hamilton Barth uit de draaimolen van limousines zag komen.

De andere gasten liepen de ontvangstruimte al uit om een goede plaats te zoeken en voor het licht uitging de beroemdheden eens goed, duidelijk en onopvallend in het echt te kunnen bekijken; nu iedereen zich plotseling van haar verwijderde kon Helen voor het eerst horen dat er inmiddels ook geluid bij de beelden was. Twee goedgeklede mannen, net knap genoeg om niet op te vallen, stonden aan weerszijden van Hamilton, allebei met een hand om zijn elleboog.

'Hij is bezopen,' mompelde Sara tot schrik van haar moeder, die niet had gemerkt dat ze zo vlakbij stond. 'Geweldig. Hij is zo straalbezopen dat hij twee man nodig heeft om hem overeind te houden.'

Maar het was duidelijk dat Hamilton, knap, geïnteresseerd en licht ineenkrimpend van het kabaal, niet dronken was, en dat ze hem niet overeind hielden, daarvoor was hun greep te licht. Terwijl ze zogenaamd een andere kant op keken deden de mannen – die best net als zij bij Malloy in dienst zouden kunnen zijn, dacht Helen; waar zou je anders mensen voor zo'n klus kunnen optrommelen? – hun best om Hamilton zo snel mogelijk het theater binnen te loodsen, om te voorkomen dat hij bleef stilstaan en dat een mooie vrouw in avondjurk met een microfoon in de hand hem de weg kon versperren om zijn aandacht te trekken, wat natuurlijk precies was wat er gebeurde.

'Hamilton!' riep de vrouw. Hij bleef stokstijf staan en deinsde even achteruit toen hij haar zag. 'Hamilton Barth! Wat een avond! Vind je het niet opwindend om hier te zijn?'

'Of ik het opwindend vind?' Hamilton moest schreeuwen om boven het gegil van het publiek achter de afzetting uit te komen – schreeuwen om boven de stroboscoop van flitslampen uit te komen, leek het wel. Hij grijnsde vaag bereidwillig maar ook vaag neerbuigend, en de kraaienpootjes vertakten zich fraai om zijn ogen, als ijs op een vijver waar iemand iets te vroeg op is gaan staan. 'Iedereen hier vindt het toch heel opwindend! Moet je zien hoe opgewonden iedereen doet! Kreeg jij vroeger soms niet van je moeder te horen dat je veel te opgewonden deed? Ik wel! Hoe heet je?'

Hij haalde zijn handen door zijn haar, vooral om zijn ellebogen uit de greep van zijn twee begeleiders te krijgen, die al zichtbaar ongerust werden.

'Iedereen is er vanavond! Er zijn vast ook een heleboel vrienden van je, want dit is jouw grote avond!'

'Ik heb eigenlijk niet zo veel vrienden in de filmwereld,' zei Hamilton peinzend, alsof ze daar schreeuwend en wel een serieus gesprek voerden, 'want als je dat wel hebt moet je ook steeds naar avonden als deze.'

'Vertel eens iets over de film,' zei de vrouw met de micro-foon. Haar tandpastagrijns was niet kapot te krijgen. 'Was het...'

'Maria,' zei Hamilton. 'Heet je Maria? Niet dat je eruitziet als een Maria, maar ik krijg opeens het gevoel dat we elkaar al eens hebben ontmoet.'

'Wow!' zei de vrouw die best Maria had kunnen heten. 'Dus er wordt al over Oscars gefluisterd in verband met deze film. Hoe was het om hem te maken?'

'Wat voor werk doe je?' vroeg Hamilton haar zo vriendelijk als je je maar kon voorstellen. 'Wat doe je?'

De kamerbrede glimlach maakte plaats voor een onzeker lachje. De microfoon zakte een centimeter of vijf.

'Nee, sorry, oké, de film, de film,' zei Hamilton. 'Goed, kijk eens om je heen, ik bedoel, deze avond zegt toch al genoeg? De film was net zoals alle andere films die ik ooit heb gemaakt, een verkenning van het zelf en zijn beperkingen, pathetische, lichtzinnige geldsmijterij, een orgie, een reis, een complete klo-tezooi.'

'Een wat?' vroeg Maria.

'Klotezooi!' herhaalde Hamilton in de microfoon, waarop de twee begeleiders hun onderarm tegen zijn lenden zetten en hem weer in de richting van de ingang wisten te krijgen.

'Wat een lul,' zei Sara. 'Serieus, met die houding van "Ik ben hier te goed voor". Als je niet bekeken wilt worden moet je niet je hele leven voor de camera gaan staan.' Helen zag dat ze weer aan het sms'en was.

'Het is zwaar om voortdurend in de schijnwerpers te staan,' zei Helen zacht. 'En let alsjeblieft een beetje op je woorden. Sommige acteurs vinden het moeilijk om gewoon zichzelf te zijn. Ik denk niet dat dit weergeeft wie hij echt is.'

'Hoe weet jij wie hij echt is?' vroeg Sara. 'En kom nou niet weer met dat ouwe verhaal aan. Kunnen we alsjeblieft op zoek gaan naar fatsoenlijke plaatsen?'

De zaal was al bijna vol, hoewel er nog haast niemand was gaan zitten. Alle verlichting was nog aan. De gangpaden stonden vol telefonerende mensen; Helen zag een vrouw die duidelijk alleen maar deed alsof ze met iemand praatte, maar om de paar seconden onopvallend haar telefoon omdraaide om een foto te nemen. Ze keek rond om te zien wie die list waard was, maar het kostte moeite om op de voorste rijen iemand te herkennen, juist omdat iedereen hetzelfde keek, met zo'n gezicht alsof hij iemand was die je hoorde te herkennen. 'Doorlopen, doorlopen,' zei Sara tegen haar moeder, wie het duizelde. 'Ik heb geen zin om ergens aan de zijkant te blijven steken.' Helen wrong zich voorzichtig langs vijf of zes staande mannen naar een paar plaatsen halverwege een van de middelste rijen die nog vrij leken. Het was onmogelijk te zien welke plaatsen bezet waren en welke niet, omdat niemand bereid was zijn zicht op de anderen op te offeren door te gaan zitten.

'Kan ik jullie hélpen?' vroeg een vrouwenstem sceptisch. Toen Helen omlaag keek zag ze een mooi, minuscuul vrouwtje met donkere ogen, een headset en een minirokje, dat Helen en haar dochter aanstaarde alsof ze zojuist bij haar thuis hadden ingebroken. Haar rechterarm was grondig en kleurrijk volgetatoeëerd van de schouder tot de onderarm, waar het ontwerp sierlijk en geleidelijk vervaagde, als het onvoltooide plafond van een kapel. Haar rode haar was modieus, jongensachtig kort, zo'n kapsel waarvan modellen in modebladen je weleens op het misplaatste idee brachten dat jij en je onvolmaakte gezicht er ook best mee weg konden komen. Deze vrouw kwam er maar al te goed mee weg, en het droeg bij aan haar houding van bijna biologische minachting. Haar vraag was uiteraard retorisch; terwijl Helen nog tegen haar glimlachte als aanloop om te vertellen hoe ze hen inderdaad kon helpen, zei het kleine vrouwtje al: 'Dit is het vip-gedeelte en ik ga er maar meteen van uit dat jullie hier niet thuishoren.'

'Vermoedelijk niet,' zei Helen welwillend. 'Kunt u me vertellen waar we wel horen?'

'Staten Island?' vroeg de vrouw. 'Geen idee. Maar een goede raad. Als u nog eens probeert ergens binnen te dringen, laat dan uw kind thuis. Dat is pas echt schandalig.'

Helens glimlach verdween. 'Hoor eens,' zei ze, en ze voelde zich rood worden, 'het is nergens voor nodig om persoonlijk te worden. Ik heb net zo veel recht om hier te zijn als u. Maar als u me gewoon kunt vertellen waar we wel mogen zitten, gaan we daar naartoe.'

'Hoezo is het mijn probleem waar jullie moeten zijn?' Aan de plotseling ontzette blik van de vrouw zag Helen dat er ergens achter haar een heel belangrijk iemand aankwam. 'Ik weet alleen maar waar jullie niet horen. Heb ik nog niet genoeg aan mijn hoofd? Snappen jullie eigenlijk wel hoe het er op avonden als deze aan toe gaat? Wat, hebben jullie kaartjes gewonnen bij een wedstrijd of zo?'

'Mam,' zei Sara dringend, en ze legde haar hand op haar moeders arm.

'U moet onmiddellijk weg zodat u deze rij niet meer verspert,' zei de vrouw.

'Ik kan er niet eens uit! U verspert zelf de enige uitweg.'

'Meteen deze rij uit, of ik bel de beveiliging.' Ze drukte haar vingers tegen de piepkleine headset.

Helens schouders zakten.

'Mam!' zei Sara.

'Neem me niet kwalijk,' zei een nieuwe stem achter Helen, 'ze horen bij mij.' Ze keek om en daar stond Hamilton Barth, levensgroot, in een uiterst elegant ogend donker suède jack, jeans en cowboylaarzen. Het voelde een beetje onwerkelijk om zo dicht bij hem te staan. Er hing een scherpe geur om hem heen. Hij liet even zijn verweerde glimlach zien. 'Zijn dit mijn plaatsen? Want deze twee horen bij mij.'

De vrouw met de headset kon geen woord uitbrengen. Helen keek Hamilton recht aan en glimlachte vol verwachting, en hij glimlachte terug, maar automatisch, waaruit ze opmaakte dat hij geen flauw idee had wie ze was. Niet dat er van hem verwacht mocht worden dat hij haar herkende, iemand die hij dertig jaar geleden op een feestje had gezoend. Toch was het een teleurstelling te beseffen dat het van zijn kant alleen maar een kwajongensachtige ridderlijke daad was tegenover twee onbeduidende vreemden.

'Vertel eens, hoe heet je?' vroeg hij aan haar.

'Helen,' zei ze nadrukkelijk en nerveus tegelijk.

Hij keek over haar hoofd heen naar de jonge vrouw met de headset, die een uitdrukkingsloos gezicht trok, alsof ze vastbesloten was de rampspoed moedig onder ogen te zien. 'Helen en haar dochter zijn mijn gasten. Dit zijn toch onze plaatsen, hè?'

De jonge vrouw knikte. Het was geen leugen; uit zijn mond werd het de waarheid.

'En jij bent?'

Ze slikte. Je kon haar zien denken dat Hamilton Barth die naar haar naam vroeg ofwel het beste ofwel het ergste was wat haar ooit was overkomen. Ze was niet zomaar een pr-vrouw: ze had zich zo met huid en haar overgeleverd aan de meedogenloze waarden van haar pr-dom dat ze, zoals ze ook geen moment had getwijfeld aan Helens inferioriteit, tegenover deze beroemdheid stond als tegenover een rechter. 'Bettina,' zei ze duidelijk.

'Bedankt voor je hulp, Bettina,' zei Hamilton, waarna hij ging zitten. Hij maakte een breed gebaar naar Helen en de met stomheid geslagen Sara, en ook zij namen plaats, met Helen in het midden. Als ze had gewild had ze haar onderarm tegen de zijne kunnen leggen; hij was knap, verkreukeld, gebruind, rook muskusachtig en had iets van een faun, maar naast en boven dat alles had hij ook iets ongrijpbaars. Uit haar ooghoek zag ze mensen heimelijk foto's van hem nemen, foto's waar ook zij voorgoed en onzichtbaar op zou staan.

'Ik hoop dat jullie het ermee eens zijn,' zei Hamilton. 'Ik kan er nu eenmaal niet tegen zulke tirannieke bitches mensen zo te zien behandelen. Een klein beetje macht, weet je wel?'

'Ja. Dank je wel.'

'En nu mag ze zich de rest van de avond afvragen of ik haar zal laten ontslaan.'

'En doe je dat?' vroeg Helen, zomaar nieuwsgierig, al bedacht ze dat de jonge vrouw best een werknemer van Malloy zou kunnen zijn.

'Nee.' Hij lachte. 'Zij kan er eigenlijk ook niks aan doen. Ze heeft een duister, duister hart.' Zijn ogen leken een moment wazig te worden; toen keek hij Helen weer aan en grinnikte. 'Ik ben Hamilton, trouwens.' Hij stak zijn hand uit, die ze schudde.

'Ja, natuurlijk weet ik wie je bent,' zei ze. 'Maar niet om de reden die je denkt.'

Hij kneep zijn ogen tot spleetjes. Bijna iedereen zat nu op zijn plaats, maar toch voelde ze nog talloze blikken op hen gericht. 'Hoe dat zo?' vroeg hij.

'Hij herinnert zich jou niet eens?' vroeg Sara achter haar, onaangenaam dicht bij haar oor. 'Dit is onbetaalbaar.'

'Hallo?' zei een onbekende stem in de lucht rondom hen; het was de regisseur van de film, die een korte introductie begon, maar na twee minuten wees niets er nog op dat het eind in zicht kwam. Ongeduldig schoof Helen in Hamiltons richting en zakte met ingetrokken hoofd onderuit. Hij deed hetzelfde. 'Ik heb de pest aan dit soort dingen,' fluisterde hij. 'Altijd hetzelfde. Rituelen die nergens over gaan. Waarom moet ik hier zo nodig bij zijn? Wat heeft het met mij te maken?'

'Ik snap wel waarom een mens hiervoor een paar borrels nodig zou hebben,' zei Helen onbezonnen.

'Dat wordt overdreven.' Hij leek niet beledigd. 'Want als

ik drink doe ik stomme dingen. Hoe zei je ook alweer dat je heette?'

Ze haalde diep adem. 'Helen Armstead,' zei ze. 'Vroeger Helen Roche. Ik heb acht jaar bij je in de klas gezeten op St. Catherine's in Malloy, New York.'

Ze sloeg hem gade terwijl hij haar met andere ogen bekeek.

'Wij woonden in Holcomb Street,' vervolgde ze zachtjes. Zijn mond zat nu net als de hare verborgen achter de rugleuningen. 'Mijn vader was apotheker in de gevangenis. Ik was een vriendin van Edie White, en jij ging met haar zusje, dat beweerde ze tenminste.'

Ze zat 'm te knijpen, alsof ze geheimen verklapte. Hamilton deed iets met zijn ogen zonder ze zelfs maar te bewegen. Sara zat haar moeder in de rug te porren om haar zover te krijgen dat ze weer rechtop ging zitten en niet meer het risico liep de aandacht van vreemden te trekken. Er klonk een slap golfje applaus en de zaalverlichting ging uit.

'Ga door,' fluisterde Hamilton tegen haar. 'Dit is ongelofelijk.'

Gaandeweg wenden haar ogen aan het duister en kwam zijn gezicht weer in beeld. 'Ik was bij je eerste communie,' fluisterde ze hem toe. 'Ik zat bij dat groepje dat na je vormsel dronken werd achter het honkbalveld. Weet je nog? Ik zat samen met jou te kijken toen Jerry Merrill omsloeg met zijn boot op Lake Sylvia. Ik was op het eindexamenfeestje van Sue Coleman, toen jij met een sigaret in de hand in slaap viel en een brandplek in hun bank maakte.'

'Ja,' fluisterde Hamilton met een stem vol ontzag. 'Dat was ik.'

'Ssst!' zei iemand in de rij achter hen.

'Bij Frans, van zuster Edna, zat ik achter je. Ik kende je moeder van de vlooienmarkt van de kerk, op de laatste zaterdag van de maand, want daar hielp ik mijn moeder altijd bij. Ik kende je jongere broer, die in de Golfoorlog heeft gevochten. Maar ik weet niet meer hoe hij heet.'

'Gilbert,' zei Hamilton. 'Gil. Goeie god. Wat nog meer?'

'Houden jullie nou je mond dicht?' vroeg een vrouw in het donker boven hun hoofd.

Helen vertelde maar niet dat ze ooit hadden gezoend. Ze wist niet waarom niet. De openingscredits van de film waren bijna afgelopen – bij elke naam van enig gewicht werd er hier en daar geapplaudisseerd – en toen beleefde ze de vreemde gewaarwording naast Hamilton te zitten terwijl hij zichzelf op het doek zag acteren. Langzaam maar zeker leek de aanblik van zijn vergrote gezicht hem uit de trance te halen waarin haar litanie van jeugdherinneringen hem had laten wegzakken. Hij schoof heen en weer en kauwde op zijn duim tot de film ongeveer een half uur bezig was en hij Helens kant op boog en zijn vingers zachtjes om haar arm legde.

'Ik moet naar de wc,' zei hij.

'Ik hoop dat je je niet in de val gelokt voelt,' fluisterde ze. 'Ik wist niet eens of ik de kans zou krijgen je te spreken.'

'Natuurlijk niet. Hé, ik heb niet eens gevraagd wat jij hier eigenlijk doet. Werk je voor de studio?'

'Nee, voor een pr-bedrijf,' zei ze. 'Malloy Worldwide heet het, niet te geloven, hè? Ik geloof dat ze ook weleens voor jou werken.'

'O. Klopt. Heb je een kaartje of zo?'

Zo kwam je op een beleefde manier van iemand af als je wist dat je hem toch nooit zou terugzien. Mistroostig, met het gevoel dat ze ergens iets verkeerds had gezegd, zocht ze in haar tas naar een visitekaartje en gaf dat aan hem.

'Oké,' zei hij. 'Goed, moet je horen.' Maar toen scheen hij niet te weten wat hij nog meer moest zeggen. Hij boog zich naar haar toe, gaf haar een kus op haar wang en vertrok toen onopvallend en gebogen via het andere uiteinde van de rij.

De film ging over een man die getuige was van een moord en zijn vrouw en kinderen moest laten onderduiken terwijl hij achter de identiteit van de moordenaar probeerde te komen voordat de moordenaar achter de zijne kwam. Toen het licht weer aanging had de Hamilton op het doek de echte maar afwezige doen vervagen en had Helens uitgelaten stemming plaatsgemaakt voor een eigenaardige, onverklaarbare droefheid. Ze keek er niet erg van op dat hij niet meer naar zijn plaats terug was gekomen. Op de een of andere manier had ze hem van streek gemaakt of beledigd. Na de aftiteling was er nog een vraaggesprek, maar er waren zo veel mensen die al opstonden en weggingen voor dat was afgelopen, dat Helen van die algemene onbeleefdheid profiteerde om ook de zaal te verlaten. De straat stond boordevol limo's: ze moesten helemaal tot Madison Avenue lopen om een taxi naar huis te vinden.

Onder de rit zat Sara naast haar als een razende te sms'en. Helen leunde met haar voorhoofd tegen het koele raampje en staarde naar de lege boetieks, die felverlicht en onbevolkt waren. 'Zo,' zei Sara zonder op te kijken. 'Dat was het dus, hè? Je grote reünie. Hebben jullie herinneringen opgehaald aan dat mooie moment in de gang?'

'Nee,' zei Helen. 'Helemaal niet. Ik weet niet wat ik verwachtte dat er zou gebeuren. Het is een aardige man en ik ben blij dat ik met hem heb kunnen praten, maar in zekere zin vind ik het jammer dat ik hem heb verteld wie ik was. Mensen willen eigenlijk helemaal niet terug naar hun verleden. Ze willen er vermoedelijk juist liever verder vandaan komen.' Maar Sara had haar oortelefoon alweer in, dus die laatste overpeinzing werd door niemand gehoord.

5

Na een première was er altijd een feest. Hamilton probeerde zich te herinneren waar dat werd gehouden terwijl hij in de Ziegfeld op de klep van een wc zat. De aanblik van zijn eigen gezicht op het witte doek was een beproeving voor hem geweest, als een vooruitblik op zichzelf na zijn dood; hij kon het maar moeilijk van zich afzetten en wist zich de simpelste dingen over zichzelf al bijna niet meer te herinneren, laat staan geheimzinnige zaken als de locatie van het feest waar hij zo dadelijk werd geacht zijn opwachting te maken. Als hij die ooit al had geweten. Zulke dingen wisten andere mensen altijd voor hem. En opeens schoot hem iets te binnen: hij sprong op, vloog het toilet uit, bleef op het dikke tapijt in de gang staan en keek zoekend om zich heen, maar realiseerde zich toen dat zijn twee begeleiders, de bedrijfsrobots die hem door de filmstudio waren toegewezen, er niet waren. Die had hij afgeschud toen hij halverwege de voorstelling was weggegaan. Kijk eens aan, dacht hij met een tevreden gevoel, ze vinden de film dus zeker leuk.

Hij kwam bij een nooduitgang en deed een schietgebedje voordat hij die openduwde; het werd verhoord, want er ging geen alarm af. Opeens stond hij buiten de zeepbel, in de niet-geritualiseerde wereld van een stinkende steeg achter 54th Street. Hij voelde een constructieve angst opwellen. Premièrefeestjes waren een Catch-22, want hoe hemeltergend en afgrijselijk ze ook waren, je wist in elk geval wel wat er ging gebeuren, nog voordat de zeikerige slijmerds daar hun mond opendeden wist je al precies wat ze gingen zeggen. Als hij nu maar wist waar dat feest was, dan kon hij daar snel een paar borrels gaan drinken nu het er nog redelijk klootzakkenvrij was.

Maar dat feest begint pas als de film is afgelopen, zeurde een stem in zijn hoofd die zo terloops klonk dat het leek alsof hij al een tijdje tegen hem praatte. Nu is daar nog niemand. Bovendien is dat de eerste plek waar die begeleiders je gaan zoeken als ze in de gaten krijgen dat je weg bent.

Op dat feest kun je een borrel krijgen.

Maar dat kun je overal. Dit is New York.

Hij keek of hij geld bij zich had, maar kon zich toen wel voor zijn kop slaan omdat hij nota bene in een donker steegje in New York de inhoud van zijn portemonnee stond te bekijken. Het was zijn grootste angst om niet meer geschikt te zijn voor het leven, het echte leven, zonder het schild van roem dat hem beschermde, dat hem alles gaf wat hij nodig had maar hem in de val van afhankelijkheid lokte. Hij liep de steeg uit naar de straat en ging op zoek naar het uithangbord van een bar. Hij had geen echt drankprobleem, vond hij, alleen erg veel andere problemen, erg veel andere gevoeligheden, en die leidden uiteindelijk allemaal naar de fuik van de drank, de enige manier, hoe tijdelijk ook, om de boel op te schonen, om zichzelf te resetten. De eerste bar die hij zag zat vol jonge kantoortypes die hier na het werk kwamen drinken, maar dat zou op een ramp uitdraaien, want daar zou hij meteen worden herkend. Hij vond het verschrikkelijk om in z'n eentje alleen te zijn als hij zich zo voelde, hij wilde onder de mensen alleen zijn, dezelfde afstand voelen tussen hem en onbekenden als onbekenden onderling. Voorbij 6th Avenue was een ouderwetse halfvolle tent met een laag plafond die Cornerstone's heette; daar dook hij naar binnen alsof hij vluchtte voor een sneeuwstorm.

Hij bestelde een whiskey met ijs. Op het bovenste schap zag hij een zeldzame, dure fles Pappy Van Winkle staan en wilde daarnaar vragen, maar dan zou hij te veel aandacht op zichzelf vestigen. De barkeeper, die minstens zestig was, keurde hem nauwelijks een blik waardig. Hamilton probeerde niet al te enthousiast zijn eerste whiskey achterover te slaan, maar toen de barkeeper weer langskwam, was zijn glas opeens leeg. 'Nog een?' vroeg de barkeeper. Hamilton begreep dit eerst verkeerd, maar knikte toen en schoof zijn glas naar voren.

Ergens achter hem werd naar hem gekeken, in de bioscoop, door honderden mensen die naar zijn drie meter hoge gezicht staarden en geen idee hadden wat ze nu eigenlijk zagen, wat hij deed, die niet over het kritisch vermogen beschikten om dat te beoordelen. Ze bedierven het door ernaar te kijken. Wat had het voor zin? Hij had een keer in een interview gezegd dat hij ervan droomde om films te maken die niemand zou zien, maar zelfs mensen die hij als zijn vrienden beschouwde hadden daar de spot mee gedreven. Hij wilde alles opgeven, maar daar was het te laat voor, hij kon verder niets. Zijn schilderijen, zijn poëzie, zijn eerste schreden op het uitgeverspad; voor hem werd dat allemaal geruïneerd door de ondermijnende invloed van de aandacht die anderen eraan schonken. En de ranch? Kom op, zeg. Daar lachte iedereen hem uit, althans, dat zouden ze doen als hij niet zijn handtekening onder hun looncheques zette. Niet letterlijk, iemand anders deed dat voor hem, dat nam Hamilton tenminste aan, want hij had nooit een cheque gezien. Hij nam zich voor om daar eens verandering in te brengen.

Als hij zichzelf op het witte doek zag, voelde hij een belangrijke overeenkomst met alle andere aanwezigen in de zaal; hoewel je werd verondersteld te doen alsof je naar een verzonnen personage met een verzonnen naam zat te kijken, was je je er toch elke seconde van bewust dat je eigenlijk naar de filmster genaamd Hamilton Barth keek. Dat leek het grootste, meest fundamentele falen van elke acteur, maar toch was zijn hele leven daarop gebaseerd, het werd erg genoeg zelfs beschouwd als een kenmerk van zijn succes. Waarom vond hij dat juist vanavond zo vernederend? Hij had het toch al vele malen meegemaakt. Altijd weer die vreemde confrontatie tussen hem en zijn beeltenis op het doek, een beeld dat op een herinnering zou moeten lijken omdat het in feite een opname was van iets wat hij echt had gedaan, maar op de een of andere manier voelde hij dat nooit zo, het leek meer op een visioen van wat er van hem geworden zou zijn als hij een ander leven had geleid, alleen was er vanavond, herinnerde hij zich, nog een derde laag, die meid met haar Chinese dochter, die of echt met hem was opgegroeid, of de best-voorbereide riooljournalist aller tijden was. Helen Weetikveel, uit Malloy. Nee, tuurlijk klopte het wat ze zei, ze kwam echt uit Malloy en wist alles nog van hem, dingen die hij zelf zonder er zijn best voor te doen was vergeten. Maar waarom herinnerde hij zich haar niet? Waarom herinnerde hij zich niets bijzonders of belangrijks uit die jaren, de jaren die hem zogenaamd hadden gevormd? Wat dat dan ook in godsnaam mocht betekenen. Dat was je enige echte ongekunstelde ik, en toch kende Hamilton mannen van tachtig die meer van hun mysterieuze middelbareschooltijd wisten dan hij. Waarom? Hoe kwam dat? Waarom vond hij die Helen er zo oud uitzien? Waarschijnlijk omdat hij nog maar zelden vrouwen van zijn leeftijd tegenkwam. Hij kreeg de drang om haar op te sporen, om nog meer van die opwindende triviale herinneringen te horen, maar wat had hij eraan om research te doen naar zichzelf zoals hij ook research deed voor een filmrol? In de kern was hij een nul, en die nulheid voelde als iets onvergeeflijks.

Dat verhaal over die sigaret op de bank meende hij zich wel te herinneren. Of in elk geval dat mensen het daarover hadden. Nee, het was zinloos. Hij was het vermogen tot terugkijken kwijt. Het verleden was sowieso vol mislukkingen, mislukkingen en misdaden, van jezelf en van anderen; als je alleen maar vooruitkeek, hoefde je geen energie te besteden aan dingen proberen op te lossen die helemaal niet opgelost konden worden. Hij zou gewoon doorgaan, alleen maar vooruit, als een dier, al dacht hij dat het wel een beetje hielp dat er iemand was die hem nog van vroeger kende, zoals hij toen echt was, iemand in wie die herinnering nog voortleefde, zodat hij, Hamilton Barth uit Malloy, New York, nog niet voor altijd dood was.

'Van het huis,' zei de barkeeper met een glimlach, en hij schoof hem nog een whiskey toe. Hamilton glimlachte terug, tevreden, totdat hij zich realiseerde dat als hij een gratis drankje van de barkeeper kreeg terwijl de man hem niet had herkend, hij er al vier of zes achter de kiezen moest hebben, hij wist niet meer precies wat de gewoonte was. Hij keek op zijn horloge. De film was een minuut of twintig geleden afgelopen. Hij kon nu met geen mogelijkheid meer ophouden met drinken. Hij keek weer in zijn portemonnee en zag een briefje van vijftig. Genoeg voor vier whiskeys, maar misschien niet voor zes. Waar was nou godverdomme die afterparty? Iemand had dat op een gegeven moment tegen hem gezegd. Het lag op het puntje van zijn tong. Saint Huppeldepup. Saint Patrick's, Saint Catherine's. Hij ving de blik van de barkeeper, maakte een schrijfbeweging in de lucht en wachtte een halve minuut met het zweet op zijn voorhoofd tot zijn rekening kwam. Veertig dollar. Godzijdank. Hij legde het briefje van vijftig neer en vroeg: 'Hoe heet die vent met dat ontbijtprogramma op tv, loopt de hele tijd te schreeuwen, met zo'n blonde mede-presentator?'

De barkeeper bewoog bedachtzaam zijn hoofd naar achteren. Misschien kwam die vraag te veel uit het niets, of misschien had Hamilton hem te nadrukkelijk gesteld, hoewel hij had geprobeerd het zo terloops mogelijk te vragen. 'Regis?' antwoordde hij koeltjes.

De St. Regis. Dat was het. Hamilton had geen flauw idee waar die was, maar een kwartier later was hij er opeens toch.

Misschien was hij op het idee gekomen om het aan iemand te vragen, maar zoiets herinnerde hij zich niet, dus hij besloot te geloven dat de avond eindelijk ten goede keerde. Ze waren in een soort balzaal, hij met tweehonderd andere mensen, en in plaats van hem te negeren omdat ze niet wisten wie hij was, zoals die brave mensen in de Cornerstone's hadden gedaan, negeerden ze hem omdat ze juist heel goed wisten wie hij was, maar cool probeerden te doen door dat niet te laten merken. Een jonge vrouw, duidelijk een actrice, zwaaide vrolijk naar hem vanaf de andere kant van de bar. Misschien had ze samen met hem in een film gespeeld, maar zulke dingen waren inmiddels allemaal vaag geworden. Toen zag hij vlak bij zich twee gezichten die hij beslist herkende, de gezichten van zijn begeleiders op de première, de heren Sturm und Drang. De een keek opgelucht en de ander pissig. Ze waren net twee helften van dezelfde ongelofelijk saaie persoon.

'Ik ben blij dat u het grappig vindt,' zei de een tegen Hamilton, die voor zover hij wist geen spier vertrok. 'Maar wij lopen de kans morgen op straat te staan. Waar zat u, in een of andere bar?'

Hij knikte.

'Geweldig,' zei de boze. 'En niemand heeft daar natuurlijk zijn telefoon gepakt en een foto van u gemaakt. U was daar natuurlijk volstrekt incognito. En die foto staat niet al op internet.'

'Dat is toevallig allemaal correct,' zei Hamilton, 'je zegt het alleen wel een beetje raar. Maar hoezo, waren jullie naar mij op zoek dan?'

De twee begeleiders keken naar elkaar en daarna weer naar Hamilton. 'Ik weet gewoon niet of ik moet lachen of huilen,' zei de een.

'Neem een borrel,' zei Hamilton. Hij sloeg ze allebei op de schouder. 'En willen jullie jezelf alsjeblieft nooit maar dan ook nooit opsplitsen in twee mensen? Want dat is echt verdomd linke soep.' Hij ging van de bar aan de ene kant van de zaal op weg naar de bar aan de andere kant. Mensen zwaaiden naar hem en hij zwaaide terug, hij omhelsde en kuste ze naar hartelust als ze hem omhelsden en kusten, maar als ze tegen hem praatten, leek het alsof ze dertig meter verder stonden, en omdat hij geen idee had wat ze zeiden, moest hij proberen om de juiste gezichten te trekken tot ze uitgepraat waren. De tijd ging voorbij en hij kreeg de indruk dat het in de balzaal minder druk was dan eerst, tenzij de ruimte opeens was uitgedijd. Hij zag een jonge vrouw met rood haar en een extreem kort zwart rokje – sexy, maar wel klein, net een of andere wulpse pop – die in haar eentje met haar zwaar getatoeëerde arm over de rugleuning van haar stoel zat; aan het eind van die arm zat haar hand met daarin een martiniglas, en aan het andere uiteinde was haar kin somber tot op haar schouder gezakt. Met haar benen over elkaar had ze meer inkijk voor Hamilton en de rest van de zaal dan ze zich scheen te realiseren.

'Wow!' zei Hamilton. 'Bettina!'

Bettina keek op zoals een hond zou kunnen doen. 'Leuk hoor,' zei ze. 'En ik hoopte nog wel dat je vergeten was hoe ik eruitzag.'

Ze was heel erg dronken, wat hij spannend vond omdat het botste met de eerste indruk die hij van haar had. Het was erg saai om je nooit in mensen te vergissen. 'Bettina, maak je geen zorgen, Bettina.' Hij trok een stoel bij en zette die vlak voor haar; degene die met haar aan het tafeltje had gezeten, had haar daar alleen gelaten. Ze wekte de indruk dat ze zichzelf al voor schut had gezet, daar nu spijt van had, maar tegelijkertijd de schaamte voorbij was. 'Ben je bang voor mij? Er is geen enkele reden om bang voor mij te zijn.'

Ze keek hem met een smalend lachje aan, alsof ze beledigd was dat hij haar dom genoeg vond om niet bang voor hem te zijn.

'Bettina, het is van het allergrootste belang dat wij elkaar hebben gevonden,' zei hij. 'Maar ik ga eerst nog een nieuwe martina voor je halen. Martini.'

De menigte was inmiddels zo uitgedund dat hij bij de bar niet meer in de rij hoefde te staan. Hij hield het martiniglas omhoog en stak daarna twee vingers in de lucht, alsof het nog steeds te lawaaiig in de balzaal was om zich verstaanbaar te maken. Wat glommen die kroonluchters – wie zou ze afstoffen? – maar hij kon niet omhoog kijken, hij moest zijn blik strak op de twee kostbare martini's gericht houden terwijl hij over de vloer liep die opeens zo groot leek als een parkeerplaats. Alsjeblieft, laat haar er nog zijn, zei Hamilton in zichzelf, alsjeblieft, alsjeblieft, alsjeblieft.

Ze was er niet alleen nog, maar ze leek ook een beetje opgekalefaterd. Ze hield haar hoofd nu bijna verticaal. Ze nam haar martini aan met een diep-cynische blik. 'Waar ben jij mee bezig?' vroeg ze.

'Ik moet jou leren kennen,' zei hij.

Ze nam een slokje en sloot haar ogen. 'Bedoel je dat je denkt dat je mij gaat neuken?' vroeg ze.

'Daar gaat het niet om,' zei hij. 'Nou ja, alleen maar gedeeltelijk, eerlijk waar.'

'Jij krijgt vast altijd je zin.'

'Was dat maar waar,' zei hij. 'Mocht ik willen. Had ik gedroomd.' Hij probeerde nog iets te bedenken wat hetzelfde betekende.

'Mag ik jou iets vragen? Dat ouwe wijf in de bioscoop vanavond, die met die Chinese dochter, jij had geen idee wie dat was, of wel?'

'Nee,' zei hij. 'Geen flauw idee.'

Ze leunde achterover en stak haar armen in de lucht, vol walging en tevredenheid tegelijk.

'Ze behandelen mij op m'n werk als een stuk oud vuil,' zei ze. 'En dan zeg ik: "Maar ik ben geen slecht mens." Maar weet je? Ik ben wel een slecht mens.'

'Welnee,' zei Hamilton troostend.

Ze sloot haar ogen en knikte vaag. 'En dan zeg ik: "Serieus. Je kent mij niet eens." Maar weet je? Volgens mij ken je mij wel. Je kijkt naar mij en je zegt: "O, die ken ik," en daar heb je dan waarschijnlijk gelijk in.'

'Nee, ik ken je niet,' zei Hamilton, die inmiddels eerbiedig, bijna fluisterend klonk. Jij bent het, dacht hij. Al wist hij niet zo goed wat hij daarmee bedoelde. *Jij bent het.* Ze was een soort verwante geest, dat stond vast, een zondaar die snapte in wat voor onredelijk gevaarlijke wereld ze leefde, in elk geval als ze dronken was, en hij was vastbesloten om te zorgen dat ze in die toestand bleef. En hijzelf ook: meestal explodeerden zulke avonden als vuurwerk en eindigden in een black-out die op een depressieve wedergeboorte leek, maar met zo'n partner aan zijn zijde, een *partner in crime*, had hij er belang bij om door te blijven gaan, om morgenochtend zo lang mogelijk uit te stellen als menselijkerwijs gesproken mogelijk was. Inmiddels zat hij geknield op de vloer voor haar om haar beter te kunnen verstaan en ook om haar te aanbidden. Direct verbonden met die eerbiedige gevoelens, maar zonder ze te bezoedelen of op welke manier dan ook te beïnvloeden, waren seksuele fantasieën van de meest barokke en verdorven soort; ze hadden te maken met haar kleinheid, haar perfecte schaal, haar miniatuur-hanteerbaarheid, verscheidene vernederende scenario's waarbij ze met geen enkel lichaamsdeel de grond raakte en hij haar domineerde als een reus.

'Ik bedoel dat ik niet snap waarom ik me er druk over zou maken,' zei Bettina, 'of ik die stomme kutbaan hou of niet. Public relations, dat stelt toch ook geen reet voor, of wel soms?'

'Ik ken niemand die dat weet,' zei Hamilton. Hij klopte op haar hand. Dat scheen ze niet te merken en eerlijk gezegd kon hij het zelf ook niet voelen. Hij keek waar haar martini stond en gaf die aan haar.

'Heb jij nooit zin om iemand anders te worden?' vroeg ze. 'Zomaar opeens? Dat je kunt zeggen: "Vanavond worden al mijn fouten vergeven,' en dat je dan gewoon als iemand anders opnieuw begint? Godsamme, moet je zien tegen wie ik het heb, Hamilton Motherfucking Barth. Alsof jij jezelf zou kunnen veranderen, zelfs al zou je het willen.'

'Hoezo?' vroeg hij. 'Dat zou ik best kunnen.'

Ze lachte naar hem. 'Vergeet het maar! Dat heb je mooi verkloot. Jij hebt niks meer over jezelf te zeggen, je bent openbaar bezit.'

Hij stond op. Door zijn woede kreeg elke gedachte nog meer seksuele lading. 'Oké, we doen het als volgt,' zei hij, zonder enig idee wat hij verder ging zeggen. Hij wist alleen dat hij bij haar moest blijven, maar dan ergens anders, niet hier. 'Kun jij een auto huren?'

'Wat?'

'Ik niet. Ik bedoel, ik kan het wel, maar ik weet uit ervaring dat ze me dan herkennen en gaan bellen en dan zit vijf minuten later de pers achter ons aan, net als bij prinses Di. Dus kun jij een auto huren?'

'Hoeft niet, ik heb zelf een auto. Ik ben hier met de auto gekomen. Maar waar moet je dan naartoe?'

'Wij, Bettina, wij. Wij moeten ergens naartoe waar we alleen kunnen zijn.' Hij hielp haar voorzichtig overeind. Ze was zo licht als een veertje. 'Heb je ergens een jas? Waar sta je geparkeerd?'

'Gebeurt dit allemaal echt?' vroeg ze. Ze liepen naar de uitgang. Hij voelde zich nu al herboren en onzichtbaar. 'Ik moet je iets vertellen,' zei ze. 'In de bioscoop zei ik dat ik Bettina heette, maar dat was gelogen.'

'Kan niet beter,' zei Hamilton.

Sara en Cutter zaten niet bij elkaar in de klas – wat op zo'n grote school niet verwonderlijk was – en die woensdag had ze hem na het derde uur nog steeds niet gezien, hoewel ze elkaar de hele ochtend hadden ge-sms't, net als de vorige avond tot heel laat.

Ze hadden sarcastische opmerkingen gemaakt over alle slijmballen die ze met haar mobieltje had gefotografeerd op die stomme filmpremière, al die mensen die zichzelf zo geweldig vonden, maar ze had zin om dat nog eens in levenden lijve over te doen. Toen ze in de pauze in de kantine kwam, zag ze hem niet. Ze ging naar het lokaal waar hij na de pauze Frans had, maar daar was hij ook niet. Waarvandaan had hij haar dan ge-sms't? Ze vroeg het en kreeg als antwoord een foto van hem waarop hij in een keuken, waarschijnlijk bij hem thuis, in z'n pyjama stond te grijnzen.

Dus hij spijbelde. Dat deed hij de laatste tijd wel vaker. Het was niet zo erg als die dag waarop hij wel naar school was gegaan maar bij alle lessen had gespijbeld; hij had zich toen verstopt in de bibliotheek, in bezemkasten die niet op slot zaten of in andere tussenruimtes die hij had ontdekt – hij verschafte zich een zinloze, esoterische vrijheid en wachtte tot hij in de kraag werd gegrepen, wat hem nooit leek te overkomen.

Het was met Cutter allemaal heel snel gegaan, in goede en in kwade zin. Soms brachten ze hele middagen samen door, in een of andere Starbucks, of op een bankje in het Carl Schurz Park waar ze naar de boten op de rivier keken, naar de joggers, en de verveelde nanny's die buggy's naar de speelplaats duwden, of zelfs bij Sara thuis waar ze op de bank naar dagprogramma's op tv keken en elkaar aan het lachen maakten – dat voelde als liefde, het was in elk geval relaxed. Dan zaten ze op de bank met hun schouders tegen elkaar aan gedrukt, ze lachten, aten de restjes van een afhaalmaaltijd, dreven de spot met de armzalige stompzinnige Real Housewives of de andere trieste sukkels die hun waardigheid verkochten in een realityprogramma, een genre waar ze nooit genoeg van kregen. Ze zoenden ook veel. Dat was cool, maar als ze eerlijk was moest ze toegeven dat ze het vooral zo leuk vond als hij thuis bij haar op de bank voor de tv zat omdat hij dan niet in het openbaar iets gênants kon doen waar ze zich voor schaamde, of iets wat haar in gevaar bracht, of allebei. Ze verzon al uitvluchten om niet met hem een winkel in te hoeven, want of ze nu in de Duane Reade, de Starbucks of de Sephora waren: altijd als ze weer buiten stonden, haalde hij iets uit zijn zak wat hij voor haar had gejat. Ze begon te begrijpen waarom zijn andere vrienden zich niet te veel met hem inlieten en ervoor zorgden dat ze buiten zijn invloedssfeer bleven. Ze wilde natuurlijk niet dat hij betrapt zou worden, alleen zou ze niet weten hoe er anders een einde moest komen aan wat hij deed, maar betrapt werd hij nooit.

Erger was dat hij haar een rotgevoel probeerde te bezorgen omdat ze zo zat te stressen. Hij spotte met haar omdat ze bang was in de problemen te komen, maar toen ze met nadruk zei dat ze daar helemaal niet bang voor was – dat was ze ook niet, tenminste niet echt – werd hij nog sarcastischer: hij zei dat ze hem deed denken aan iemand wiens celdeur op een kier was gezet maar die te bang en te schuldbewust was om eruit te lopen. Een gevangeniscel? Zoals gewoonlijk snapte ze wel een beetje wat hij bedoelde, maar niet helemaal. Het leek altijd alsof hij ouder was dan zij en op een dag liet hij zich ontvallen dat hij zestien was. Hij was blijven zitten, ook al kende ze niemand die slimmer was dan hij.

Die provocaties van hem kregen zo nu en dan een gemene kant. Maar ze vergaf hem alles. Ze merkte dat ze de vrouwelijke hoofdzonde beging die je voortdurend in realityshows op tv zag: ze dacht dat ze hem kon redden.

Ze beantwoordde de sms met de pyjamafoto met de smeekbede of hij de volgende dag alsjeblieft weer op school wilde komen. Dat beloofde hij, maar op donderdag was hij er nog steeds niet. Ze miste de helft van het eerste uur scheikunde omdat ze in de gang bij zijn lokaal ging staan om te zien of hij er was of nog kwam opdagen. Daarna ging ze somber terug naar haar eigen klas. En toen, zomaar opeens om tien uur 's ochtends onder Spaans, toen ze haar telefoon helemaal niet aan had mogen hebben maar was vergeten om hem uit te doen, werd ze gebeld. Ze schrok zich lam, pakte hem en hield hem onder het tafelblad, alsof dat hielp tegen de keiharde ringtoon. Ze wilde hem net uitzetten toen ze het nummer herkende, ook al had ze dat in geen maanden meer gezien of gebruikt. Het zat nog steeds in haar lijst met contacten; erboven stond het woord THUIS.

'Señorita Armstead?' vroeg de docent geïrriteerd.

Toen het pauze was, liep Sara vlug de gang op en zette haar telefoon weer aan, maar tegen de tijd dat ze weer bereik had, besloot ze dat ze niet ging terugbellen, wie het ook was geweest. Ze vond het veel te angstaanjagend, het leek wel een griezelfilm. *Je wordt gebeld vanuit het huis.* Er was geen bericht ingesproken. Ze overwoog even om Cutter te vragen hoe zoiets kon, maar de kans was groot dat hij het was die had gebeld, hij had waarschijnlijk niks beters te doen dan flauwe grappen met haar uithalen. Bovendien had ze geen tijd, ze had maar vijfentwintig minuten om te eten.

Aan het eind van de middag keek ze weer; geen gemiste oproepen. Maar terwijl ze de telefoon in haar hand had, ging hij opeens over, het leek bijna alsof de beller haar in de gaten hield. Ze was te geschrokken om op te nemen. Ze ging naar huis, deed een redelijke hoeveelheid huiswerk, en zag dat Cutter haar op Facebook negen berichten had gestuurd om te vragen wat ze aan het doen was. Ze belde haar moeder op haar werk, bestelde Mexicaans en zat op de bank te kijken naar *16 en zwanger* toen haar mobiel opnieuw ging.

'Wat is dit voor gezeik?' zei ze toen ze opnam. Het was natuurlijk Cutter, die het nummer had gehackt om te laten zien hoe dichtbij hij kon komen.

'Sara?'

Ze kreeg een hevige duizeling, alsof haar stoel te ver naar achteren wipte. Ze keek nog eens naar het binnenkomende nummer. 'Papa?'

'Hallo, lieverd. Sorry van vanochtend. Ik vond het zo fijn om je weer te kunnen bellen dat ik, nou ja, ik was natuurlijk niet vergeten dat je op school zat, maar ik wist even niet meer wat voor dag het was.'

'Pap, waar bel je vandaan?'

Hij lachte, iets wat ze lang niet had gehoord, maar het hielp niet genoeg om haar wild-bonzende hart te kalmeren, of de woede die werd veroorzaakt door haar angst.

'Nummermelding zeker?' vroeg hij. 'Oké, het is misschien een beetje onzinnig, maar ik heb de telefoonmaatschappij gebeld en ons oude telefoonnummer bleek nog beschikbaar. Ik bel vanuit ons huis. Ons oude huis. Dat heb ik gekocht.'

'Wat?' vroeg ze. 'Van wie?'

'Van je moeder, technisch gezien.'

'Waarom heeft ze me dat niet verteld?'

'Volgens mij weet ze het niet. Ik heb het anoniem gedaan, omdat ik bang was dat ze het anders niet goed zou vinden. Ze heeft je toch wel verteld dat het huis verkocht was?'

'Ja, en ze is helemaal enthousiast over het geld dat ze ervoor krijgt.'

'Mooi zo, dat hoopte ik al. En nu zit ik dus hier. Er is hier nog niets veranderd, ik weet alleen niet waar onze meubels zijn. Wat vind je ervan?'

Wat ze ervan vónd? Zelfs op dit soort krankzinnige momenten viel het haar niet moeilijk om dat tegen hem te zeggen. In elk geval een stuk gemakkelijker dan tegen haar moeder.

'Het klinkt behoorlijk gestoord.'

'Oké, snap ik.'

'Op de eerste plaats dacht ik dus dat je blut was.'

'Ja, maar dat was toch niet zo. Maar nu wel, min of meer.'

'En verder…' Ze deed haar ogen dicht, niet omdat ze van streek was, maar om zich beter te kunnen concentreren. 'Waarom wil je daar weer gaan wonen, in je eentje, terwijl je er zo graag weg wilde toen mama en ik er ook nog woonden? Dus je vond het huis wel leuk, maar ons niet?'

Hij liet een lange stilte vallen. 'Die zit,' zei hij. 'Ik weet het eerlijk gezegd zelf ook niet precies. Het simpelste antwoord is dat het mijn thuis is. Niet dat het daarom per definitie leuk is, want op het moment is het nogal een puinzooi, maar het is mijn huis en ik heb het gevoel dat ik hier moet wonen. Bovendien krijgen je moeder en jij nu een deel van het geld dat jullie sowieso hadden moeten krijgen, en verder kan er nu niet iemand anders komen wonen die nieuw behang op de muren plakt, die alles wat hier is gebeurd overschildert. Ik moet hier wonen omdat het me er elke dag aan herinnert wie ik ben.'

Het was een hele belevenis, dat telefoongesprek, nog los van wat er werd besproken, want ze had in geen maanden meer de stem van haar vader gehoord. Sms'en leek de standaardmanier van communiceren geworden, zo communiceerde ze met iedereen, zelfs met Cutter, maar nu begreep ze dat daar misschien nog een andere reden voor was, dat het een afstand schiep, een bepaalde afzondering die ze misschien nodig hadden gehad.

Op de televisie was een geluidloos huilende baby te zien. Met op de achtergrond een raam dat uitzicht bood op flatgebouwen met honderden appartementen, honderden levens, allemaal te klein en te ver weg om gedetailleerd te kunnen zien.

'Waarom vertel je me dit eigenlijk allemaal?' vroeg Sara. 'Wat verwacht je van mij?'

'Ik verwacht niets van je. Niet eens dat je hier ooit nog komt als je dat niet wilt. Ik dacht alleen dat je het wel een leuk idee zou vinden dat het huis waar je bent opgegroeid nog bestaat en dat er niet iemand anders woont.'

Haar ogen begonnen te prikken. 'Ik snap hier helemaal niks van,' zei ze. 'Je had een gigantische inzinking en daar ben je net weer voor uit de gevangenis. Waarom zou je teruggaan?

Waarom ga je niet gewoon met je geld ergens anders opnieuw beginnen?'

'Dat blijkt helemaal niet zo leuk te zijn als het lijkt,' zei hij. 'Het is behoorlijk angstaanjagend om niemand te zijn. Trouwens, als je tegen jezelf zegt dat je niemand bent, is dat daardoor nog niet waar.'

'Wil je liever iemand zijn op wie iedereen boos is?' vroeg Sara.

Hij zweeg een tijdje, lachte toen zacht. 'Je zou eens met me mee de stad in moeten gaan als ik boodschappen ga doen. Iedereen die mij herkent, haat me als de pest. Van de ene kant is dat naar, van de andere kant ook wel fijn. Fijn omdat het naar is. Moeilijk uit te leggen.'

Sara probeerde het zich voor te stellen. 'Vragen die mensen weleens hoe het met mij gaat?'

'Nee,' zei hij, 'maar dat komt alleen omdat mensen die jou kennen niet met mij willen praten.'

'Je zei dat je nu wel blut bent. Heb je weer een baan?'

'Ja, min of meer.'

'Dus je gaat daar gewoon verder alsof er niets is gebeurd?'

'Nee,' zei hij, 'ik ga hier verder alsof alles is gebeurd.'

Ze had de vreemde aandrang om hem over Cutter te vertellen, dat hij stal en spijbelde, zelfdestructief was, en ze wilde hem om advies vragen, al was het maar omdat ze wist dat hij daar niet van over de rooie zou gaan, wat haar moeder beslist wel zou doen. 'Hoe was het in de gevangenis?' vroeg ze in plaats daarvan. Maar op dat moment hoorde ze de sleutel in het slot van de voordeur. 'Ik moet ophangen, doei,' zei ze en ze voegde de daad bij het woord.

Helen kwam binnen en plofte naast haar op de bank, met haar jas nog aan. 'Sorry,' zei ze, 'maar er komt gewoon geen einde aan. Elke dag kijk ik op van mijn werk en dan is het opeens alweer donker. Arme meid.' Ze gaf Sara een kus op haar voorhoofd en keek naar het televisiescherm. 'Waar kijk je in vredesnaam naar?'

De laatste tijd verschilde ze over alles met Sara van mening, over alles wat ze leuk of niet leuk vond. Naarmate hun omstandigheden erop vooruit gingen, leek het alsof haar moeder ook bij Sara allerlei dingen wilde verbeteren en haar tot een soort ideaal wilde kneden. Dat nam Sara haar intens kwalijk. Haar moeder wilde dat ze andere kleren droeg, andere boeken las, naar andere televisieprogramma's keek. Ze stelde voor dat ze samen gingen fitnessen: 'Dat zou voor mij hartstikke goed zijn,' zei ze, alsof het daardoor minder walgelijk en minder beledigend werd. In die omstandigheden was er geen denken aan dat ze een gesprek zou beginnen over, of zelfs maar melding zou maken van het bestaan van haar winkeldiefstal plegende, spijbelende, alcohol drinkende iPod-stelende ongehoorzaamheidsbevorderende vriendje. Helen zou alleen maar de slechte dingen over hem horen en er een dagtaak van maken om deze ethisch onverantwoorde jongen uit het zogenaamd voorbeeldige leven van haar dochter weg te poetsen. Dat was precies de reden waarom het ook zinloos zou zijn om advies te vragen over het sporadische contact dat ze de afgelopen maanden met haar vader had, of dat zelfs maar te noemen. Haar moeder zou de politie bellen, Sara's telefoonnummer veranderen, en met welk doel? De perfecte probleemloze puberteit die ze blijkbaar moest hebben, een volmaakt bestaan waar ze naar moest streven, een heiligenleven, in plaats van het leven dat ze nu leidde, vol beperkingen en drama. En een heilige was ze bepaald niet.

Alleen al die kwestie van een particuliere school. Haar moeder wilde dat idee niet loslaten. Het was wel waar dat de high school waar ze na de zomervakantie naartoe zou gaan veel te groot en sociaal problematisch was en dat er achterlijk les werd gegeven, maar waarom zou Sara daar te goed voor zijn? Ze was zelf ook problematisch, maar haar moeder was te koppig om dat in te zien. 'Nu zijn we met z'n tweeën,' zei Helen vaak. Maar dat was niet zo. Hoe meer ze erover nadacht, hoe meer ze vond dat haar vader een soort parallel universum vormde, een splinter-gezin, en ze begon het idee te krijgen dat dat misschien wel het gezin was waar ze echt thuishoorde. Ze was zich er net als hij de laatste tijd van bewust geworden dat ze niet het leven leidde waarvoor ze geboren was, alleen was dat bij haar letterlijker. En het schuldgevoel dat door haar vlucht uit dat leven werd opge-wekt was iets waar zij, net als haar vader, niet voor durfde weg te lopen. Waarom zij? Zo bijzonder was ze niet. Zij had ook haar fouten, haar zwakheden. Waar had ze haar bevoorrechte positie aan te danken? Waarom zou zij meer recht hebben op geluk of genade dan anderen die door hun echte ouders ongewenst wa-ren? Het was belangrijk dat ze zich niet beter voordeed dan ze was. Haar vader snapte die zelfcensuur nu, in zijn huidige situ-atie, zelfs beter dan ooit. Haar moeders hart was er gesloten voor.

Twee uur later ging Sara's telefoon weer; deze keer was het een sms van Cutter. *Honger?* stond er. Sara keek naar haar moe-der, diep in slaap anderhalve meter verderop op de bank. Ze stuurde een vraagteken terug en even later kreeg ze op haar scherm weer een foto van hem, nu zat hij grijnzend aan een ta-feltje in een restaurant. Het duurde een paar seconden voordat ze zag waar dat was; ze zag het aan de menukaart die hij vast-hield. Hunan Garden, een eindje verderop bij haar in de straat. Haar gezicht begon te gloeien.

Wtf doe jij? sms'te ze hem.

Kom ook. Gratis wijn.

No way. Mam is er.

Zal ik dan bij jou komen?

'Ho!' zei Helen opeens. 'Dommelde ik toch zomaar even weg!'

Sara dwong zichzelf rustig te blijven terwijl haar moeder langzaam van de bank naar haar slaapkamer liep en de deur achter zich dichtdeed. Toen schreef ze een briefje dat ze naar de Duane Reade was om een nieuwe highlighter te kopen – een slappe smoes, maar het was beter dan niks – en liep zo zachtjes mogelijk het appartement uit en daarna door de hal naar de liften.

Cutter zag er euforisch en zo fris als een hoentje uit. Het was al na tienen en de obers keken chagrijnig naar hem. Hij wenkte haar naar het tafeltje waar hij achter een pot Chinese thee en een of ander roerbakgerecht zat. 'Ik kan maar heel even blijven,' zei ze. 'Je moet weer naar school komen, beloof me dat je er morgen weer zult zijn.'

'Ik wilde morgen eigenlijk naar Staten Island gaan,' zei hij. 'Het schijnt mooi weer te worden. Ga je mee? Als we morgen gaan, zijn we daar alleen.'

Ze liet het hoofd hangen. Als hij niet naar school ging, zou hij blijven zitten, en als hij bleef zitten, konden ze volgend jaar niet samen zijn. Maar ze had geen zin om hem hun relatie als een worst voor te houden. Ze voelde zich nu al tamelijk opgesloten. 'Je raadt nooit wie mij vanavond opbelde,' zei ze. 'Mijn vader.'

'Wow, echt waar?' vroeg Cutter met een brede grijns. 'Zit hij weer in de bak? Heeft hij zijn ene telefoontje aan jou besteed?'

Ze schudde haar hoofd. 'Hij is er al een tijdje uit. Het was trouwens maar een maand. Maar hij belde me dus vanuit ons oude huis. Daar woont hij nu weer. Mijn moeder dacht dat de koper een vreemde was, maar ze heeft het zonder te weten aan hem verkocht. Krankzinnig, vind je niet?'

Ze vertelde het alleen omdat ze dacht dat hij het grappig zou vinden en misschien medelijden met haar zou krijgen omdat ze zulke rare ouders had, maar hij keek bepaald niet geamuseerd. Hij fronste zijn wenkbrauwen en zijn kin trilde zelfs een beetje alsof hij zou gaan huilen. 'Wil hij dat je daar weer gaat wonen?' vroeg hij.

'Nee, hij zei tenminste van niet. Hij zei dat hij het alleen voor zichzelf heeft gedaan. Zodat hij door het dorp kan lopen waar iedereen hem haat, zoiets. Gestoord, hè?'

Cutter schudde zijn hoofd. 'Snap je niet wat dat betekent?' vroeg hij. 'Je ouders voelen zich constant schuldig en daarom kopen ze van alles voor je om dat schuldgevoel kwijt te raken. Snap je dat? Dat schuldgevoel?'

Sara begreep het niet helemaal, maar knikte toch ernstig, want ze wilde hem niet nog verder van streek maken. 'Hun schuldgevoel vanwege de scheiding?' vroeg ze zacht.

'Nee!' zei Cutter. 'Omdat je Chinees bent!'

'Wat?' fluisterde ze, want ze was zich bewust van de onderzoekende blik van de oude Chinees achter de kassa.

'De Amerikaanse geschiedenis in een notendop,' zei Cutter. 'Ze zijn bij je thuis gekomen, hebben je weggehaald bij jezelf, bij alles wat je kende, en nu proberen ze alsnog hun zin te krijgen door je om te kopen in de hoop dat jij ze zal vergeven. Je ouders hebben je ontworteld en ze kunnen het niet uitstaan dat jij dat weet en ze alleen al door te bestaan daar constant mee confronteert. Alleen je gezicht al herinnert ze aan hun misdaden.'

Sara had het nog nooit zo bekeken, maar ze snapte wel een beetje wat hij bedoelde. 'Ik moet naar huis,' zei ze. 'Als mijn moeder wakker wordt, heb ik het goed verneukt.'

'Verneukt, hoezo? Waar ben je bang voor? Wat kunnen ze je nog meer aandoen? Waarschijnlijk voelt ze zich gewoon schuldig. Alle ouders voelen zich schuldig. Omdat ze dat ook zijn.'

Ze haalde haar schouders op. Hij greep haar bij haar pols.

'Als je je verneukt wilt voelen, ga dan met mij mee naar Staten Island.'

Ze maakte zich los en ging staan. 'Ga alsjeblieft naar huis,' zei ze ontdaan. 'Ik maak me zorgen om je. Ik vind het niet leuk om de enige te zijn die weet waar je bent.'

Hij deed zijn armen over elkaar. 'Doe maar wat je wil,' zei hij. 'Ga maar. Ik denk dat ik nog een dessert neem.'

De volgende ochtend zag ze hem niet. Haar scheikunde-docente, mevrouw Markell, vroeg of ze na de les even wilde blijven; ze dacht koortsachtig aan wat ze allemaal verkeerd zou kunnen hebben gedaan, maar het bleek dat haar docente haar wilde voordragen voor een beurs voor de zomercursus schei-kunde en biologie op Columbia, een beurs die speciaal bedoeld was voor studenten uit minderheidsgroepen. Het was een zeer prestigieuze cursus en hij zou Sara op de radar zetten van enkele zeer prestigieuze universiteiten. 'Ik zal het er met mijn moeder over hebben,' zei Sara, waarop mevrouw Markell antwoordde dat dat goed was, maar dat ze al de vrijheid had genomen om haar moeder een mail te sturen over het geweldige nieuws. En ja hoor, toen Sara na school haar mobiel aanzette, had ze een sms van haar moeder met drie uitroeptekens en het voorstel om samen bij Hunan Garden te gaan eten.

'Ik hoop dat je het niet erg vindt,' zei Helen terwijl Sara in een dumpling prikte en haar hoofd gebogen hield om haar ge-zicht te verbergen voor de obers, 'maar ik heb Nightingale ge-beld en een rondleiding afgesproken voor donderdag. Ik weet dat het behoorlijk moeilijk is om daar binnen te komen, er ko-men heel weinig plaatsen vrij, maar dat betekent niet dat het onmogelijk is, vooral niet als je zo'n fantastische aanbeveling in je zak hebt als jij, dat heeft verder bijna niemand. Maak je geen zorgen, een rondleiding is geheel vrijblijvend. Maar het lijkt me wel de moeite van het proberen waard, zeker nu.'

'Mam, er is iets wat...'

'Op Nightingale zitten zoals je waarschijnlijk wel weet al-leen maar meisjes, en hoewel je dat nu misschien wat vreemd vindt, blijkt uit alle onderzoeken hoe goed dat is, in elk geval tijdens de les. Raar eigenlijk dat dat tegenwoordig bijna overal is afgeschaft. Bovendien wil het natuurlijk helemaal niet zeggen dat je daardoor niet met jongens om kunt gaan.'

'Mam?' zei Sara. 'Hou even je mond, ik moet je iets vertellen.'

Helens BlackBerry maakte een zoemend geluid en bewoog over het formica tafelblad, maar dat negeerde ze. 'Oké,' zei ze voorzichtig. 'Wat dan?'

'Ik heb papa gesproken,' zei Sara. Het leek opeens doodstil in het restaurant. 'Ik heb bijna de hele tijd contact met hem gehouden. Ik heb hem zelfs een keer gezien, in Rensselaer Valley, voor de verhuizing. Ik wil dit weekend naar hem toe. Daar heb ik recht op, en hij ook.'

'Weet je dan waar hij is?' vroeg Helen, die wit wegtrok.

Sara kon een glimlach niet onderdrukken, hoe hard ze ook haar best deed. 'Hou je vast,' zei ze.

Ze had al een poos geen auto meer gereden – weer zoiets uit haar vorige leven wat ze niet miste – maar de volgende ochtend liep Helen naar de Hertz die een paar straten verderop zat en kwam terug achter het stuur van een schone, vreemde auto. Het was nog geen negen uur in de ochtend, maar er was in de hele straat al geen parkeerplaats meer te bekennen. Ze was van plan geweest om weer naar boven te gaan, maar in plaats daarvan moest ze Sara bellen op haar mobiel en zeggen dat ze beneden in de auto zat te wachten. Sara reageerde natuurlijk alsof het niet kunnen vinden van een parkeerplaats getuigde van een gebrek aan intelligentie. Helen hing op – ze wist dat het nog wel een poos kon gaan duren omdat Sara nu met opzet rustig de tijd zou nemen – stelde de vreemde autostoel anders in, probeerde te ontdekken hoe het irritante verwarmingselement in de zitting moest worden uitgeschakeld, zette de radio aan en daarna weer uit, en bleef toen alleen maar zitten en werd steeds bozer.

Ze was voor gek gezet. Wat kon haar ex-man, die nog maar net uit de bak was, in godsnaam van plan zijn? Waarom had hij het huis gekocht dat niet alleen het decor van zijn ineenstorting was geweest, maar ook de reden ervan, het huis dat zich in de loop der jaren zogenaamd aan hem geopenbaard zou hebben als geestelijk vergiftigend, zielverwoestend en riekend naar de dood? Daar moest iets achter zitten. Als het om geld ging, deed hij niet zomaar iets. Ze probeerde te bedenken wat zijn bijbedoeling kon zijn, maar elk idee leek nog onzinniger dan het vorige. Was het soms een of andere langdurige zwendelpraktijk die zij niet snapte omdat ze daar te dom voor was? Hoewel de scheiding officieel gezien al definitief was, waren ze overeengekomen dat de rechter kwesties als de voogdij, de alimentatie en dergelijke opnieuw tegen het licht zou houden zodra de rechtszaak tegen Ben was afgerond en het duidelijk was hoe hij er financieel voor stond. Ze was er steeds van uitgegaan dat die zitting bedoeld was om ervoor te zorgen dat Sara en zij zo goed mogelijk verzorgd waren, maar waarom nam ze dat zomaar aan? Probeerde Ben soms voorbereidingen te treffen om haar al het geld af te pakken zodat hij alles weer terug had? Maar dat verklaarde nog niet waarom hij daar ook echt was gaan wonen. Het was voor die mysterieuze juridische reden van hem vast wel afdoende om het huis alleen maar te bezitten. Ze kon zich niet herinneren dat hij zich anders dan vol walging over het huis had uitgesproken.

De gedachte die natuurlijk even door haar hoofd schoot, samen met vele andere, was dat het hem ging om een verzoening met haar. Voor zover dat al voorstelbaar was, leek dit haar ook een behoorlijk vijandige manier om het aan te pakken. In het enige telefoongesprek dat ze hadden gevoerd, de vorige avond, was zij boos en hij onnatuurlijk kalm geweest. Ze had gedreigd hem te laten arresteren omdat hij zonder haar medeweten contact had gehad met hun dochter, al wist ze niet hoe realistisch haar dreigement was. Dat hij het vertikte om zijn stem te verheffen, maakte haar alleen nog maar razender. Hij wilde zijn dochter weer zien. Dat was het enige wat hij zei.

Maar hoe bang en beschermend ze hiervan met het oog op Sara ook werd – de wereld van die arme meid was op zijn kop gezet door haar vader, die haar had afgewezen en beledigd en die haar nu weer terug liet komen in een karikatuur van hun vroegere thuis alsof er niets was gebeurd – het frustreerde haar pas echt dat ze geen enkel voorwendsel had om daar uiting aan te geven, want Sara was ermee in haar nopjes. Telkens als Helen het verhaal wilde afsteken dat Sara niet bang hoefde te zijn en dat het helemaal niet erg was dat ze boos was, lachte haar dochter haar gewoon uit. Letterlijk. Daar kwam ze aan, ze zwaaide charmant naar de portier, huppelde bijna door de geopende glazen schuifdeur en stapte in.

'Zo zo,' zei Sara met een aanmatigende vrolijkheid. 'Tien voor twee, zelfs terwijl je nog niet rijdt. Goed van je hoor.'

'Heb je de deur op slot gedaan?' vroeg Helen, maar Sara had haar oortjes in, dus het zou hoe dan ook bij een eenrichtingsgesprek blijven.

Helen had de pest aan het agressieve verkeer in New York, zelfs op een zaterdagochtend wanneer de wegen waarschijnlijk minder druk waren, en daarom reed ze eerst helemaal naar de West Side, waarvandaan je in één ruk door kon naar Rensselaer Valley. Het was een mooie ochtend en een fraaie rit over de Saw Mill, en hoewel Sara dan wel niets tegen haar zei, zat ze haar dus ook niet te bespotten of te beledigen. Maar ergens in de buurt van Chappaqua, waar de omgeving bekender werd, voelde Helen zich zo beroerd worden dat ze bijna de auto aan de kant moest zetten. Ze had niet verwacht dat ze zo heftig zou reageren. Zo vreselijk had ze het helemaal niet gevonden toen ze hier nog woonde. Toen ze de afslag naar Rensselaer Valley namen, veerde Sara meteen op, als een hond, dacht Helen onaardig. Daar was het station, en de basisschool waar Sara op had gezeten, in de tijd dat Helen stom genoeg nog dacht dat ze hun leven prima op orde hadden. Dat was het natuurlijk: ze had het gevoel dat hier nog steeds een eerdere en beschamende versie van haar woonde. Toen ze langs de school kwamen, nam haar spiergeheugen het van haar over, en het volgende moment, het was bijna alsof ze alleen maar een passagier in de auto was, stonden ze al op de heuvel waarvandaan je uitkeek op Meadow Close. Er leken geen gordijnen voor de ramen te hangen, maar afgezien daarvan zag het huis er aan de buitenkant hooghartig en beledigend onveranderd uit, alsof het zich geen moer aantrok van wat zich binnen had afgespeeld. Helen reed de oprit in en liet de auto langzaam uitrollen tot hij stopte.

'Ga je mee naar binnen?' vroeg Sara.

'Geen denken aan,' antwoordde Helen. Sara haalde haar schouders op en deed het portier open. Helen keek haar na toen ze over de flagstones liep en de voordeur opende alsof ze daar nog steeds woonde. Daarna was er niets meer te zien, niets meer te horen. Er stak een wind op die de laatste droge herfstbladeren door de bruinverdorde, beschamende tuin blies.

Zou ze hier in de auto blijven zitten tot het afgesproken bezoek over – ze keek op haar horloge – zes uur afgelopen was? Misschien. Niks mis mee, vond ze. Ze had in elk geval geen zin om in beweging te komen. Maar toen bedacht ze dat Sara en Ben misschien niet van plan waren om al die tijd met elkaar te blijven zitten praten. Misschien gingen ze wel even de stad in, om te eten bijvoorbeeld, want het leek haar onwaarschijnlijk dat Ben in de bak had leren koken, en als ze naar buiten kwamen en haar als een zombie in haar huurauto zouden zien zitten, zou dat zo'n vernedering zijn dat ze daar niet eens aan durfde te denken. Ze bloosde nu al, alsof ze door de niet-aanwezige gordijnen werd begluurd. Ze startte de motor, reed achteruit de oprit af en ging terug.

Er was op zaterdag niet veel te doen in Rensselaer Valley, op andere dagen trouwens ook niet. Er waren twee restaurants, of drie als je die kleine Poolse kruidenierszaak meerekende waar nooit iemand kwam. Ze kwam wel in de verleiding om daarheen te gaan, want ze had bij het ontbijt alleen een glas cranberrysap

genomen, maar waar ze ook naartoe ging: de kans was groot dat
Ben en Sara dezelfde zaak binnen zouden komen en haar daar
in haar eentje zouden zien zitten. En elke versie van wat zich
daarna zou kunnen afspelen kwam haar onverteerbaar voor.
Ze overwoog om Sara een sms te sturen en haar te vragen of
ze alsjeblieft niet naar die winkel wilden gaan, maar dat vond
ze zelf al vrij belachelijk, dus haar dochter zou het minstens
tien keer zo idioot vinden en er naderhand eindeloos over door
blijven emmeren. Uiteindelijk ging ze maar naar de kranten-
kiosk tegenover het station, kocht een beker smerige koffie en
een zakje m&m's met pinda en liep terug naar de parkeerplaats
achter de winkelstraat om in haar huurauto te gaan zitten, die ze
nog steeds niet goed herkende. De kioskeigenaar, een getergde
oudere, Arabische heer, had ze misschien wel tweehonderd keer
gesproken, maar hij gaf geen blijk van herkenning toen hij haar
zag. Mooi zo. Ze wilde ook niet herkend worden.

Ze had geen werk meegenomen, ze had er blijkbaar helemaal niet over nagedacht wat ze deze eerste middag waarop
ze de voogdij van haar dochter met haar ex deelde moest doen,
maar gelukkig kon ze wel haar mail lezen, wat genoeg aflei-
ding bood. De raad van bestuur van een bedrijf in Californië
dat een faillissement probeerde te voorkomen, had kennelijk
nog genoeg geld om hun imago door Malloy te laten oppoetsen
zodat de leden ervan zouden worden herkozen. De directeur
van een liefdadigheidsinstelling die miljoenen had ingezameld
voor de bouw van scholen voor meisjes in Pakistan en Afghani-
stan ontkende berichten dat die scholen helemaal niet beston-
den. Een bedrijf in Polen, of all places, was door het kantoor
in Londen doorverwezen naar Helen persoonlijk; het bedrijf
deed gasboringen waarbij er tonnen giftige chemicaliën in de
Donau waren terechtgekomen, wat niet alleen een bedreiging
vormde voor de werkgelegenheid, maar waardoor er zelfs mensen waren omgekomen, acht of elf, afhankelijk van welke telling

je geloofde. Niet de strategie was hier het probleem, maar de directeur van het bedrijf, een ouwe communist, die zich vanuit zijn ivoren toren verzette tegen elke poging om hem al dan niet in het openbaar te laten toegeven dat er fouten waren gemaakt. Het team in Londen was daar zo gefrustreerd over geraakt dat ze de zaak maar al te graag uit handen gaven aan Helen, wier reputatie op dit gebied inmiddels zelfs aan de overzijde van de Atlantische Oceaan bekend bleek te zijn. Het was niet helemaal duidelijk of ze haar bewonderden, of haar alleen als een handige onderknuppel beschouwden.

Ze dacht aan haar koffie en nam een slok, maar net op dat moment werd er door een gehandschoende hand op het raampje geklopt, waar ze zo van schrok dat de helft van de slok koffie over haar kin droop. Van een schreeuw zou ze minder erg geschrokken zijn. Ze hield haar BlackBerry van zich af om hem te beschermen, keek door het raam omhoog en zag Patty Crane, de moeder van Sara's vroegere beste vriendin Sophia. Die stond voorovergebogen door het raampje naar binnen te gluren alsof Helen Amelia Earhart was. Ze maakte een rare beweging met haar hand die Helen pas na enige tijd herkende als een vraag om het raampje naar beneden te draaien. Ze zuchtte, glimlachte geforceerd en gehoorzaamde.

'Helen?' vroeg Patty theatraal. Ze was een van die vrouwen uit de buurt die Helen eigenlijk nooit zo aardig had gevonden, maar met wie ze in de loop der jaren op de een of andere manier toch ontzettend veel tijd had doorgebracht. 'Verbeeld ik me dit nou?'

'Nee hoor,' zei Helen dapper, maar ze deed het portier niet open. 'Ik ben het echt.'

'Ben je hier terug? Toen ik een week of wat geleden langs jullie huis kwam, zag ik daar licht branden, maar ik dacht dat dat betekende dat het eindelijk verkocht was. Goed om je weer te zien!'

Er werd geen woord gewisseld over het verleden, over de oorzaak dat zij en haar gezin in ongenade waren gevallen. Sterker nog: Helen kreeg de indruk dat Patty heel goed wist wie er in hun oude huis woonde, dat alle kwaadaardige roddelaarsters dat al wisten sinds Ben erin was getrokken, maar dat ze deed alsof haar neus bloedde. Waarom? Waarom moest alles zo geritualiseerd worden? Helen een vernedering besparen en haar vernederen waren zo moeilijk van elkaar te onderscheiden dat zelfs Patty waarschijnlijk geen idee had met welk van de twee ze nu bezig was, en waarom.

'Ik ben hier alleen vandaag even,' zei Helen. 'Ik wacht tot ik Sara op kan halen.' Ze zwaaide met de BlackBerry. 'En intussen werk ik wat.'

'O, werk je? Wat spannend! Wat doe je precies?'

'Pr,' zei Helen. 'Crisismanagement.'

'Wat spannend,' zei Patty.

'Hoe gaat het met Sophia?' vroeg Helen om de aandacht van zichzelf af te leiden, maar ze luisterde vervolgens niet naar het antwoord, wat voorspelbaar genoeg enige tijd in beslag nam. In plaats daarvan dacht ze na over Patty, met haar kortgeknipte haar, haar donsjack en haar spijkerbroek die zich spande om haar brede hockeyheupen; ze bedacht dat als je haar dat allemaal uit zou trekken en haar een hoedje en een ouderwetse katoenen jurk zou geven, ze voor hetzelfde geld blijmoedig stenen had kunnen uitdelen om Helen en haar gezin mee te stenigen, of haar aan de schandpaal had kunnen bespuwen. Net op dat moment ging haar BlackBerry. Ze zag op het schermpje dat het een automatische sms was van de IT-afdeling van haar werk, waarin stond dat de servers de komende nacht wegens onderhoud niet beschikbaar waren, alsof iemand op een zondagochtend om twee uur een zakelijke sms zou willen versturen.

'Dat is Sara,' loog Helen schaamteloos. 'Ze wacht op me. Ik moet gaan. Leuk je weer eens gesproken te hebben, Patty, doe de groeten aan Sophia en…' – ze kon niet op de naam van haar man komen – 'aan de hele familie.' Ze startte de motor en reed achteruit. In werkelijkheid moest ze nog zo'n vier uur zien te overbruggen, maar ze kon nu niet meer terug naar Main Street. Ze reed langzaam door de bekende straten. Over het spoor, langs de middelbare school, naar de duurdere kant van de stad waar een kleine zwemclub was waar ze lid van waren geweest toen Sara klein was. Het was onwaarschijnlijk dat daar zo vroeg in het seizoen al iemand kwam, zelfs op een zaterdag, en twee minuten later zette Helen de auto op de verlaten parkeerplaats en deed de motor uit. En terwijl de takken onhoorbaar heen en weer bewogen voor haar voorruit, begon ze te huilen. Ze zei steeds tegen zichzelf dat ze daarmee op moest houden. Ze vond dat ze er niet genoeg reden toe had. Want als je het vanaf een afstandje bekeek, ging alles in haar leven eigenlijk behoorlijk goed.

Toch was ze nog maar nauwelijks tot bedaren gekomen toen ze haar dochter oppikte aan het begin van de oprit van hun oude huis. 'Hoe was het?' vroeg ze, in de veronderstelling een wrede reactie te krijgen in de vorm van zwijgzaamheid of de schampere opmerking dat het zo fijn was om in elk geval één ouder te hebben die zich alleen met zijn eigen zaken bemoeide, maar het was nog veel erger: de zes uren die Sara in gezelschap van haar vader had verkeerd hadden haar rustig en mededeelzaam gemaakt. 'Sorry, mam, het was vast niet leuk om zes uur lang op mij te moeten wachten terwijl je niks anders te doen had dan je zorgen maken, maar je hoeft echt niet bezorgd te zijn. Hij is geweldig. Niet weer helemaal de oude, hij is wel een beetje veranderd, maar eerlijk gezegd is hij erop vooruitgegaan. We hebben alleen maar wat zitten praten. Ik denk dat het goed zou zijn als ik wat vaker contact met hem zou hebben. Het was ook helemaal niet zo raar. Het raarste was eigenlijk om weer terug in ons oude huis te komen. Dat zou niet raar moeten zijn, maar dat was het wel. Het is net een hol. Er staan serieus bijna geen meubels meer in.'

Helen luisterde onder het rijden, eerder met moordneigingen dan met opluchting. En ze voelde zich nog niet veel beter toen ze maandagochtend op haar werk kwam en er al zes voicemailberichten voor haar waren: vier uit Londen en twee met een netnummer dat ze niet kende. Er was geen naam ingesproken, dus ze negeerde ze. Er was een spoedoverleg gepland met iemand die in het nationale basketbalteam speelde, alleen scheen niemand te weten wanneer hij precies zou komen. Zijn naam zei haar niets, maar omdat haar mannelijke collega's telkens nieuwsgierig hun hoofd om de hoek van haar deur staken met het voorwendsel dat ze elkaar zochten, concludeerde ze dat het niet zomaar iemand kon zijn. Het zou gaan over een vaderschaps- of alimentatiezaak die door de vrouw van een teamgenoot was aangespannen, maar kennelijk was het voor de man niet belangrijk genoeg om er eerder dan half elf voor uit zijn bed te komen, en daarom ging Helen naar de ochtendvergadering en hoopte daar niet aan de tand te worden gevoeld over de vorderingen met de geagiteerde Poolse directeur.

Gelukkig was ze niet de enige die zich belegerd voelde. Arturo had voor iedereen een nieuwe opdracht – een naamswijziging na het instorten van een mijn, een krant die werd beschuldigd van het plagiëren van een blog – en negeerde hun klachten dat ze nu al tot over hun oren in het werk zaten.

'Ik moet de klanten die ik al heb wel genoeg aandacht blijven geven,' riep Ashok verhit.

'Die vinden het vast niet erg om je wat minder vaak te zien,' zei Arturo. 'Zulke dingen gaan altijd in golven, zoals jullie zelf ook heel goed weten. Heb je te veel werk en niet genoeg tijd? Dat is een crisis, dus manage het maar. Tot morgen, tenzij jullie het voor die tijd verkloten.'

Helen, die Shelley drie of vier keer had zien gapen, drong zich naar voren en liep samen met haar het aquarium uit. 'Heb jij het ook zo druk?' vroeg ze. 'Kan ik je ergens mee helpen?'

Shelley glimlachte en keek gegeneerd. 'Het heeft niet met mijn werk te maken,' zei ze zacht. 'Ik had gisteren een date, was erg leuk, tralala, misschien moet ik even een Red Bull gaan halen in de kantine. Heb je zin om mee te gaan en alle smeuïge details te horen?'

Helen verontschuldigde zich en liep terug naar haar kamer. Een date op zondagavond? Waarom zou dat eigenlijk zo raar zijn? Waarom zou iedereen alles net zo moeten doen als zij? Ze had zelf ook een heel ander leven kunnen leiden. Ze had zelf op zaterdagavond iets kunnen gaan doen: onderweg naar Rensselaer Valley had Sara haar oortjes uitgedaan en gevraagd of ze bij Ben in hun oude huis mocht blijven logeren, waarop Helen nee had gezegd, maar waarom eigenlijk? Waarom had ze het niet gewoon goedgevonden? Dan had ze alleen kunnen terugrijden naar de stad, een alleenstaande vrouw op zaterdagavond in Manhattan, de decadentste plek van Amerika; ze had een of andere man kunnen versieren en mee naar huis kunnen nemen, met hem de koffer in kunnen duiken en hem daarna kunnen dumpen, waarna ze de volgende dag als een spion of een oplichter haar dochter van de trein had kunnen halen, alsof ze twee kanten had die niet eens van elkaars bestaan wilden weten. Maar daar was het nu te laat voor. Niet alleen wat dit weekend betrof, maar ook omdat ze nooit meer een vrouw kon worden die wist hoe je zoiets deed zonder jezelf te kijk te zetten als gestoord, zielig of belachelijk.

'Je hebt geen boeken meegenomen, heb je helemaal geen huiswerk?' had Helen toen maar gevraagd.

Sara had haar ogen dichtgedaan. 'Ja, logisch,' zei ze. 'Logisch dat ik wel huiswerk heb. Het is weekend en ik ben geen vijf meer. Vroeg je dat nou serieus?'

Haar eigen kantoor had natuurlijk geen glazen wanden, dus Helen slaakte een geschrokken kreet toen ze binnenkwam en naast haar bureau opeens een statige jonge vrouw zag staan die ze nog nooit had gezien.

'Helen?' vroeg de vrouw. 'Ik ben Angela. Ik werk voor meneer Malloy. Heb je misschien heel even tijd? Meneer Malloy wil je graag boven even spreken.'

'Ja, natuurlijk,' zei Helen, die van de schrik probeerde te bekomen. 'Heel aardig dat je me komt ophalen, maar het was ook prima als je even had gebeld.'

Angela glimlachte en hield een kleine, zilveren sleutelhanger omhoog waar maar één sleutel aan bungelde. 'Speciale lift,' zei ze.

Hoewel Helen heel goed wist dat het kantoor van meneer Malloy zich op de vijfde verdieping bevond, had ze op de een of andere manier verwacht dat het hoger zou zijn en het uitzicht beter. Toen ze binnenkwam, stond Malloy voor zijn brede raam en keek door de regen naar het gebouw aan de overkant. Hij had zijn handen in zijn zakken en hij lachte. Angela ging weg en deed de deur achter zich dicht. Hij zag de weerspiegeling in de ruit en draaide zich om. 'Ah!' zei hij. 'De onvindbare.'

'Pardon?'

'Hindert niet. Ik ben vanochtend met een bezoeker bij je langs geweest. Ik had je even moeten waarschuwen, maar ik was zelf ook niet gewaarschuwd.'

Helen ging zitten zonder te wachten tot hij haar daartoe uitnodigde, kruiste haar benen en deed haar armen over elkaar. 'Elke ochtend om half elf hebben we teamvergadering,' zei ze schor.

'Ja, natuurlijk. Dat schoot me helaas pas te binnen toen we al bij je lege kamer waren, maar ik wilde niet iedereen aan het schrikken maken door de vergaderzaal binnen te komen. Hoe gaat het met je, Helen? Ik weet natuurlijk wel dat het heel goed gaat, ik hoor alleen maar goede dingen over je, maar hoe vind je het hier? Voel je je hier prettig?'

Als hij dat laatste achterwege had gelaten, zou ze het automatische antwoord hebben gegeven dat je geacht wordt te geven als je baas zoiets vraagt, maar in plaats daarvan glimlachte ze alleen maar en knikte braaf. Ze vroeg zich af wat hij over haar gehoord had en van wie.

'Mooi, mooi, heel mooi,' zei Malloy. 'En thuis?'

Hij zou wel op de hoogte zijn van haar thuissituatie omdat hij er werk van leek te maken zulke dingen te weten, maar omdat de vraag heel algemeen klonk vond ze het afdoende om haar duim op te steken. 'U zei dat u met iemand naar me toe kwam, was dat een klant?' vroeg ze.

Zijn bril schoof iets omhoog op zijn wangen doordat hij zijn lach ververste. 'Ja, inderdaad. Een geestelijke. En ik moet zeggen dat dit voor mij ook nieuw is. Hij werkt maar liefst voor het aartsbisdom van New York en hij is hier als persoonlijke vertegenwoordiger van de aartsbisschop, die zich natuurlijk niet op zulke dubieuze plekken als deze kan vertonen. Ze willen gebruikmaken van onze diensten, van de beste adviseurs op het gebied van crisismanagement. Ik heb de vrijheid genomen om een afspraak te maken voor jullie tweeën, morgenochtend, deze keer bij hen, en die afspraak kun je maar beter niet missen.'

Ze probeerde uit alle macht te bedenken wat ze moest zeggen, maar ze was niet snel genoeg en hij probeerde haar zwijgen te duiden.

'Het klopt dat ik speciale belangstelling voor je heb,' zei hij. 'Arturo en die andere leden van het vrolijke clubje beneden doen uitstekend werk, maar eerlijk gezegd geloof ik niet dat ze het al zien.'

'Dat ze wat zien, meneer?'

'Jou. Wat je doet.'

'Ik vraag me soms af of ik dat zelf wel zie.'

'Nee, natuurlijk, dat verbaast me niets,' zei Malloy. 'Maar ik zie het wel. Wat jij doet is een aanzet naar de toekomst. Ik denk dat wij hier binnen afzienbare tijd de studieboeken over crisismanagement zullen herschrijven.'

'Ik vind de schaal wel een probleem,' zei Helen. 'Hoe groter het wordt, hoe onwerkelijker het op me overkomt.'

'Wat jij je af zou moeten vragen,' zei Malloy vriendelijk, 'en wat anderen zich zullen afvragen als ze jouw successen zien, is niet hoe werkelijk het proces is, hoe dat er dan ook uit mag zien, maar wat de resultaten zijn.'

Zijn kamer was niet zo groot als ze zich had voorgesteld. Hij had de jaloezieën helemaal open. Hij keek weer naar een vrouw in het gebouw aan de overkant die een paar keer met de muis van haar hand op een printer sloeg, en daarna naar haar baas, een oudere man met schijnbaar eindeloos geduld, of misschien had hij niet veel te doen.

'Bedoelt u nu dat de aartsbisschop mij wil ontmoeten?' vroeg Helen.

'Ik kan niet beloven dat Zijne Eminentie persoonlijk aanwezig zal zijn, maar wel verdomd dicht in de buurt. Ze wilden eerst mij hebben, maar ik heb gezegd dat jij de aangewezen crisismanagementspecialist bent.'

'En wat is dat precies voor crisis?' vroeg ze.

Malloy lachte scheef. 'Kom op, lees je geen kranten?'

Angela klopte aan en kwam binnen met haar sleutelketting in haar hand. Een paar minuten later stond Helen weer in haar kamer. Ze was slaperig. Ze voelde zich alsof ze werd ingezet als een instrument, maar waarvoor? Ze had een baan aangenomen om haar gezin te onderhouden, maar nu was haar baan schaamteloos van haar gaan houden, en leek haar gezin haar niet meer nodig te hebben of zelfs maar te willen. Ze deed de deur dicht om een paar seconden langer respijt te krijgen mochten de basketballer en zijn agent nog komen opdagen. Haar telefoon ging:

op het schermpje zag ze het nummer dat ze herkende van het lijstje met berichten van het afgelopen weekend. Daarboven stond iets onbegrijpelijks waar ze niet veel uit kon afleiden: lksd inn clt vt. Ze nam op en noemde afwezig haar naam.

'Helen?' vroeg een mannenstem dringend. 'God, Helen, ben jij het echt? Of ben jij haar secretaresse?'

Helens gezicht vertrok van verbazing. 'Nee, ik ben het zelf. Met wie spreek ik?'

'Is er niemand anders op de lijn? Of op je kamer? Worden jullie gesprekken opgenomen?'

De stem haperde even, het klonk bijna als een snik. 'Ik ben de enige die dit kan horen,' zei Helen een tikje geïrriteerd. 'Met wie spreek ik?'

'Met Hamilton,' zei de stem.

'Hamilton? Waarom... hoe heb je... is er iets aan de hand?'

'Ja,' fluisterde hij.

'Waar ben je?'

'Dat weet ik niet. Bij een munttelefoon.'

'Hoezo, dat weet je niet? Ben je wel in de stad?'

'Nee, dat zeker niet. Ik zit in een of ander motel of zo. Ik weet niet meer hoe ik hier gekomen ben. Als ik naar buiten kijk, zie ik een meer. Misschien Champlain? Nadat wij elkaar hebben gezien, ben ik nogal doorgezakt en nu weet ik niet meer hoe ik hier terechtgekomen ben.'

'Hamilton,' zei Helen. 'Dat is vijf dagen geleden.'

'Ik wist nog dat je zei dat je bij Malloy werkte.' Nu klonk hij alsof hij huilde. 'Ik had je kaartje nog en ik heb hulp nodig, maar ik kan niet die mensen bellen die ik anders altijd bel.'

'Waarom niet?'

'Volgens mij heb ik iets ergs gedaan,' zei Hamilton.

6

In 1889 openden twee katholieke missionarissen een tehuis voor onhandelbare meisjes in Malloy, New York – in die tijd een stadje met nog geen driehonderd inwoners, wat op een ongewoon hoog percentage onhandelbaarheid ter plaatse scheen te duiden. Dat tehuis werd later een weeshuis, en er werd een klooster gesticht om het van personeel te voorzien, wat na de Eerste Wereldoorlog tot een toestroom leidde van jonge, bevlogen katholieke vrouwen van overal ter wereld, hoewel voor zeker negentig procent uit Ierland of Engeland. Decennialang waren de nonnen in feite het meest wereldse element van Malloy, een stadje dat verder vooral bestond uit boeren en, vanaf de jaren dertig, personeel van de extra beveiligde gevangenis bij Plattsburgh. De kerk had lokaal zo veel invloed dat het klooster vervolgens in 1939 een school stichtte, St. Catherine's, voor katholieke kinderen van beide geslachten. In de loop der tijd breidde de gevangenis zich uit, gedijde het stadje dienovereenkomstig, maar kromp de congregatie om onverklaarbare reden onverbiddelijk. Het weeshuis werd in de jaren zestig gesloten, het klooster in de jaren zeventig. De school daarentegen bleef open en werd, althans door degenen die er het geld voor hadden, nog steeds gezien als een waardig alternatief voor de enige openbare basisschool in Malloy, berucht om zijn in elk opzicht gevaarlijk lage maatstaven. Het leerlingenaantal op St. Catherine's was tegenwoordig maar iets lager dan toen Helen erop zat.

Althans, dat was het zeventien jaar geleden, toen ze er voor het laatst was geweest. Nu zou de school best helemaal opgeheven kunnen zijn. Helen, die geen enkele band meer had met de plaats – geen familie, geen vriendinnen met wie ze nog contact had – had het niet bijgehouden.

Dit was sindsdien de eerste keer dat ze zo ver naar het noorden was gereden: alweer in een huurauto, via Route 7 langs de westkant van Massachusetts met een wegenkaart onhandig over het stuur gedrapeerd. Ze had om een auto met zo'n ingebouwd GPS-systeem moeten vragen, al zou de tijdsbesparing die dat had opgeleverd misschien weer teniet zijn gedaan door de tijd die het haar zou hebben gekost om erachter te komen hoe ze het ding moest bedienen. Ze was hopeloos met apparaten, zoals haar dochter haar bij elke gelegenheid inwreef. Twee uur nadat ze Sara had afgezet in Rensselaer Valley galmden Helens oren nog na van alle protesten van het meisje: wat doe je nou weer, ik heb morgen school, kidnap je me of laat je me in de steek, nou heb je echt je verstand verloren, ik wist wel dat het zover zou komen, als je me ophaalt en dan zo dumpt hoef je niet te verwachten dat ik ooit weer naar huis kom, kut, waarom zeg je nou niet gewoon waar je zo haastig naartoe moet. Maar nu ze hier zo voortkroop door de Berkshires was haar eigen stem tenminste de enige die haar op haar kop gaf omdat ze geen snellere, slimmere route had uitgedokterd. Toen ze voor de zoveelste keer voor een stoplicht stond, controleerde ze of haar telefoon, op trilstand, nog wel bereik had. Geen oproep van Sara, nog geen oproep van haar werk, geen oproep van Ben, geen oproep van Hamilton. In dit tempo mocht ze van geluk spreken als ze voor het donker in Vermont was.

Hij had Helen geen moment rechtstreeks gevraagd hem te komen redden, maar het was zonneklaar dat hij dat wilde, en ze begreep dat Hamilton, zelfs op zijn meest onbewaakte ogenblikken, verwachtte dat anderen probeerden zijn behoeften vóór te zijn, want dat was hij gewend. Hij wilde niet zeggen wat er was, hij wilde haar niet vertellen wat hij had gedaan. Hoewel hij feitelijk niet echt een klant was, was hij louter naar zichtbaarheid beoordeeld een van de grootste namen waarvoor Malloy werkte, en daarom voelde Helen zich gerechtvaardigd al haar afspraken af te zeggen, naar huis te gaan om twee tassen in te pakken en de telefooncentrale opdracht te geven iedereen die naar haar vroeg te laten weten dat ze was weggeroepen voor een spoedgeval. Ze verbood Hamilton zijn motelkamer uit te komen. Maar ik heb honger, zei hij. Ze belde het kantoortje van het motel onder het voorwendsel dat ze een gast was – dit terwijl ze van haar appartement naar de Hertz-vestiging een paar honderd meter verderop liep – en vroeg het nummer van een pizzeria in de dichtstbij gelegen plaats. Daar bestelde ze telefonisch een pizza, met het verzoek die achter te laten voor de deur van huisje 3; ze betaalde met haar bedrijfscreditcard. Vervolgens reed ze naar Sara's school en probeerde de beveiliger daar aan zijn verstand te brengen dat ze een moeder was die onmiddellijk haar kind mee moest nemen. Het duurde uiteindelijk bijna twintig minuten voor er zelfs maar een adjunctdirecteur door de gang kwam aanlopen om haar te woord te staan.

Sara had zich vast wel een dag of wat in haar eentje thuis kunnen redden – zelf voor haar eten zorgen, op tijd naar school gaan, het appartement niet platbranden. Maar dat had ze nog nooit eerder hoeven doen, en Helen wist al hoe ze zou reageren; ze hoorde de verontwaardigde opsomming al van alle rampen die er zouden kunnen gebeuren. Alles bij elkaar leek het domweg eenvoudiger en minder verontrustend om haar voor een paar dagen bij haar vader te dumpen. Dat hij nu mooi kon laten zien wat hij waard was speelde natuurlijk ook mee. Als ze er niet blij mee waren, hadden ze pech. Toen Helen zo oud was als Sara nu was er van haar in elk geval al heel wat meer zelfstandigheid verwacht. Van iedereen die ze kende.

Ergens in de buurt van Pittsfield werd het minder druk op de weg, zodat ze beter opschoot.

Bij de stoplichten bleef ze, als ze tenminste niet weer de kaart raadpleegde, naar een verklaring zoeken voor het feit dat ze nota bene naar Vermont ging, of liever gezegd voor het feit dat Hamilton daarnaartoe was gegaan. Waarom Vermont? Om een film op te nemen? Om zich te verbergen? Ze had ergens gelezen dat iemands verblijfplaats indien nodig kon worden opgespoord door middel van zijn telefoon, zelfs al had die een lege accu. Mobiele telefoons hadden alles veranderd, niet alleen op het gebied van communicatie maar ook van privacy, geheimhouding, afwezigheid, alibi's. Al die minuten die je vroeger als puber koortsachtig bezig was om een geloofwaardig verhaal te verzinnen over waar je had uitgehangen, die laatste paar honderd meter voor je om tien of elf uur 's avonds thuis was! Al dat wanhopig moeite doen om eruit te zien alsof je zelf geloofde wat je zei! Eén keer, hooguit een maand of twee voor ze uit Malloy weggingen, had ze een hele avond met Charlie Lopinto, zijn oudere broer en drie vriendinnen rondgereden in de auto van Charlies vader en waren ze door de politie aangehouden, niet omdat ze zaten te drinken of te hard reden maar omdat de broer die avond kennelijk hooglopende ruzie met zijn ouders had gehad en zij de auto als gestolen hadden opgegeven. Terwijl Helen en haar vriendin Libby de agent vertelden dat zij daar niets vanaf wisten, hadden ze zo hard moeten huilen dat hij er ten slotte ietwat nors in toestemde hen te laten gaan zonder ze persoonlijk bij hun ouders af te leveren. Dat betekende wel dat ze ruim vijf kilometer moesten lopen en het was al laat, maar Helen wist nog precies hoe Libby teder de uitgelopen mascara van Helens gezicht had geveegd en haar hun verhaal nog een laatste keer had overhoord voor ze naar binnen ging en haar vader en moeder voorloog over de reden dat ze zo laat thuis was.

Misschien was Hamilton er die avond zelfs wel bij geweest – niet in de auto, maar ergens onderweg, tussen een van die groepjes vrienden waarbij ze waren gestopt om even mee te praten. Het zou wel niet, maar ze kon zich alle details niet meer herinneren. Ze kon het niet uitstaan als ze zulke dingen die ze had gezien of gedaan niet meer wist, ook al was dat niet meer dan natuurlijk. Daarom was ze als kind ook altijd zo bang voor de biecht. Iets vergeten was eigenlijk niet hetzelfde als liegen, maar waar het zonden betrof was het onderscheid tussen die twee te gering.

Ineens was ze er bijna; ze zag een bord voor afrit 4, wat betekende dat ze de volgende moest hebben, als ze tenminste niet achteruit telden zonder dat zij dat had gemerkt. Zelfs langs de snelweg was het landschap van New England zo pittoresk dat het bijna op je zenuwen werkte. Het deel dat aan New York grensde was veel grimmiger en minder toegankelijk, wist ze, ook al lag dat pal aan de overkant van het meer. Het enige wat ze voor haar vertrek van kantoor uit Hamilton had kunnen krijgen, was dat hij in zijn eentje was, maar zo te horen was er wel iemand anders bij zijn moeilijkheden betrokken; hij bleef maar zeggen dat alles afgelopen was zonder kennelijk een samenhangend idee te hebben wat hij met dat 'alles' bedoelde. Zijn carrière, veronderstelde ze. Ze had beloofd naar hem toe te komen omdat hij in het nauw zat en haar had gebeld – zo simpel was het. En dat hij van alle mensen nu juist haar had gebeld, alleen omdat hij pas nog naast haar had gezeten en zij hem een kaartje had toegestopt, en omdat er een reden was waarom de naam van haar werkgever in zijn hoofd was blijven hangen, zou je als toeval kunnen afdoen of als het noodlot kunnen bestempelen. Ze verliet de snelweg en deed daarna twintig minuten over zes kilometer drukke tweebaansweg, omdat ze zelfs daar in het landelijke Vermont blijkbaar last hadden van spitsverkeer. Toen een afslag naar het water, dat slechts nu en dan zichtbaar was als ze een heuveltop over ging, en daarna een afgeschilferd bord van de Lakeside Inn, een verzameling verweerde, schimmelige huisjes op lapjes kale grond, in het halfduister van de avond een van de onheilspellendste plaatsen die ze ooit had gezien.

In het gebouwtje met het bord 'kantoor' was gelukkig alles donker; ze hield stil voor huisje 3. Ook daar brandde binnen geen licht. Ze stapte uit en klopte aan, maar hoorde binnen niets bewegen, zelfs niet toen ze haar mond tegen de spleet bij de deur hield en zachtjes Hamiltons naam riep. Ze haalde haar telefoon tevoorschijn en toetste zijn nummer in, en toen pas zag ze dat er met een vinger een hoekje van het oude canvas rolgordijn voor het raam opzij werd getrokken. Het werd haast te donker om nog iets te zien, al kwam er nog wat licht van het meer. Ze hoorde een oude haak-en-oogsluiting van een hordeur losgaan en toen stond Hamilton buiten, naast haar op de piepkleine veranda; hij trok de deur met een ruk dicht en legde een hand op haar arm. Ze kon zijn gezicht nog niet goed zien.

'Niet naar binnen gaan,' zei hij beverig maar rustig. 'Laten we maar in jouw auto gaan zitten.'

Voor hij het portier weer sloot kon ze onder het bovenlicht even een blik op hem werpen, en eerlijk gezegd had ze erger verwacht. Hij had zich een paar dagen niet geschoren en hij stonk een uur in de wind, maar hij zag er nog steeds uit als een filmster. Hij kon er niet níét zo uitzien. Op de ene kant van zijn gezicht, tussen de kraaienpootjes bij zijn ooghoek en zijn oor, zaten schrammen of iets wat daarop leek. Zijn ogen stonden ziek en bang.

Ze wachtte tot hij begon, maar ze zaten daar maar in het toenemende duister. Het oppervlak van het meer scheen nog tussen de zwarte bomen door. 'Is alles met jou in orde, Hamilton?' vroeg ze. 'Ik bedoel, heb je een dokter nodig of zo?'

'Nee,' zei hij, nog net verstaanbaar.

'Oké. Goed, voor ik kan zeggen wat de volgende stap is moet ik je, denk ik, vragen wat je hier in vredesnaam uitvoert. Op deze plek.'

'We zouden naar Malloy gaan,' zei hij. 'Dat geloof ik tenminste. Ik wilde haar laten zien waar ik ben opgegroeid. En toen zagen we op de Northway het bord van de veerboot naar Vermont en zei ze dat ze zo graag met de veerboot mee wilde, dus dat deden we. En toen we er aan deze kant af kwamen, lag dit hier zo'n beetje voor onze neus. Dat is alles wat ik nog weet.'

Malloy? dacht Helen, maar toen vermande ze zich. 'Wie is "ze"? Je had het over "ze".'

'Weet je nog, de première? Waar wij elkaar tegenkwamen?'

'Jazeker.'

'Zij van daar. Bettina. Je weet wel. Dat kleine, sexy, bitchy mens dat jou van je plaats wilde gooien. Die. Ik heb haar op het feestje na afloop opgepikt. Dat liep uit de hand en uiteindelijk zijn we er in haar auto vandoor gegaan.'

'Afgelopen woensdag,' zei Helen. 'Maar wanneer zijn jullie hier dan aangekomen?'

Hij haalde zijn schouders op en maakte een hoestgeluidje dat weleens een poging kon zijn geweest om een snik te onderdrukken.

'Waar is Bettina nu?' vroeg Helen.

Hij gaf geen antwoord.

'Dus jullie zijn aan de boemel gegaan, en nu is ze weg,' zei Helen sussend. 'Ze is zeker nuchter geworden en heeft jou toen hier achtergelaten? Zonder geld of iets? Nou, het is maar goed dat je eraan hebt gedacht mij te bellen…'

'Haar auto staat er nog. Die staat bij het kantoortje geparkeerd. Maar zij is weg.'

Helen probeerde te bedenken wat zij nu hoorde te reconstrueren. Oké, ze kon zich maar moeilijk voorstellen dat dat hooghartige meisje op haar hoge hakken ruim zeven kilometer terug naar de bewoonde wereld zou lopen. Zeker als haar auto hier stond.

'Ik ben bang dat er misschien iets gebeurd is,' zei Hamilton.

'Nou, ik zou maar niet in paniek raken,' zei Helen, en meteen wist ze dat ze dat beter niet had kunnen zeggen. Het was nu zo donker dat hij een silhouet was geworden, en ze kon niet zien of hij zat te huilen of het alleen maar koud had.

'Kunnen we alsjeblieft naar binnen gaan?' vroeg ze.

Hij zuchtte, en toen hij de passagiersdeur opende zag ze dat hij nu zijn kaken op elkaar klemde. Alles wat hij voelde moest extra uitvergroot via zijn gezicht naar buiten komen. Ze liep door het tumult van insecten- en kikkergeluiden achter hem aan, de twee treden naar de deur weer op. Toen ze allebei binnen waren drukte hij op de wandschakelaar en zag Helen bij het licht van een kaal peertje aan het plafond een afgehaald bed met op het dunne matras vlekken van een weliswaar niet grote maar beslist wel onthutsende hoeveelheid bloed.

'Ik kan me niks herinneren,' zei Hamilton vlak achter haar, waarop ze onwillekeurig een sprongetje maakte van schrik. 'Stel je voor dat ik iets verschrikkelijks heb gedaan?'

Oorspronkelijk was Ben van plan die maandag rond een uur of drie 's middags naar kantoor te gaan om een stuk voor de commissie ruimtelijke ordening door te nemen, een van die saaie klussen waarvoor Bonifacio hem met uitgesproken, rancuneus plezier scheen te betalen. Er was geen enkele reden waarom hij niet al om negen uur kon gaan – hij was tegenwoordig al om zes uur op, onder meer doordat de oude lappen die hij in de garage had gevonden en over de gordijnroeden had gedrapeerd maar tot halverwege zijn slaapkamerraam kwamen – maar Bonifacio vond het prettig als hij op een tijdstip kwam waarop ze er onder het werken een borrel bij konden nemen zonder het gevoel al te diep gezonken te zijn. Natuurlijk was het eerder het gezelschap dan het tijdstip wat Bonifacio zijn dekmantel schonk. 'Die ontwenning van je vergeten we maar, wat jou?' zei hij graag. 'Wat maakt het uit, ik wed dat het er in die chique tent waar jij vroeger werkte elke dag zo aan toeging.' Wat ver bezijden de waarheid was: op zijn vroegere kantoor wist iedereen die overdag een borrel nodig had hoe hij er stiekem eentje kon nemen, in de stijl van de ware alcoholist. Bens eigen ontwenningskuur mocht dan voor de show zijn geweest, hij had er wel het een en ander van opgestoken.

Zo had hij dus in de keuken gezeten en geprobeerd de *Times* te lezen op zijn mobieltje, een oefening in frustratie die hij had ondernomen om geld te besparen, toen hij zomaar opeens werd gebeld door Helen, zijn ex-vrouw, die zei dat ze in een auto onderweg was naar Rensselaer Valley om Sara voor een tijdje bij hem onder te brengen.

'Waar ga je naartoe?' vroeg hij.

'Gaat je niks aan.'

'Hoelang is een tijdje?'

'Hoezo? Heb jij dan soms iets anders waar je dringend naartoe moet?'

'Meer uit nieuwsgierigheid,' zei hij.

'Dat hoor je wel als ik het zelf weet. Luister eens, jij wilde weer een rol spelen in het leven van je kind? Dit is je kans. Niet alles verloopt volgens jouw tijdschema. Soms wordt jouw klotetijdschema zomaar ineens overboord gegooid.'

'Zit ze daar naast je?' vroeg Ben. 'Mag ik haar even spreken?'

'We zitten op de Saw Mill,' zei Helen. 'We zijn over een half uurtje bij je.' Ze hing op. Hij schoot wat kleren aan en spoelde zijn koffiebeker om, maar verder viel er weinig voor te bereiden: hij deed nog steeds niet veel meer dan zo'n beetje in het huis kamperen, met een paar canvas regisseursstoelen die hij bij de ijzerhandel in de aanbieding had gekocht, een tv met binnenantenne die wankel boven op de doos stond waarin hij was vervoerd, een niet aangesloten gasfornuis, hun oude koelkast en vrijwel geen eten. Hij hoorde het hoge geronk van een goedkope auto aanzwellen naarmate die verder de heuvel af kwam, toen één portier dat openging en dichtsloeg, toen het geronk dat weer hoger werd en zich verwijderde, en hij trok de voordeur open vlak voordat Sara haar hand om de knop legde. Ze had een plunjezak aan haar schouder en was zo te zien woedend.

'Hallo, lieverd,' zei hij voorzichtig. 'Kun jij me vertellen wat er aan de hand is?'

Sara liet haar tas op de vloer vallen, zakte er op haar hurken naast en wroette erin. 'Ma is eindelijk doorgedraaid, dat is er aan de hand,' zei ze kil. 'Déjà vu. Eerst jij en nou zij. Nou ja, eerlijk gezegd kan ik vermoedelijk ook maar beter hier zijn.' Ze trok T-shirts en beha's tevoorschijn. 'Zij heeft die tas voor me ingepakt,' zei ze. 'Ik heb geen flauw idee wat erin zit.'

'Je weet niet waar ze naartoe gaat?'

'Dat wou ze niet zeggen.'

'Ook niet hoelang ze wegblijft?'

Daarop hield Sara op met wroeten en keek hem recht in zijn gezicht. 'Nee,' zei ze. 'Hoezo?'

Hij haalde een restje nasi in een afhaalbakje uit de koelkast. Sara nam het aan en plofte ermee voor de tv neer. Ben trok zich terug in de slaapkamer om Helen te bellen, maar bedacht zich; hij had het gevoel dat dat precies was waartoe ze hem uitdaagde. Een hele tijd bleef hij daar zo staan. Om twee uur verkleedde hij zich, kwam de slaapkamer uit en ging naast de televisie staan.

'Ik moet naar mijn werk,' zei hij. 'Ik blijf een paar uur weg en als ik terugkom breng ik avondeten voor ons mee. Red jij je zo?'

'Is er nog iets anders te eten in huis dan dit?' vroeg Sara.

Dat wist hij niet zeker. Maar hij merkte dat haar woede zakte. 'Je hebt mijn nummer,' zei hij. 'Wil je me bellen als je iets van je moeder hoort? Dan doe ik dat ook.'

Gedurende de hele rit naar het centrum en de twee uur dat hij zich in Bonifacio's kantoor op het stuk probeerde te concentreren, in een klapstoel bij het raam, voelde hij het schuldgevoel knagen, niet vertrouwd maar op de een of andere manier instinctief of schijnbaar natuurlijk, als opkomende symptomen van een seizoensgebonden allergie of chronische ziekte. Hij zat op zijn werk, geld te verdienen, en tot vijfentwintig minuten voor ze er was had hij niet eens geweten dat Sara zou komen. En toch maakte het feit dat hij voor het eerst in maanden precies wist waar Sara was en wat ze deed, en dat hij verantwoordelijk voor haar was, iets in hem los. Iets waar hij blij om was maar waarvan hij tegelijkertijd wenste dat hij het, domweg om zich beter te concentreren, naast zich neer kon leggen. Liever dan eventuele vragen van Bonifacio te verduren, sarcastische of nieuwsgierige opmerkingen te krijgen, accepteerde hij de gebruikelijke twee vingers Jameson, om, terwijl Joe zijn vrouw aan de telefoon had, zijn glas leeg te kieperen in de pot van de dode plant.

Onderweg naar huis ging hij bij de Price Chopper langs om eten in te slaan, vrijwel lamgeslagen door de simpele beslissingen die daarbij kwamen kijken. Natuurlijk was het toch al nooit zo simpel om naar de Price Chopper te gaan. Vrouwen knepen hun ogen tot spleetjes als hij in beeld kwam. Het allervreemdst waren degenen die zelfs nadat ze zorgvuldig hun kaken op elkaar hadden geklemd en hun hoofd hadden geschud om duidelijk te maken hoe ze hem veroordeelden, zich toch nog aan hem opdrongen voor een gesprekje, alsof hij een in ongenade gevallen beroemdheid was of zo. Met gebogen hoofd trok hij op de delicatessenafdeling een gegrilde kip en een sixpack Corona uit het rek.

Zou Sara twee maaltijden lang blijven? Twee dagen lang? Stel je voor dat ze niet had overdreven en dat Helen echt was doorgedraaid? Dat zou hem beslist hebben verbaasd, maar hij was niet bepaald in een positie om al te streng over haar te oordelen. Ze was altijd al wat meer gespannen geweest dan ze op het eerste gezicht leek. Hij legde verder nog ijs, Cheetos, allerlei soorten zoethoudertjes in zijn wagentje. Toen hij thuis de voordeur opende voelde hij even paniek, maar Sara zat nog in dezelfde canvas stoel voor de televisie, die, zoals ze allang moest hebben ontdekt, maar vier zenders ontving. Hij ruimde de boodschappen op, die paar artikelen, legde de kip in de oven om hem warm te houden, trok een biertje open en ging voor de ramen achter de tv staan, tegenover haar. Sara's gezicht stond neutraal.

'Ik heb een kip gekocht,' zei hij.

Ze keek even op alsof ze wilde opstaan om ernaar op zoek te gaan – ze moest uitgehongerd zijn – maar bleef toch maar zitten. 'Hulde,' zei ze.

'Niets van je moeder gehoord?' Haar onbeweeglijkheid zei genoeg. Hij kon niet zien waar ze naar keek – *Entertainment Tonight* of iets dergelijks, zo klonk het – maar toen zette ze het geluid uit en wierp een lange, rechtstreekse blik op haar vader.

'Mag ik er ook een?' vroeg ze met een knikje naar het bier.

Wat was ze, veertien? Een ogenblik lang probeerde hij zichzelf op zijn veertiende voor zich te zien.

'Heb je er weleens een gedronken?' vroeg hij.

Ze maakte een honend geluid. 'Ik heb geen thuisonderwijs gehad,' zei ze.

Nou, dacht hij, als ik de baas ben, dan ben ik de baas. Het zag er niet naar uit dat ze een van beiden die avond nog de deur uit zouden gaan. En ze scheen iets van hem te willen, dacht hij: niet zozeer het bier, maar waar dat bier in haar ogen voor stond.

'Ik weet het goed gemaakt,' zei hij. 'Je mag er een hebben als je die klote-tv uitzet.'

Hij overwoog de twee regisseursstoelen mee naar de achterveranda te nemen, zodat ze daar hun bier konden drinken met uitzicht op het donker wordende bos achter het huis, maar er zaten gaten in het horgaas en hij was er nog niet uit hoe hij die moest repareren – hij had altijd de pest gehad aan die zelfvoldane, bekrompen huiseigenaren die zo graag lieten merken hoe handig ze wel waren, maar er waren beslist dagen dat je wenste er zelf een te zijn – en sinds hij weer in het huis was getrokken had hij zich niet één keer daar buiten kunnen wagen zonder dat een of ander hoog gonzend insect hem er uiteindelijk toe dreef zichzelf pijnlijk om de oren te slaan. Maar het was een plezierige avond met een licht briesje. Hij ging naar de keuken, trok een tweede flesje Corona open en gaf dat aan haar; daarna zette hij de voordeur open en ging op de bovenste trede zitten, met zijn gezicht naar de lege straat, en Sara volgde gedwee zijn voorbeeld. Overal in de straat, bij Parnell en bij anderen, brandde licht achter de ramen. Hij dacht dat het wel te donker zou zijn om daar met hun tweeën op te vallen, en toen dacht hij: en wat dan nog? Waar zou hij nog bang voor moeten zijn? Ze deden toch al geen van allen nog een mond tegen hem open, en als hij de vuilnisemmers aan de stoep zette bekeken ze hem altijd alsof hij een waanzinnige was. Om die reden was hij daar nu juist gaan wonen. Om door hen verfoeid te worden. 'Proost,' zei hij, en hij tikte met zijn flesje tegen dat van zijn dochter.

Hij bleef haar aankijken tot ze een slokje nam. Te donker om te zien wat ze er voor gezicht bij trok; dat zou hem veel duidelijk hebben gemaakt. Ze keken uit op het oosten, alle kleur was uit de lucht verdwenen. In de verte hoorden ze een politiesirene, misschien wel helemaal van de Saw Mill. Vast niet voor ons, dacht Ben.

'Dus je hebt geen idee waar je moeder naartoe zou kunnen zijn?' vroeg hij weer.

Sara schudde haar hoofd en nam nog een slokje.

'Weet je,' zei Ben, 'de vorige keer hebben we het eigenlijk niet echt ergens over gehad, jij en ik.'

'Ik wil het ook nergens over hebben,' zei ze. Hij knikte mee-voelend en wachtte af; als ouder had hij nog wel wat in huis. Hij wist het niet zeker, maar volgens hem had er vroeger een vogel-huisje of zoiets in de boom voor op het gras gehangen; hij vroeg zich af wat daarmee was gebeurd.

'Ik vind het niet prettig zoals het nu is,' zei Sara. 'Ik dacht dat ik het wel fijn zou vinden, maar dat is niet zo. In New York wonen, bedoel ik, met mam samen, dat allemaal. Ik denk dat ik hier thuishoor, bij jou. Ik heb gewoon het gevoel dat jij me beter kent. Dus,' zei ze, met een vaag gebaar naar achteren, 'ik denk dat ik eigenlijk dit wilde. Ik ben alleen niet zo erg blij met de manier waarop het is gegaan, zoals mama me heeft ontvoerd en zo.'

'Hoe bedoel je dat,' vroeg Ben, 'dat je het gevoel hebt dat ik je beter ken? Hoe zou dat nu kunnen? Ik ben het afgelopen jaar een afschuwelijke vader voor je geweest. Ik had eigenlijk voor niets of niemand belangstelling behalve voor mezelf.'

'Zie je wel? Dat bedoel ik nou. Als jij zo nederig doet, dan lijkt het echt, maar als mama zo doet, dan lijkt het alleen maar overdreven, je hoort de hoofdletters erbij. Ze heeft iets neppe-rigs.'

'Nep, hè,' zei hij. 'Je kunt veel over je moeder zeggen, maar niet dat ze nep is, naar mijn idee. Al is het natuurlijk wel een vreemd jaar geweest.'

'Zo wist ik al dat jij hier niet mee zou zitten,' zei Sara, en ze zwaaide met haar bierflesje. 'Eén biertje, thuis. Veilige omge-ving en weet ik veel.'

'En zij zou er wel mee zitten?'

'Perfecte kinderen drinken geen bier,' zei Sara.

Achter hen tikte het huis. Het was nu helemaal donker; de andere huizen in de straat gloeiden als sintels.

'Ik bedoel, het werkt twee kanten op,' zei Sara. 'Ik begrijp jou ook. Ik snap waarom je op een dag zomaar wakker kunt worden met de gedachte: is dit echt mijn leven? Hoe ben ik hier ooit te- rechtgekomen? En als je geen antwoord weet op die vraag, kun je daar best een beetje geschift door gaan doen.'

Ben zuchtte. Hij wilde haar op geen enkel punt waarop ze een band met hem zou kunnen voelen ontmoedigen, maar te- gelijkertijd zou het, als hij zijn eigen fouten als een soort parabel liet gebruiken, in zekere zin ook betekenen dat ze hem werden vergeven, en dát wilde hij nog minder.

'Het belangrijkste,' zei hij, 'is dat jij er geen enkele rol in speelde. Het had eigenlijk veel meer om jou moeten draaien, be- doel ik, maar zo zag ik het op dat moment niet. Ik kon niet ver- der kijken dan de muren in mijn eigen hoofd. Mijn leven kwam me gewoon zo dubieus voor dat ik er vanaf moest. In mijn ge- dachten was ik er al vanaf, maar dat veranderde eigenlijk niets, dus ik moest, geloof ik, bedenken hoe ik het kon doen zodat alle andere mensen het ook zagen.'

'En nu wil je, wat, zeg maar proberen je oude leven weer terug te kopen?'

'Nu heb ik helemaal geen leven,' zei Ben. 'Maar dat is een begin. In de tussentijd voelt het gewoon oké om hier te zijn, hoe vreemd en masochistisch dat anderen ongetwijfeld ook voor- komt.'

'Dus je bent in feite alleen maar aan het wachten,' zei Sara.

'Precies.'

'En je weet niet waarop.'

'Alweer goed. Maar wel ergens op. Ik probeer gewoon ervoor open te blijven staan.'

'Misschien wel hierop,' zei Sara.

Ze zette haar bierflesje naast zich en sloeg naar een insect op haar been.

'Ik werd na school altijd dronken met die jongen waar ik mee was,' zei ze zacht. 'Bijna elke dag. Hij is een beetje geschift. Eer- lijk gezegd begin ik een beetje bang voor hem te worden.'

'Hoezo? Wat heeft hij je gedaan? Of wat zegt hij dat hij je wil doen?'

'Wow,' zei ze lachend. 'Daar komt de advocaat in je naar boven. Nee, hij heeft eigenlijk niks gedaan of gezegd. Het is niet zo expliciet of zo. Eerder dat ik kan zien dat hij iets in zich heeft. En ik denk dat hij weet dat ik dat zie, en daardoor krijg ik het gevoel dat het, als het ooit naar buiten komt, in mijn richting zal komen, snap je?'

Ze was behoorlijk opmerkzaam na een half flesje bier, dacht hij. 'Nou, hier ben je in elk geval veilig.'

'Dat wel. Op dit moment heeft niemand een flauw idee waar ik uithang.'

'Weet je moeder dat van die jongen?'

'Nee. Over sommige dingen kun je met haar gewoon niet praten, snap je? Haar wereld is nogal beperkt. Alsof je met een non praat, ik noem maar wat.'

Ergens in de donkere straat hoorden ze een kind huilen, en toen een raam dat dichtsloeg. Even werden zelfs de insecten daardoor tot zwijgen gebracht.

'Ik ga niet terug,' zei Sara.

Ze luisterden naar iemands blaffende hond, misschien wel kilometers ver weg.

'Dat is niet aan jou,' zei Ben zacht. 'Of aan mij.'

Ze haalde haar schouders op.

'Je zou me eens bij de Price Chopper moeten zien, of bij Starbucks,' zei hij grijnzend. 'Echt een lachertje. Al die moeders hier. Soms lopen ze zelfs weg uit een rij omdat ik erin sta.'

'Nou ja, je koopt je eigen huis terug en dan woon je daar zonder meubels, als zo'n zwervende monnik. Je snapt zelf toch ook wel hoe zinloos en griezelig dat lijkt.'

'Ja hoor.' Hij probeerde per ongeluk een slok uit het lege flesje te nemen. 'Dat zal best.'

'Maar ga je morgen weer werken?'

'Ja.' Ze leek teleurgesteld, al wist hij niet goed waaruit hij dat opmaakte nu het buiten te donker was om haar gezicht te zien. 'Heb je zin om je oude vriendinnen op te zoeken nu je toch hier bent?'

Ze maakte een sissend geluid en kiepte haar flesje in de lucht om. 'Als ik je een goede raad mag geven,' zei ze, 'je moet een paar stoelen kopen, en kleden, en messen en vorken en zo. Het lijkt daarbinnen wel een achterbuurt.'

'Ik weet eigenlijk niet hoe ik meubels moet kopen,' zei hij, en hij pakte zijn telefoon. 'Heb jij zin om nu meteen even wat op internet te bestellen?'

Ze haalde haar schouders op en knikte. 'Niet onaardig bedoeld,' zei ze, 'maar het is toch niet omdat je blut bent, hè?'

'Nog niet helemaal,' zei hij. 'En we krijgen trouwens nog steeds krediet.' Hij pakte haar bij haar hand en hielp haar overeind. 'Maar hoor eens, jij weet zeker niet toevallig waar je moeder al onze oude meubels heeft opgeslagen?'

'Geen flauw idee.'

'Oké. Nou ja, misschien maar goed ook.'

'Mag ik er nog een?' Ze hield haar lege flesje omhoog.

Hij streek met zijn hand langs het zwarte haar op haar achterhoofd, dat zijdezachte plekje dat ze daar altijd al had gehad. 'Nee,' zei hij.

Helen bracht de nacht in de auto door, ze sliep onrustig en werd wakker met haar hoofd achterover zodat ze de maanbeschenen wolken langs de boomtoppen zag schuiven. Hamilton sliep binnen op een stoel die hij daar van de veranda naartoe had gesjouwd, met versleten handdoeken als deken, zoals hij de voorgaande nachten blijkbaar ook had gedaan. Hij weigerde in de buurt van het bed te komen, of er zelfs maar naar te kijken. 's Ochtends vroeg liep Helen naar het huisje dat dienstdeed als kantoortje; het was leeg en niet afgesloten. Een gastenboek lag er ook niet. Misschien was die hele bedoening wel illegaal; hoe dan ook, degene die er de leiding had scheen andere zaken aan zijn of haar hoofd te hebben, en dat was in Helens ogen de eerste meevaller. Ze legde voldoende geld neer voor vier nachten, plus zestig dollar extra, onder een vliegenmepper die op de balie lag; op een stukje papier dat ze uit haar tas haalde schreef ze: 'Huisje 3. Sorry voor de troep. Bedankt!'

Toen zaten ze weer op de weg, terug naar het zuiden, maar zonder een realistische bestemming in gedachten. Hamilton, die weerzinwekkend stonk, viel vrijwel meteen in de auto in slaap, als een hond of een baby; vermoedelijk had hij nachtenlang nauwelijks een oog dichtgedaan, onder die handdoeken. Het eerste wat Helen per se wilde doen als ze in een stad waren, was stoppen om een nieuwe oplader voor zijn lege telefoon te kopen. Ze nam zijn toestel mee en liep in het grootste van de eindeloze miniwinkelcentra een Best Buy in. Hamilton kon niet riskeren uit te stappen, daar was hij te herkenbaar voor. Eigenlijk vond ze hem zelfs in de auto al veel te zichtbaar, en daarom parkeerde ze naast een container achter de winkel. Toen de verkoper bij de Best Buy merkte dat Helen blijkbaar niet eens het merk en model van haar eigen telefoon kende, verkocht hij haar met gekmakende minachting een oplader waar een adapter voor de auto bij zat – daar had ze zelf niet eens aan gedacht. Terwijl ze wachtten tot de telefoon weer bij kennis was zodat Hamilton zijn voicemail kon afluisteren, reden ze terug naar de snelweg. Toen de telefoon voldoende was opgeladen en weer bereik had, ontdekte Hamilton dat het bandje vol stond. Het kostte hem bijna twintig minuten om de eerste seconden van elk bericht af te luisteren en het te wissen, met tranen in zijn ogen, tot hij eindelijk doodsbenauwd de woorden herhaalde die de robotstem uit de telefoon in zijn oor sprak.

'Dat was het laatste bericht,' fluisterde hij terwijl hij de telefoon dichtklapte. 'Niets van haar.'

'Maar zij heeft je mobiele nummer toch ook niet?'

'Nee,' zei hij geen greintje minder somber.

Helens hart ging tekeer. 'Maar niets van de politie? Of de media?'

'Geen politie. Van de media altijd wel iets, maar die zeggen nooit wat ze willen. Voor het merendeel zijn het mensen van de studio, van mijn agent, weet ik veel, die door het lint gaan omdat ze niet weten waar ik zit.'

'Dus je hebt een paar afspraken gemist?' vroeg Helen.

'Zou kunnen,' zei hij. 'Vast en zeker, aan hun stem te horen.' Hij staarde door het raampje naar de andere auto's terwijl Helen, met haar vingers om het stuur geklemd, probeerde te bedenken hoe ze hem kon vragen dat te laten. 'Ik heb honger,' mompelde hij.

Het probleem was dat ze niet zomaar ergens een restaurant in konden lopen, omdat het vermoedelijk maar een paar seconden zou duren voor iemand zijn gezicht herkende en opmerkte hoe verlopen hij eruitzag. Buiten een klein kringetje uit het vak werd hij waarschijnlijk nog niet als vermist beschouwd; die studiomensen waren er heel goed in informatie voor zich te houden als ze dat wilden. Maar dat maakte niet uit. Overal waar hij zich vertoonde zouden de mensen reageren alsof ze hem hadden gevonden: ze zouden hun telefoon pakken omdat ze zo nodig een bewijs moesten uploaden dat ze hem van zo dichtbij hadden gezien. Net voorbij de grens van Massachusetts verliet Helen de snelweg en reed een rondje door een geschikt ogend plaatsje tot ze een echt drive-inrestaurant vond, zo een met picknicktafels erachter en een grote metalen afvalemmer die werd afgedekt door een wolk bijen. Toch was ze niet van plan zelfs maar de picknicktafels te riskeren. Ze ging naar het loket om even later terug te komen met een rood plastic dienblad met daarop een assortiment frituur. Hij viel meteen op het voedsel aan maar na een paar happen ging het langzamer en werd hij weer somber.

'Het spijt me,' zei ze. 'Het zal wel moeilijk zijn om het gevoel te hebben dat je je gezicht niet mag laten zien, zelfs in een plaats als deze, waar je een volslagen vreemde bent, of zou moeten zijn. Maar het is maar voor even, tot we alles rechtgezet hebben.'

Hij fronste zijn wenkbrauwen. 'Het is voorgoed,' zei hij. 'Je wordt voortdurend door een onzichtbaar oog in de gaten gehouden, waar je ook komt, de hele tijd, zelfs op je intiemste ogenblikken. Je wordt voortdurend beoordeeld.'

Er stopte een auto op de plaats pal naast hen, gelukkig aan de bestuurderskant, en er stapte een zwaarbeproefde moeder uit die haar kinderen uit hun autozitjes losgespte.

'En dit is de reden,' zei Hamilton. 'De reden dat ze je in de gaten houden. Omdat ze wachten tot je je masker verliest, zoals nu. Ze wachten tot de echte ik tevoorschijn komt.'

Helen pulkte aan het broodje van haar hotdog en rolde er tussen haar vingers bolletjes van. 'Maar goed,' zei ze. Ze moest zich inspannen om kalm te klinken. 'Het is ons gelukt om daar weg te komen, eens diep adem te halen en een wat helderder hoofd te krijgen. Dus vraag ik nu nog eens, en denk jij er nog eens goed over na: wat is het laatste wat je je herinnert?'

Hij schudde zijn hoofd. 'Ik weet wel dat jij denkt dat het allemaal weer boven zal komen, maar dat gebeurt niet. Geloof me maar, ik heb dit al vaker meegemaakt.'

'Wat?'

'Nou, van die black-outs. Maar meestal ben ik alleen als het gebeurt, of er is iemand bij die als ik weer bijkom de lege plekken voor me kan invullen. Alleen deze keer niet.'

'En daarom ben je deze keer bang dat je... wat nou eigenlijk hebt gedaan?'

Hij trok een gezicht. 'Nou,' zei hij na een lange stilte, 'waar is ze dan?'

'Je wilt toch niet zeggen dat je denkt dat je haar hebt vermóórd?'

'Een andere verklaring is er niet,' zei hij stuurs.

'Er zijn duizenden andere verklaringen! Maar hoor eens, je hebt toegegeven dat je je niets herinnert. Dus het enige waar je op af kunt gaan is een gevoel van angst of schuld…'

'En iemand die verdwenen is,' zei hij geïrriteerd, 'en een lading bloedvlekken…'

'Dat bloed kan best maanden oud zijn, weet jij veel. Dacht je dat ze zich daar echt druk om zouden maken, in dat motel? Dat huisje zag eruit of het in geen jaar was schoongemaakt.'

'Je kunt ervan maken wat je wilt…'

'En je kleren. Nergens op je kleren zit ook maar een spatje bloed.'

'Misschien had ik die op dat moment niet aan.'

'En wat da…' begon Helen, maar toen zweeg ze; ze had willen vragen wat hij verondersteld werd met het lichaam van het meisje te hebben gedaan, maar het had waarschijnlijk geen zin dat aspect erbij te halen. Er hadden in de buurt van de huisjes roeiboten en kano's op de oever gelegen en eerlijk gezegd had ze het meer op het moment dat ze uit de auto kwam al heel angstaanjagend gevonden. 'Waar het om gaat is dat je niet weet wat er is gebeurd,' zei ze resoluut. 'Je weet het niet. En het is belachelijk om zomaar het ergste te veronderstellen, want eerlijk gezegd wéét ik dat je daar niet toe in staat…'

'Je kent me niet.'

'Wel waar,' zei Helen, die voelde dat ze een tikje volschoot. 'Ik ken je wel, Hamilton. Maar in deze situatie lijkt het mij, als jouw adviseur, het beste dat we je ergens verstoppen, heel kort maar, terwijl ik uitpuzzel waar die vrouw zit. Die vrouw van wie je niet eens meer weet hoe ze heet.'

'Het is niet zo dat ik het niet meer weet. Maar ze zei dat het niet haar echte naam was.'

'Maar als ik haar kan vinden, zul jij moeten inzien dat jij niets ergs hebt gedaan, en dan hoeven we alleen nog maar een plausibel verhaal te bedenken over waar je de afgelopen dagen hebt gezeten, nog voor iemand daarnaar vraagt. Ja? We kunnen niet te lang wachten. Dus het mag geen hotel zijn.'

'Uitgesloten.'

'En ook niet iets met een portier of zo.' Al terwijl ze erover peinsde voelde ze waar die redenering naartoe zou gaan, maar ze was nog niet zover dat ze het hardop kon zeggen. 'We zijn te zichtbaar, zoals we hier zitten.' Ze startte. 'Heb je voorlopig genoeg gegeten?'

Korte tijd later reden ze weer op Route 7, in zuidelijke richting, maar nu ergerde Helen zich niet aan het trage tempo van het verkeer; ze had beslist geen haast om haar doel te bereiken. Dit is idioot, zei ze sussend tegen zichzelf. We komen er wel achter wat er is gebeurd. Dat meisje maakt het prima. Dat zit ergens over haar wilde seksweekend met een filmster te vertellen. Hamilton kan echt niet beoordelen wat hij in zich heeft.

'We zaten op de Northway,' zei hij opeens zachtjes, 'en we zagen het bord van de veerboot. We waren zo high. Ik moet achter het stuur hebben gezeten. "Daar moeten we op," zei ze steeds. "We moeten zien wat er aan de overkant ligt." Echt zoiets wat ontzettend belangrijk lijkt als je zo high bent. We waren in Beacon gestopt omdat ze daar een dealer kende, dus toen had er natuurlijk een rood lampje moeten gaan branden. Zij kent een dealer in Beacon? Maar goed, ik gaf toe en keerde, voor een deel alleen maar omdat ik wist dat ik maar beter even niet verder kon rijden. En de veerboot: je zit in de auto, en de auto beweegt, maar niet door iets wat jij doet, dus dat is best prachtig. Maar toen we eenmaal op het water waren wilde zij er niet in blijven zitten, dat weet ik nog, ook al was het stervenskoud. Ze ging op het dak zitten, boven mijn hoofd. Ik was er echt van overtuigd dat dit de vrouw van mijn leven was. Ze was zo breekbaar, zo kwetsend, zo gekwetst en wreed, dat je alleen maar om haar wilde huilen. Ze begon tegen de veerbootkapitein te roepen dat hij de motor uit moest zetten. Wat hij natuurlijk echt niet van plan was, maar hij toeterde wel voor haar. Maar waarom zou ze dat tegen hem geroepen hebben? Ze wist het. Ze wist waar we naartoe gingen, dat het er vreselijk zou zijn, maar het was zo'n geweldig gevoel om ernaar onderweg te zijn. Toen kwam ze eraf en stapte weer in, en ik draaide de verwarming op zijn hoogst en we rookten nog wat crack en daarna herinner ik me helemaal niks meer.' Hij begon weer te huilen. Helen hield haar ogen op de weg.

Een half uur later sliep hij weer, maar die luxe was haar niet gegund. Sinds haar studietijd had ze niet meer zo lang achter elkaar gereden. Haar ogen deden pijn van het zonlicht. Toen ze de grens naar Connecticut passeerden was het volgens de klok op het dashboard tien voor vijf, en dat bracht haar op een idee. Ze belde de telefooncentrale van Malloy en verzocht doorverbonden te worden met Shelley.

'Mens, waar zit je?' vroeg Shelley opgewonden. 'Arturo is al drie keer komen vragen of ik je vandaag al had gezien. Hij is ergens ziedend over. Ik heb tegen hem gezegd dat je dochter ziek is. Maar dat is toch niet zo, hè?'

'Iedereen is oké,' zei Helen, en toen vroeg ze of Shelley soms iemand bij personeelszaken kende, of op de afdeling Promotie, die misschien zo aardig en geduldig zou zijn om haar een gunst te bewijzen. Shelley verbond haar door met ene Courtney die ze van yoga kende en die bij hen op de afdeling Evenementen werkte. 'Courtney,' zei Helen, 'mijn welgemeende excuses dat ik je lastigval, maar ik moet iemand hebben die vorige week bij de première van *Code of Conduct* betrokken was, en wat het probleem is: ik weet niet eens hoe ze heet. Ik weet niet eens of ze wel bij ons werkt.'

'Kom maar op,' zei Courtney, 'ik ben gek op moeilijke vragen,' en Helen wenste dat ze machtig genoeg was om iets verbazingwekkends voor die Courtney te doen, iets wat haar leven veranderde.

'In elk geval zag ze er best opvallend uit, als dat het makkelijker maakt,' zei Helen. 'Klein, ongeveer een meter vijfenvijftig, met kort rood haar, een kort zwart rokje en een heel mooi gezicht. En zo'n getatoeëerde arm, zo'n sleeve of hoe ze dat noemen. Ze werkte bij de vip-plaatsen in de Ziegfeld. Heel klein, echt een poppetje, maar o zo intimiderend.'

'Geef me vijf minuten,' zei Courtney, en na vijf minuten belde ze terug met de informatie dat de vrouw die Hamilton als Bettina kende Lauren Schmidt heette. Ze werkte voor een bedrijf dat weleens door Malloy werd ingeschakeld en dat Event Horizon heette. Het was gevestigd in L.A. maar had ook een kantoor in New York, waarmee Courtney Helen kon doorverbinden. Hoewel dat Helen in één klap dichter bij haar doel bracht, rilde ze even van angst. Hamilton sliep verder, met zijn voorhoofd tegen het raampje.

'Hallo?'

Helens hart bonsde; achter haar werd getoeterd toen ze per ongeluk haar voet van het gas haalde. 'Lauren Schmidt?' vroeg ze.

'Nee, met Katie,' zei de stem. 'Kan ik u helpen?'

'Is Lauren er vandaag?'

'Nee, die is er niet.'

'Is ze al naar huis?'

'Lauren werkt als oproepkracht voor Evenementen. Ze heeft hier geen vaste plek. Kan ik u ergens mee van dienst zijn?'

'O. Nou, weet je dan misschien hoe ik haar kan bereiken? Ik ben een vriendin van haar.'

'Die informatie mag ik niet geven,' zei de stem, nu met minder belangstelling.

Verder vragen zou vermoedelijk alleen maar achterdocht wekken, dacht Helen, en daarom zei ze dat ze het een andere keer nog weleens zou proberen en hing op. Dat was het probleem met de situatie waarin ze nu verkeerden: het vergde een steeds grotere mate van geloof om het verschil te zien tussen geen nieuws en slecht nieuws. Ze keek even naar Hamilton, er liep een dun straaltje kwijl in zijn boord. Laat alsjeblieft niemand hem zo zien, dacht ze.

Ze wist al een paar uur lang wat de enige uitvoerbare mogelijkheid was, maar ze had hem voor zich uit geschoven. Nu er steeds minder tijd en afstand overbleef en Hamilton in diepe slaap was, zei ze tegen zichzelf dat het zover was. Dat moest ze zichzelf nog vier keer opnieuw vertellen voor ze eindelijk haar telefoon weer pakte. Ze had er een hekel aan te bellen onder het rijden. Misschien zou iemand haar ervoor arresteren, dacht ze, en haar zo de hele rotzooi uit handen nemen.

'Alles goed met je?' waren Bens eerste woorden. 'Waar zit je?'

'Niet eens hallo?'

'Ik zag het nummer, en we waren...'

'Ja. Alles goed,' zei ze. Het kostte echt moeite om hem niet te haten nu ze iets van hem nodig had. 'Alles in orde met Sara?'

'Natuurlijk. Maar ik moet je waarschuwen: ze is wel een tikkeltje nijdig op je.'

'Je meent het!' zei Helen. 'Dat is nog nooit vertoond!'

'Maar hoe is het met jou?' vroeg Ben. 'Ik wil niet nieuwsgierig zijn of zo, maar is alles goed? Ik maak me wel zorgen om je.'

Geloof je het zelf, dacht ze. 'Hoor eens, ik weet heus wel dat het je er eigenlijk om gaat hoelang je Sara daar moet houden...'

'Sara mag blijven zolang ze...'

'Maar het goede nieuws is dat ik er op dit moment aan kom om haar op te halen. Ik ben nu in, ik weet niet, Cornwall geloof ik, of wat er ten zuiden van Cornwall ligt, dus ik ben er over zo'n drie kwartier. Ik wil niet via de 84, dus het kan iets langer duren. Maar zeg maar dat ze moet zorgen dat ze haar spullen ingepakt heeft – of wacht eens, geen idee waarom ik dat zei, als ze wil mag ze haar spullen gewoon daar laten. En dan moet je nog iets voor me doen, Ben.'

'Wat doe je in Cornwall? Wat heb je daar te zoeken?'

'Niets. Ik rij er alleen doorheen. Luister even. Ik haal Sara op, maar ik zet ook iemand af. Een vriend van me die in moeilijkheden zit en onderdak nodig heeft. Het moet geheim blijven. Ik weet dat het huis nu officieel van jou is en zo, maar in zekere zin is het ook nog steeds mijn thuis, Ben, en bovendien zou het een gigantisch understatement zijn als ik zei dat ik nog wat van je te goed heb...'

'Oké,' zei Ben.

'Oké?'

'Oké. Je hebt inderdaad wat van me te goed. Het is goed. We hebben alleen wel bedden te weinig. Sara en ik hebben vandaag net een nieuw besteld, maar dat is er natuurlijk niet op tijd...'

'Dan geef je hem het jouwe,' zei Helen.

'Natuurlijk. Ik geef hem het mijne. Dat spreekt vanzelf. En wie is die vriend van je die in moeilijkheden zit, als ik dat mag vragen?'

Helen zuchtte. 'Ach, misschien maar beter dat ik dat nu vertel dan dat je er een hele toestand van maakt als je hem ziet. Het is Hamilton Barth.'

Het bleef even stil. 'Die acteur?'

'Ja.'

'Die zit in moeilijkheden?'

'Nou, vermoedelijk niet. Ik kan nu even niet het hele verhaal... Maar dat is voor jou nu niet het belangrijkste.'

'Ik dacht dat je zei dat het om een vriend van je ging.'

Helens mond viel open. 'Weet je dan niet meer,' zei ze, 'dat ik in Malloy samen met hem op St. Catherine's heb gezeten? Weet je niet meer dat ik je dat verhaal minstens tweehonderdvijftig keer heb verteld?'

'Wacht even,' zei hij. 'Vaag.'

Schenk me kracht, dacht ze. 'Maar goed, dat doet er nu niet toe; hij zit hier naast me in de auto en hij heeft een veilige verblijfplaats nodig waar geen mens hem zal zoeken, vermoedelijk maar voor een dag of twee, en we komen er zo aan. Ik pik Sara op en zet Hamilton af en Ben, ik bezweer je, niemand mag hem zien, je mag hem het huis niet uit laten en je mag er tegen geen mens een woord over zeggen dat hij daar zit behalve tegen mij.'

'Ik mag hem het huis niet uit laten?' vroeg Ben. 'Dus ik krijg paparazzi op ons grasveld en al die dingen?'

'De bedoeling is nu juist om dat te vermijden.'

Daarna zeiden ze allebei even niets. Helen reed een rotonde op, iets waar ze altijd al een hekel aan had. 'Dus we zijn zoiets als de ondergrondse slavensmokkelroute,' zei Ben. 'Maar dan voor beroemdheden.'

'Als je het zo wilt zien,' zei Helen. 'Ik moet ophangen.'

'Wil je Sara nog spreken?'

Er stond een politieauto op het verkeersplein. 'Nee,' zei Helen en ze beëindigde het gesprek.

Toen ze in Danbury stopte om te tanken werd Hamilton wakker, en ze vertelde waar ze hem naartoe bracht. 'Een safehouse,' zei hij met een knikje. 'Mooi zo.' Ze vertelde ook dat zij niet bij hem zou blijven, maar naar de stad terug zou gaan om de vrouw te zoeken die hij als Bettina kende, zodat hij uit zijn schuilplaats kon komen en kon toegeven dat hij zich aanstelde, dat zijn wereld, en het respect dat die wereld voor hem koesterde, onveranderd was.

'Maar stel nou dat je haar niet vindt?' vroeg hij. 'Of dat je haar wel vindt maar...'

'Het enige wat jij moet doen,' zei Helen gedecideerd, 'is niets. Ik weet dat dat moeite zal kosten. Je mag niet naar buiten. Je mag met niemand anders dan met mij contact hebben. Je mag door niemand worden gezien, met niemand praten, behalve met mijn ex, Ben, die daar ook is.'

'Je ex,' zei Hamilton. 'Heb je je ex ook in een safehouse zitten?'

Een half uur later, de zon ging al onder, doofde Helen de koplampen en reed de heuvel aan het begin van Meadow Close af. Ze parkeerde voor de garage, sjokte samen met Hamilton de treden naar de veranda op en klopte zachtjes aan. Ze had haar hand nauwelijks laten zakken of Ben deed al open. Het was voor het eerst in bijna negen maanden dat ze hem zag; hij zag er, eigenlijk net als het huis, uit als een jongere, beangstigend sobere versie van zichzelf, maar ze had nu geen tijd om bij zulke dingen stil te staan. Sara en hij stonden met open mond op de drempel alsof ze hun ogen nauwelijks konden geloven, ook al had ze hem precies verteld wat hun te wachten stond.

'Laat ons alsjeblieft binnen, voor een van de buren deze kant op kijkt,' zei Helen.

Ze gingen twee stappen verder achteruit dan strikt nodig. Hamilton liep naar binnen en Helen deed snel de deur achter hem dicht en stond toen voor het eerst sinds ze ergens anders was gaan wonen stijfjes op een meter over de drempel in haar oude huis. Midden in de woonkamer stond een bank met nog een stel labels eraan; op die bank lag een enorme berg plasticfolie. De vloeren waren kaal afgezien van een deken met gebruikte kartonnen bordjes en lege frisdrankflesjes erop. Er hing niets aan de wanden of voor de ramen. De tv stond aan met het geluid uit.

'Wie woont hier?' vroeg Hamilton.

Ben stak bescheiden zijn hand op. 'Er zijn meer meubels onderweg,' zei hij. 'Morgen, en dan later in de week. Sara en ik hebben net een massa spullen besteld.'

Wat schattig, dacht Helen venijnig, maar ze zei alleen: 'Zolang je er maar aan denkt dat de bezorgers hem niet mogen zien.'

Ben knikte. 'Zal ik je spullen uit de auto halen?' vroeg hij aan Hamilton, die bij wijze van antwoord mismoedig naar Helen keek.

'Hij heeft niets bij zich,' zei ze. 'Misschien kun je maar beter weer online gaan en een paar kleren voor hem bestellen. Je krijgt het wel van me terug.'

Al die tijd stond Sara Hamilton aan te staren alsof hij haar niet kon zien – en daar leek het inderdaad op. Ze had een vreemde uitdrukking, met haar wenkbrauwen omlaag, die Helen ten slotte herkende als de uitdrukking van iemand die iets smerigs ruikt. En Hamilton stonk, dat was zo, al zag hij er nog steeds beter uit dan toegestaan zou mogen zijn voor iemand die bijna zes dagen in dezelfde kleren had rondgelopen en geslapen.

'Weet je,' zei Helen tegen niemand in het bijzonder, 'misschien om te beginnen maar een douche?'

Bij het horen van dat woord liet Hamilton zijn schouders zakken van opluchting.

'Kom maar mee,' zei Ben.

'En dan moesten wij maar eens gaan,' zei Helen.

Iedereen keek haar aan. 'Weet je het zeker?' vroeg Ben voorzichtig. 'Niet onaardig bedoeld, maar zo te zien ben je bekaf. Wil je echt meteen weer achter het stuur?'

'Dat lukt best. Sara moet morgen weer naar school, in New York, en ik heb van alles te doen. Ik bel je meteen morgenochtend.'

Iets in die gespannen stem bracht Ben ertoe van verdere vragen af te zien. Hij wisselde een blik met Sara, en Helen zag dat hij haar even een intiem, geruststellend ouderlijk knikje gaf, om haar te laten weten dat het allemaal wel in orde zou komen. Het liefst had ze hem een stomp in zijn gezicht gegeven.

Hij liep Hamilton achterna, de gang door. Helen voelde de brandende blik van haar dochter, maar beantwoordde die niet. 'Of een bad,' zei Hamilton terwijl ze de hoek om gingen naar de grote badkamer. 'Want ik weet niet hoelang het me nog lukt om overeind te blijven.' Toen bleven Helen en Sara alleen in de gang achter, omdat Helen niet verder dan één stap naar binnen was gekomen.

'Dit is een nachtmerrie,' zei Sara. 'Jij bent mijn nachtmerrie.'

'Pak je spullen, alsjeblieft,' zei Helen.

'Nee.'

'Hoeveel bedden zijn er op het moment hier in huis?'

'Twee.'

'Pak je spullen, alsjeblieft.'

In het donker op de slecht verlichte Saw Mill liepen algauw de tranen uit haar ogen, zo veel moeite kostte het om ze open te houden. De wraakzuchtige stilte van Sara op de passagiersplaats, hoe theatraal ook, bleek al na vijf minuten niet meer vol te houden. 'Hoe kon je me dat aandoen?' begon ze. 'Wat mankeert jou? Komt het door de menopauze? Ben je gek geworden? Je sleurt me midden op de dag uit school om er zelf tussenuit te kunnen knijpen voor een sneue affaire met een of andere zogenaamde beroemdheid die er als een complete zwerver bij loopt. En hij stinkt ook als een zwerver. Je bent te oud om zo te doen. Wie weet er nog meer vanaf? Ben je je baan kwijt of zo? Of misschien heb je wel ontslag genomen. Misschien heb je ontslag genomen voor een laatste stomende seksorgie met je landloper, omdat je honderd jaar geleden met hem hebt gezoend en er niet aan moest denken je ouwe dag in te gaan zonder hem nog een keertje op te zoeken om het af te maken. Gadver, ik moet al bijna kotsen als ik eraan denk. Kun je niet gewoon accepteren wie je bent? Kun je niet...'

Helen trapte op de rem en stuurde met een ruk de vluchtstrook op, ook al was daar officieel helemaal geen vluchtstrook. Claxons schalden kwaad en langdurig en het licht van koplampen flitste door hun auto. Ze draaide een kwartslag, met haar gezicht naar haar dochter, die zo ver weg was geschoven dat ze met haar hoofd tegen het passagiersraampje zat. Sara deed haar uiterste best om zich niet te laten kennen, maar Helen zag dat haar kin beefde. Helen vroeg zich niet meer af, zoals anders wanneer haar dochter tegen haar uitvoer, wat ze precies verkeerd had gedaan; ze legde zich er nu domweg bij neer dát ze iets verkeerd had gedaan, of zelfs heel veel, ook al was het haar niet gegeven te weten wat dan wel precies. Ze boog zich wat verder naar Sara toe om boven de uitzinnig aanzwellende en wegstervende claxons uit te komen.

'Ik smeek je,' zei ze.

De volgende ochtend vertrok Sara zonder een woord naar school en haastte Helen zich om vijftien of twintig minuten voor de anderen op kantoor te zijn. Ze wist dat ze niet lang in haar kamer kon blijven. Malloy zelf zou witheet zijn omdat ze de vorige dag niet was komen opdagen voor de bespreking met het aartsbisdom. Die glimlach die hij als golfbreker gebruikte kon waarschijnlijk elk moment zijn hele hoofd doormidden splijten. Eigenlijk was ze wel in de verleiding hem om raad te vragen over hoe ze verder moest met Hamilton Barth, een beroemdheid die was ondergedoken vanwege iets wat vermoedelijk niet eens was gebeurd, maar ook al was Hamilton, hoe zijdelings of indirect ook, een klant van Malloy, toch had ze het gevoel dat het minder een zakelijke dan een privékwestie was, en leek het idee haar baas erbij te betrekken op het afschuiven van verantwoordelijkheid.

Ze moest zich bedwingen om Ben niet weer te bellen. Ze wist niet goed hoe vaak ze dat kon doen voor het té vaak werd, op welk punt Ben zich eraan zou gaan ergeren, waar ze zich alleen druk om maakte omdat hij, als hij zich gehinderd of gewantrouwd voelde, uit balorigheid weleens iets doms zou kunnen doen. Het waren de twee minst betrouwbare mannen die ze kende, en dat maakte het moeilijk om gerust te zijn op een plan waarbij het erom ging hoe ze zich gedroegen als zij er niet bij was. Maar goed, om kwart voor negen 's ochtends konden ze niet veel kwaad, en daarom wijdde ze zich aan het andere probleem waar ze mee zat, namelijk het opsporen van Lauren Schmidt.

Maar hoe vind je iemand? Hoe bewijs je dat ze bestaat? Op dat gebied bezat Helen totaal geen vaardigheden. Toen ze het meisje googelde kreeg ze het gebruikelijke moeras van vijfduizend willekeurige meldingen van een vrouw met die naam die al dan niet Bettina kon zijn. Een was zojuist eerste geworden bij het verspringen op de River Oaks High School in Winnetka, Illinois. Dus die kon je wegstrepen, maar hoeveel van de andere hits zouden ook naar die ene verwijzen? Daar was niet achter te komen, of anders was het voor iemand als zij volslagen ondoorzichtig hoe, dacht Helen. Ze klikte op Afbeeldingen en hapte naar adem – gelukkig was er niemand in de buurt die het zou kunnen horen – want daar was ze, die vreselijke bitch van de première de vorige week. Ze was door Patrick McMullan gefotografeerd op een liefdadigheidsgala en keek glimlachend in de camera met haar getatoeëerde arm om een ander strak geproportioneerd meisje, allebei in die houding waarin magere vrouwen met een bepaalde achtergrond altijd staan. Ze zag er uitermate zelfverzekerd uit, op een agressieve manier, alsof ze de camera uitdaagde haar anders vast te leggen dan ze gezien wilde worden. Maar wel mooi. Hamilton en zij moesten een fraai stel hebben gevormd, een intense gloed hebben uitgestraald in die schimmelige, kleurloze omgeving, god verhoede dat iemand hen daar had gezien.

Er waren legio adreslijsten voor mensen in het vak, en legio bedrijfjes die beloofden iedereen op te sporen wiens privacy je maar wilde schenden, met alle essentiële informatie erbij. Het duurde nooit langer dan twee muisklikken voor ze om geld vroegen, en Helen, die haar persoonlijke creditcard en adres gebruikte, meldde zich bij allemaal aan. Ze probeerde een telefoonnummer dat ergens aan Bettina's echte naam gekoppeld was; het was afgesloten, en het viel niet te achterhalen sinds wanneer. De enige informatie die ze te pakken kreeg en waar ze iets mee kon, twintig minuten en zo'n tweehonderdzestig dollar later, was een huisadres aan 31st Avenue in Astoria. Inmiddels hoorde ze andere Malloy-werknemers langs haar dichte deur lopen, en ze wist dat de tijd begon te dringen.

Buiten op straat, met gebogen hoofd in de regen om te voorkomen dat iemand die het gebouw binnen ging haar herkende, hield Helen een taxi aan waarin ze helemaal naar Queens reed; ze herhaalde in gedachten onafgebroken het straat- en huisnummer, in overeenstemming met haar besluit niets zwart op wit te zetten. Het bleek een smal gebouw zonder lift naast een viswinkel. Alle ramen waren donker. Beverig drukte Helen bij Lauren Schmidt op de zoemer, wel drie keer, en na de laatste keer ging ze snel een paar stappen achteruit, de treden af en de straat op, om te zien of er achter het raam op de tweede verdieping iets bewoog. Er was niemand; afgezien van Helen liep er halverwege de ochtend zelfs helemaal niemand buiten in de miezerregen, zeker niet iemand die een appartement zou kunnen hebben in hetzelfde gebouw als Bettina en antwoord zou kunnen geven op de vraag wanneer ze voor het laatst was gezien.

Maar daar had Helen elke uitleg aan kunnen geven die ze wilde. Mensen met een baan, zelfs degenen die als oproepkracht werkten, waren overdag maar hoogst zelden thuis. Welk gevoel dat bij je losmaakte was eigenlijk louter een kwestie van geloof, en ze nam de gelegenheid te baat om zichzelf te herinneren aan haar geloof in het idee dat Hamilton domweg niet in staat was tot wat hij meende te hebben gedaan, hoezeer hij daar zelf ook van overtuigd was. Zelfs al waren er drugs in het spel, een moordenaar was hij niet. Het maakte niet uit dat zij hem alleen als kind had gekend; haar gevoel van wat hij wel of niet in zich had was sterker en betrouwbaarder, geloofde ze, dan dat van hemzelf. Daarom had hij nu juist een beroep op haar gedaan.

Omdat ze in die regen met geen mogelijkheid een taxi kon vinden, liep ze uiteindelijk maar in westelijke richting tot ze een metrohalte vond, aan de Q-lijn. Ze had niet eens geweten dat er een Q-lijn bestond. Pas tegen lunchtijd kwam ze op kantoor terug en toen de liftdeur openging stond ze meteen oog in oog met Ashok, die enorm leek te schrikken toen hij haar zag, alsof hij had gehoord dat ze dood was. 'Meneer Malloy moet je hebben,' zei hij zonder noodzaak fluisterend. 'Hij kwam zelfs naar beneden om je te zoeken. Hij had iemand bij zich. En hij was niet blij dat ik niet wist waar je was.'

'Sorry,' zei Helen. Ze trok haar geruïneerde schoenen uit en deed ze toen weer aan. 'Het spijt me dat ik jou in die positie heb gebracht.' Ze kreeg een rood gezicht en moest moeite doen om niet te gaan huilen. 'Die man die hij bij zich had,' zei ze. 'Was dat… Die was toch niet toevallig van de politie of zo?'

Ashok keek geruststellend verbaasd. 'Van de politie?' vroeg hij. 'Nee, nu zit je er wel heel ver naast. Hij was… Hij droeg zo'n boord, als een priester of een geestelijke, weet ik veel.'

Plotseling leek het alsof ze niets stommers had kunnen doen dan terugkomen naar kantoor. Hoe groot het ook was, Malloy Worldwide was in zijn concrete vorm niet groot genoeg om je in te verstoppen. 'Luister, Ashok,' zei ze, 'ik wil dat je iets voor me doet. Je moet tegen Arturo en wie er nog meer naar vraagt zeggen dat ik een voicemail voor je heb ingesproken om te zeggen dat ik een snipperdag neem. Ik geloof niet dat ik hier al lang genoeg werk om daarvoor in aanmerking te komen, maar laten we maar zeggen dat ik dat niet doorhad.'

'En waarom neem je die snipperdag?' vroeg Ashok, die bijna grappig aandachtig keek, zoals altijd wanneer er een strategie werd besproken.

'Laten we maar zeggen…' Ze sloot haar ogen en zuchtte. 'Laten we maar zeggen dat mijn dochter in moeilijkheden zit. Zo moet je het natuurlijk niet zeggen, maar… oké, dat ze ernstig ziek is.'

Hij knikte.

'Het is heel erg om je te vragen daarover te liegen,' zei Helen. Ze liet zich verleiden even met haar hand langs zijn ronde gezicht te strijken. 'Vergeef me alsjeblieft dat ik het vraag.'

'Voor jou, Helen, alles,' zei Ashok.

Eerst durfde Ben Hamilton Barth niet langer dan een paar minuten uit het oog te verliezen, omdat hij door de overbezorgde manier waarop Helen met de man omging, aannam dat hij zo'n figuur was die ervandoor zou gaan, door het raam of over het dak, tot iemand hem herkende en hem een lift gaf naar de dichtstbijzijnde bar. Alsof Ben zelf, en zijn huis, een soort ontwenningskliniek was. Hij had mannen als Hamilton in Stages ontmoet – somber, narcistisch, te koop lopend met hun passiviteit – en hij had gezien hoe goed de counselors die in de gaten hielden. Maar er ging een dag voorbij – een dag die Hamilton voor de helft slapend in Bens bed doorbracht – en tegen de volgende middag bleef Ben bij hem in de buurt om een andere reden, namelijk dat de man in zijn ogen zo down was dat hij weleens aan zelfmoord zou kunnen denken. Ben had geen idee op welke signalen hij attent moest zijn of zo; het was alleen maar een gevoel. En hij wilde niet dat zijn huis een heiligdom werd waar een tragische, tot martelaar gemaakte filmster de laatste adem had uitgeblazen.

Hij belde Bonifacio om te zeggen dat hij die middag niet naar kantoor kwam; hij zou weleens iets onder de leden kunnen hebben, beweerde hij. 'Oei,' zei Bonifacio met zijn gebruikelijke luchtige, plagerige venijn. 'Dagje ziek, hè? Tja, dat kan een puntje worden in je functioneringsgesprek. Neem een bordje kippensoep en een vitaminepil en laat morgen even horen hoe het ermee staat.'

Ben hing op. Hamilton was weer in de slaapkamer, niet uit zichzelf maar omdat Ben hem daar, zoals opgedragen, had verborgen terwijl twee mannen in overall een eettafel en vier stoelen naar binnen droegen. Zodra hun vrachtwagen luidruchtig over de heuvel wegreed, verwachtte Ben Hamilton weer tevoorschijn te zien komen, maar de slaapkamerdeur bleef dicht. Hij klopte, en toen er geen reactie kwam duwde hij de deur voorzichtig open. Hamilton lag in een van Bens poloshirts en een spijkerbroek die ook van hem was overdwars op zijn zij op bed, met zijn handen tussen zijn knieën en waterige ogen.

'Heb je honger?' vroeg Ben luider dan nodig. 'Je zult wel uitgehongerd zijn.'

'Niet echt,' zei Hamilton.

Bens bezorgdheid vermengde zich met opluchting omdat er nauwelijks iets te eten in huis was. Alles wat hij over die Hamilton Barth had gehoord, of ergens over hem had gelezen – over zijn pretenties, zijn genialiteit, zijn air van innerlijke kwelling – viel plotseling in het niet bij de noodzaak een band met hem te krijgen, een gemoedelijke sfeer van mannen onder elkaar te scheppen, en hem ervan te weerhouden zijn hoofd in Bens oven te steken of zich met Bens riem te verhangen. 'Wat dacht je dan van een borrel?' vroeg hij.

Hamiltons hoofd draaide langzaam zijn kant op. De ramen gingen nog schuil achter oude lappen; er waren nieuwe rolgordijnen aangeschaft, maar Ben zou een zoon van de eigenaar van de ijzerhandel moeten inhuren om ze te komen ophangen.

'Hoe laat is het?' vroeg Hamilton.

Het was omstreeks half twee, maar Ben haalde alleen maar zijn schouders op. 'Het is vast wel ergens vijf uur,' zei hij, een uitdrukking waar hij altijd de pest aan had gehad. 'Kom op, er kan ons niks gebeuren zolang we binnenshuis blijven. Kom maar mee naar de keuken,' vervolgde hij alsof hij het tegen een klein kind had, 'dan gaan we eens kijken wat we hebben.'

Er stond een fles rum, waarvan hij zich niet kon herinneren hem ingeslagen te hebben. Misschien stond die al wel van voor het huis in de verkoop ging in het kastje boven de koelkast, wist hij veel. Hoe dan ook, gemixt met sinaasappel- en cranberrysap smaakte het als iets wat je rustig midden op de dag zou mogen drinken. Ze leegden hun eerste glas in stilte; Ben nam dat van Hamilton aan en schonk nog eens in. Hij zag regendruppels op de vensterbank. Nou en, dacht hij, we waren toch al niet van plan een ommetje door de buurt te gaan maken.

Het verbaasde hem dat Hamilton, hoe afwezig en depressief hij ook mocht zijn, geen vragen meer stelde over waar hij was, niet over het huis en niet over Ben zelf: hoe komt het dat je zonder meubels in je eigen huis woont? Waarom heb je geen werk waar je naartoe moet? Van die dingen. Maar de man was een beroemdheid, een filmster. Zelfs op zijn neerslachtigst – juist op zijn neerslachtigst – vond hij het vanzelfsprekend dat ieders nieuwsgierigheid op hem gericht was.

'Dus je bent opgegroeid in Malloy, hè?' zei Ben in de mond van zijn glas. Hamiltons kin ging een stukje omhoog en hij knikte.

'Ik ben er zelf nooit geweest,' zei Ben, alleen maar om te voorkomen dat de stilte het weer overnam. 'Wel een keer in Watertown, toen haar moeder was gestorven.'

'Is Helens moeder gestorven?' vroeg Hamilton.

'Ja,' zei Ben, die zijn best moest doen niet buitensporig opgewonden te klinken omdat hij iets uit Hamilton had gekregen. 'In Florida, om precies te zijn, maar we moesten erheen om het huis te ontruimen en zo. Ze heeft me altijd verteld dat Watertown vergeleken bij Malloy net de grote stad was. Maar daar weet jij natuurlijk alles van.'

Hamilton dacht erover na. 'Zou kunnen dat ik dat nog weet,' zei hij. 'Ik ben veel vergeten. Eerlijk gezegd heb ik niet meer het gevoel dat ik ergens vandaan kom. Ik leef gewoon hier in het nu.'

'Tuurlijk,' zei Ben zo overtuigend mogelijk. 'Gelijk heb je.'

Buiten op straat klonk een mannenstem. Zo nonchalant mogelijk, als een acteur die iets op het podium moet doen in een toneelstuk, liep Ben naar de andere kant van de keuken en ging tussen Hamilton en het onbedekte raam staan.

'Maar jullie tweeën kenden elkaar als kind,' zei Ben. 'In zo'n kleine plaats. Dus hoe was Helen eigenlijk, als kind? Dat heb ik me vaak afgevraagd.'

'Om eerlijk te zijn,' zei Hamilton, 'kan ik me haar totaal niet herinneren, maar dat is echt niks persoonlijks, ik ben iedereen van toen vergeten. Het is meer een soort tijdreis met Helen, alsof zij uit mijn verleden hiernaartoe is gestuurd.'

Ben knikte, een geloofwaardig knikje hoopte hij. Hoewel hij trots was dat het hem was gelukt Hamilton aan de praat te krijgen, was het in feite best lastig een gesprek met de man gaande te houden. In een opwelling, half uit frustratie en onhandigheid, zei hij: 'Mag ik je dan iets vragen? Het blijft echt binnen deze vier muren. Ik weet wel dat je mij niet kent, maar geloof me, ik zou Helens vertrouwen niet opnieuw willen beschamen.' Dat 'opnieuw' ontglipte hem, maar Hamilton scheen het niet op te merken. 'Wat doe je hier? Waar verbergen we je voor?'

De spieren in Hamiltons gezicht bewogen iets, bijna willekeurig, alsof de rum hem langzaam wakker maakte. 'Ik geloof dat ik een soort psychotische fase heb gehad,' zei hij somber. 'Ik heb iets gedaan wat… Ik ging zeggen "wat eigenlijk niets voor mij was", maar dat is het 'm nu eigenlijk juist. Ik denk dat dat wel de echte ik was. En de rest van de tijd – zoals nu – heb ik gewoon dit gezicht dat ik opzet. Ik heb iets gedaan wat me heeft laten zien wie ik ben. Nu kan ik het niet meer níét zien.'

Dat klonk Ben nog begrijpelijker in de oren dan Hamilton had kunnen hopen, en hij gaf geen reactie. Hij hield zijn glas aan zijn mond tot de ijsblokjes omlaag gleden en tegen zijn tanden tikten. 'Zal ik je eens wat zeggen?' zei hij toen, en hij pakte Hamiltons glas weer van hem aan. 'Laat maar zitten. Het is jouw zaak. Ik weet zo genoeg.'

Precies op dat moment voelde hij zijn telefoon trillen in zijn zak: het zoveelste sms'je van Helen. 'Ze wil weten of het goed met je gaat,' zei hij. 'Gaat het goed met je?'

'Dus ze heeft Bettina nog niet gevonden?'

Ben wist niet wat dat betekende, of wat een antwoord van welke strekking dan ook met Hamiltons stemming zou kunnen doen. Daarom haalde hij alleen maar vrijblijvend zijn schouders op en sms'te toen terug aan Helen: *Hij slaapt.* 'En hoelang ben je eigenlijk al een klant van Helen?' vroeg hij. 'Ik moet bekennen dat ik niet goed weet wat voor werk ze precies doet.'

'Ik ben geen klant van haar.'

'Nee? O. Dan zal ik het wel verkeerd hebben begrepen – ik dacht dat dit met haar werk te maken had.'

'Niet zoveel,' zei Hamilton.

'Heb je haar professioneel ontmoet?'

'Nee,' zei Hamilton. 'Ik bedoel, zo zou ik het niet willen noemen.'

'En jullie hebben al die jaren geen contact gehouden, of zoiets?'

Hamilton schudde zijn hoofd.

'Maar waarom heb je van alle mensen dan juist haar gebeld toen je in moeilijkheden zat?' vroeg Ben. 'Puur uit nieuwsgierigheid.'

Eindelijk keek Hamilton hem even aan. 'Dat is een hoogst interessante vraag, man,' zei hij. 'Toen ik haar weer ontmoette moest ik meteen weer aan die nonnen denken. Die van vroeger op school. Ik bedoel er niks persoonlijks mee, ik zeg niet dat zij een non is, ik weet dat jij met haar getrouwd bent geweest. Maar ik kreeg zo'n gevoel bij haar zoals bij de nonnen, dat je eigenlijk om ze wilde lachen omdat ze zo wereldvreemd waren, maar als je dan eens bang was of in de narigheid zat, dan merkte je dat je aan ze moest denken. Hé, ik geloof dat ik me toch nog wel iets van die dingen uit Malloy herinner.'

Ben stond op om twee nieuwe drankjes voor hen te mixen, al was het sinaasappelsap nu op.

'Ze is geschift,' zei Hamilton. 'Ik snap volkomen waarom je niet met haar getrouwd kon blijven. Hé, mag ik jou iets vragen? Dat Chinese meisje dat hier was – dat is Helens dochter, dus ik neem aan dat ze ook jouw dochter is?'

'Dat klopt,' zei Ben. 'Sara.'

'Komt ze echt uit China?' Ben knikte. 'Dus jullie zijn daar naar het weeshuis en alles geweest?'

'Wel daarnaartoe,' zei Ben, 'maar niet naar het weeshuis. Ze wilden niet dat we dat zagen.'

'En is dat weleens pijnlijk?'

'Hoezo pijnlijk?'

'Om een kind te hebben van een ander ras dan jij,' zei Hamilton. 'Dat heb ik me altijd afgevraagd over adoptie. Ik bedoel, ik ben er geloof ik altijd van uitgegaan dat het in wezen ijdelheid was wat mensen er überhaupt toe brengt zich te reproduceren, en een kind adopteren dat totaal niet op je lijkt... Ik heb niet het idee dat dat die behoefte bevredigt. Heb ik het mis?'

Bens telefoon zoemde weer. Dat Hamilton kennelijk absoluut niet aanvoelde dat zijn vraag onbeschoft of te persoonlijk was, zei veel over het soort leven dat zulke mensen leidden, dacht Ben. 'In feite ging de hele adoptie op een paar momenten bijna niet door,' zei hij, 'en indertijd kon ik daar wel mee leven. Maar Helen zou er kapot van zijn geweest. Niet uit ijdelheid, denk ik. Jij wel? Hoe dan ook, het heeft er geen reet mee te maken hoe ze eruitzien. Je geeft ze een leven, en dan groeien ze op en roepen ze je opeens continu ter verantwoording. Misschien zou je er zelf ook wel eentje kunnen gebruiken.' Door het keukenraam zag hij een vrachtwagen van Sears die langzaam door Meadow Close reed, van huis naar huis, ongetwijfeld op zoek naar zijn huisnummer. Het zouden de vloerkleden of de boekenkasten wel zijn, maar wat het ook was, Hamilton zou weer een poosje in de slaapkamer opgesloten moeten worden. Ben ging op een van de keukenstoelen zitten, ook nieuw, zo nieuw dat hij nog stijf aanvoelde onder zijn achterwerk. 'Zal ik je eens wat zeggen?' zei hij. 'Wij draaien allebei een beetje door, hier zo opgesloten. Misschien kunnen we straks in de auto stappen en bijvoorbeeld naar Saugerties rijden, om een honkbalpet of zoiets voor je te kopen. Ik wed dat we wel onder de radar kunnen blijven. Ik rij wel. En dan zoeken we ergens waar we vanavond kunnen eten en gewoon kunnen zitten en niks hoeven te zeggen.'

Met een droevig glimlachje schudde Hamilton zijn hoofd. 'Zo werkt dat niet, man,' zei hij. 'Er is altijd iemand die je ziet. Zelfs nu hier heb ik nog een beetje het gevoel dat iemand me in de gaten houdt.'

7

Een of andere privédetective inhuren was de meest voor de hand liggende actie die ze nu kon ondernemen – 'voor de hand liggend' omdat haar enige referentiekader in deze situatie de televisie was. Er was echter niemand die haar kon vertellen hoe je een goede van een slechte kon onderscheiden, dus uiteindelijk koos ze maar voor degene met de meest serieuze website, al was dat eigenlijk haar eer te na. Hij heette Charles Cudahy en was een gepensioneerde rechercheur van de New Yorkse politie. Maar misschien klopte daar wel niks van. Omdat ze wist dat ze Hamilton moest afschermen door Cudahy zo weinig mogelijk informatie over hem te geven – net voldoende om zijn werk te kunnen doen – belde ze hem op vanuit een telefooncel, helemaal bij het Carl Schurz Park. Telefooncellen zag je tegenwoordig bijna nergens meer. Ze zei tegen hem dat ze op zoek was naar een jonge vrouw met een gewone naam.

'Wat weet u nog meer van haar?' vroeg Cudahy geduldig. Hij had een veel hogere stem dan ze had verwacht.

'Haar meest recente werkgever,' zei Helen. 'Al was ze daar alleen maar tijdelijk. Een recent adres. En een telefoonnummer, maar ik weet niet hoe recent dat is.'

'Kom maar op,' zei hij.

'Echt? Nu meteen? Wilt… moeten we niet eerst afspreken, of het in elk geval over de betaling hebben? Dit is alleen nog maar een verkennend…'

'We leven in het internettijdperk,' zei Cudahy, 'en het zou u verbazen hoeveel zaken er in deze business al binnen een halve minuut kunnen worden opgelost terwijl ik gewoon op mijn kont zit. Niet erg Humphrey Bogart-achtig, maar goed. Wat dacht u hiervan: als ik die mevrouw binnen twee minuten kan vinden terwijl ik u aan de telefoon heb, bent u me vijfhonderd dollar schuldig. Zo niet, dus als de zaak interessanter belooft te worden, maken we een traditionelere afspraak over het honorarium. Hoe lijkt u dat?'

Ze lepelde de weinige feiten op die ze wist en hoorde hem aan de andere kant van de lijn op een toetsenbord tikken. De telefooncel stond vlak bij de East River, niet ver van het huis van de burgemeester; aan de overkant was een nieuw duur flatgebouw met een portier die als een ouderwetse Keystone Kop op zijn voeten naar voren en achteren wiebelde en haar aanstaarde.

'Niks,' zei Cudahy opeens. 'Dit is een leuke. Hier moet ik mijn broek voor aantrekken. Geintje, ik kan u garanderen dat ik op dit moment een broek draag. Mijn voorschot bedraagt vijfentwintighonderd dollar. Alleen contant. Ik zie dat u vanuit een telefooncel in Manhattan belt, dus ik neem aan dat u niet weet hoe u in Bayside komt?'

Ze belde een koerier, stuurde een kascheque – van haar privérekening – en wachtte af. Haar hele leven leek nu wel een pose, een rookgordijn, een vermomming. Ze communiceerde via de achterdeur met haar eigen ex-man van wie alles vervelend genoeg nu afhing. Ze zou geen bezwaar hebben gehad tegen een soort webcam waarop ze hem vierentwintig uur per dag kon zien, want ze vertrouwde hem niet en ze wist dat ze hem alleen maar op stang zou jagen als ze dat liet merken door hem elk uur dwangmatig een sms te sturen. Wat haar werk betrof: ze kon best een dagje spijbelen, maar niet eeuwig wegblijven omdat ze dan alleen maar de aandacht op zichzelf zou vestigen. Ze ging dus na tweeënhalve dag terug naar kantoor en zei tegen iedereen die ernaar vroeg dat met Sara alles goed was, dat ze niet ziek was en weer op school zat; dat klopte allemaal wel, maar het zette de oorspronkelijke leugen op scherp omdat het nu leek alsof het zo erg was geweest dat ze er niet over wilde praten. Ze wilde naar meneer Malloy gaan om hem persoonlijk haar verontschuldigingen aan te bieden, maar zijn privélift was niet toegankelijk en er was geen bel. Daarom stuurde ze maar een mail met uitgebreide en leugenachtige excuses. Twee uur later werd er een bos bloemen bij haar bezorgd. Ze keek er met een ellendig gevoel naar.

Die middag ging ze eindelijk aan de slag met de katholieke kerk-account, al vond ze dat nog steeds vreemd klinken en kon ze zich er maar moeilijk op concentreren. Omdat ze niet het risico wilden lopen dat ze met haar gezien werden, ging ze met de metro naar een anoniem kantoorgebouw bij het gemeentehuis. Het aartsbisdom New York was benaderd door een journalist van de *Post* die de indruk had gewekt dat er aan een groot artikel werd gewerkt over een geheime lijst van priesters die waren beschuldigd van seksueel misbruik, priesters die niet alleen maar naar andere parochies waren overgeplaatst, maar zelfs hun naam hadden laten veranderen.

'Bestaat die lijst echt?' vroeg Helen aan de eerwaarde Clement, de priester die verantwoordelijk was voor de pr van het aartsbisdom.

'Is het voor uw werk niet gemakkelijker om ervan uit te gaan dat het antwoord nee luidt?'

Helen knipperde met haar ogen en probeerde te bedenken wat ze hierop moest zeggen. 'Misschien helpt het als u me beschouwt als uw advocaat,' zei ze. 'Ik moet de waarheid weten om mijn werk te kunnen doen. Hoewel het beroepsgeheim strikt genomen voor ons natuurlijk niet bindend is, beschouwen wij dat wel als...' – ze aarzelde even toen ze het einde naderde van deze riedel die ze al zeker honderd keer voor de klanten had afgestoken – '... heilig.'

Clement glimlachte alleen maar. 'Ik begrijp het,' zei hij. 'In dat geval, tussen ons gezegd en gezwegen, waarbij ik niet wil uitsluiten dat deze journalist bluft, overdrijft of dingen verzint; ja, er bestaat inderdaad een dergelijke lijst.'

'Goed dan, eerwaarde,' zei ze, waarbij ze zich realiseerde dat ze een tikje minder geduldig was dan ze zou zijn geweest als ze minder aan haar hoofd had, 'mijn advies is heel eenvoudig, in uw geval zelfs nog eenvoudiger dan anders omdat ik u het concept waarschijnlijk niet hoef uit te leggen.'

Hij keek haar met een vragende glimlach aan.

'U moet het opbiechten.'

Zijn glimlach werd breder, maar ze zag er iets neerbuigends in. 'Ik moet te biecht gaan? Bij wie? Bij u? Bij de *New York Post*? Het doet me deugd dat u zich bekommert om ons geestelijk welzijn, maar op dat gebied zijn we al uitstekend voorzien. We komen juist bij u omdat we ook in uw wereld leven en opereren, en we net als elk ander instituut vooruit moeten.' Het gesprek ging nog een minuut of twintig zo door, waarna Helen geïrriteerd vertrok en per ongeluk in de metro naar Brooklyn stapte terwijl ze verstrooid op haar mobiel keek. Ze merkte dat pas aan de druk in haar oren toen ze onder de East River door gingen. Toen was het toch al te laat om nog voor sluitingstijd op kantoor te komen, dus ze keek op de metroplattegrond op het perron hoe ze het best naar huis kon.

De relatie tussen Sara en Helen was nu zo vriendelijk en zakelijk dat Sara het vage gevoel kreeg dat ze iets kapot had gemaakt. Haar moeder had haar al in geen dagen meer iets gevraagd. Ze werkte langer dan gewoonlijk, of misschien was er iets anders aan de hand, want toen Sara om vier uur naar Malloy belde om te vragen wat ze zouden eten, kreeg ze te horen dat mevrouw Armstead al was vertrokken. Toen Helen eindelijk rond zessen thuiskwam, maakte ze een ontzettend verstrooide indruk, maar niet op een goede manier. Misschien had die gast,

Hamilton Barth, alsnog haar hart gebroken. Ze kon het zich bijna niet voorstellen, maar alles wees erop.

En toen, na twee dagen waarin Sara tot haar opluchting niets van hem had gehoord, dook Cutter opeens weer op haar Facebookpagina op. Ze had anderhalve dag school gemist en nu waren er nog maar drie dagen van plichtmatig dvd's kijken van het schooljaar over. Ze schaamde zich dat ze het een prettig vooruitzicht vond om alleen nog maar telefonisch of online met Cutter te maken te hebben. Maar toen hij woensdag niet op school was en ze niets van hem hoorde, verzamelde ze moed en vroeg aan haar vroegere vriendin Tracy of ze hem had gezien.

'Heel geestig,' zei Tracy, maar toen ze zag hoe Sara haar aankeek, raakte ze geïnteresseerd, op een wraakzuchtige manier. 'Weet je het echt niet?' vroeg ze. Ze vertelde haar het hele verhaal vanuit haar perspectief, alsof iemand dat interessant zou vinden. Op dinsdagochtend was ze snel door de gang gelopen omdat ze bijna te laat was voor het eerste uur, ook al zou niemand zich daar druk over maken nu het schooljaar toch bijna afgelopen was, maar in de deuropening van hun lokaal stonden agenten, echte agenten. Het bleek dat Cutter ruzie had gekregen met meneer Hartford, de geschiedenisleraar – Sara wist dat dat niet voor het eerst was – en Cutter had meneer Hartford een stomp op zijn oog gegeven. Cutter was dus weg en kwam niet meer terug, zoveel was duidelijk; wat restte was dom giswerk over gevangenissen, rechtszaken enzovoort, waar Tracy vrolijk aan meedeed.

Sara had het gevoel dat het water zich boven haar hoofd sloot. Ze vond het vreselijk van zichzelf dat ze van hem af wilde zijn, dat ze de stille hoop had dat hij geen contact meer met haar zou proberen te krijgen. Toen ze die woensdagavond voor ze ging slapen nog één keer op haar Facebookpagina keek, dacht ze dat dat inderdaad was gelukt. Maar op donderdagochtend had ze opeens zevenentwintig nieuwe berichten, allemaal van hem.

Bij het laatste bericht stond een foto van haar waarop ze op de stoep voor hun flatgebouw liep in de kleren die ze de vorige dag had gedragen.

Ze verwijderde de berichten en blokkeerde hem. Hij probeert me alleen maar bang te maken, hield ze zich voor, maar ze moest toegeven dat hij daar wel in slaagde. Ze controleerde de voordeur, en dat was maar goed ook want haar moeder was vergeten die op slot te doen. Wat moest het heerlijk zijn, dacht ze in tranen, om in je eigen kleine wereldje te leven zonder de angst dat jou of iemand anders iets ergs zou overkomen.

Intussen kreeg Helen steeds minder vertrouwen in de situatie in Rensselaer Valley. Het feit dat ze met Ben voornamelijk smste, omdat ze steeds als ze hem sprak werd overspoeld door een golf van woede en schaamte, droeg vanzelf bij aan de afgemeten en dreigend gespannen toon van zijn verslagjes aan haar. Toch kon de situatie er alleen maar slechter op worden. Je kon gewoon niet van twee mannen met zo'n karakter verlangen dat ze niets deden, nergens naartoe gingen, met niemand praatten behalve met elkaar, en verwachten dat ze zich daar eeuwig aan hielden, maar dat was precies wat ze had gedaan, dat was haar enige plan. *Waar wachten we op?* was een van zijn laatste sms'jes, een minuut later gevolgd door: *Letterlijk?* Ze wachtten op een bewijs dat Bettina nog op deze wereld was, een bewijs dat met krankzinnig veel moeite en tegen schrikbarend hoge kosten opgespoord moest worden. Die avond bereidde Helen Sara er voorzichtig op voor dat ze vrijdag na haar werk misschien even snel op en neer moest naar Rensselaer Valley, een uurtje of twee maar, om te kijken hoe het met Hamilton ging. Ze maakte duidelijk dat het niet nodig was dat Sara ook meeging, maar dat wilde Sara per se.

Ben had inmiddels een paar keer het risico genomen om Hamilton alleen te laten terwijl hij twee uurtjes naar het kantoor van Bonifacio moest, en toen was er niets gebeurd. Het was geen slechte kerel, vond Ben. Wel een beetje egocentrisch, misschien.

's Avonds keken ze tv en dronken ze. Op de vierde avond, een vrijdag, was er een echte ouderwetse onweersbui die de ruiten in de sponningen deed rinkelen, en een minuut of tien later viel het signaal van de kabel die eerder op de dag was aangelegd uit.

'Dat is het,' zei Ben. 'Een teken. We moeten hier weg. Ik probeer dit echt voor Helen te doen, maar het wordt te gek, al die onduidelijkheid. Straks treffen ze ons hier allebei dood aan en dan weet niemand waarom.'

'Dat is wel een interessante kwestie die je daar aansnijdt,' zei Hamilton. Hij keek een beetje glazig. 'Jullie zijn toch gescheiden? Ik ben zelf nooit gescheiden, maar betekent dat niet dat je niet meer hoeft te doen wat zij zegt?'

Ben zette de ruisende tv uit. 'Dat is nogal ingewikkeld,' zei hij. 'Ik ben haar iets verschuldigd. Maar ik weet niet of ik het hier wel mee kan goedmaken.'

'Wat heb je dan gedaan?' vroeg Hamilton somber.

Ben kreeg een idee. Hij draaide de ijsklontjes rond in zijn glas. 'Dat zal ik vertellen,' zei hij, 'als jij me vertelt wat jij hebt gedaan.'

Hamilton dacht erover na. 'Oké,' zei hij. 'Lijkt me redelijk. Maar het kan zijn dat je daar spijt van krijgt. Dat er voor jou meer op het spel komt te staan.'

'Goed,' zei Ben. Hij was erg benieuwd, misschien had Hamilton wel met de vriendin van een producent geslapen, zoals in *The Godfather.* 'Maar niet hier. We moeten er echt even uit.'

'Geen bar,' zei Hamilton voorzichtig. 'Ik vind het geen probleem om iets stoms te doen of te zeggen waar jij bij bent, maar als ik ergens word herkend zijn we allebei de lul.'

Ben knikte. 'De dichtstbijzijnde bar is trouwens in New Castle, dat is hier vijftien kilometer vandaan, en als ik nog een keer word gepakt voor rijden onder invloed, is het afgelopen *pour moi.*'

Hamilton keek hem met opgetrokken wenkbrauwen aan.

'Oké, ik heb een idee. Een beetje anders dan anders, maar wel veilig. Het maakte jou niet uit waar we naartoe gaan, toch?'

'Volgens mij zei jij dat, maar inderdaad, het maakt mij niet uit.'

'Als het maar niet hier is. Oké. Doe me een lol en pak de wodka.'

Ben reed met vijfentwintig kilometer per uur naar het centrum en parkeerde de auto achter de ijzerhandel. Ze stommelden de trap op en hij deed de deur van het slot. 'Hier werk ik,' fluisterde hij. 'Maak je geen zorgen, er is hier ijs. Ik doe zo het licht aan, tel tot drie en doe het weer uit, want het is niet cool als iemand ons hier ziet. Klaar?'

Hij deed het licht aan en ze namen de kleine kantoorruimte snel in zich op. Leeg zag die er onbekend en een tikje kwaadaardig uit: het goedkope, bekraste bureau, de lawaaiige dossierkasten, de stoel die naar het raam geschoven was zodat Ben met zijn voeten op de vensterbank kon leunen, de gordijnen die bruin verkleurd waren door het vocht, de plant.

Ben realiseerde zich dat hij vergat te tellen, dus hij deed het licht snel weer uit. De duisternis leek nu nog dieper dan eerst. 'Nou weet ik niet meer waar die stoel stond,' zei Hamilton.

Bens mobiel ging weer, waar hij van schrok. Zonder naar het nummer te kijken – hij wist toch wel wie het was – zette hij hem uit.

Helen probeerde hem al meer dan een uur te bereiken, sinds de vergadering van die dag met de katholieken – die opnieuw was geëindigd in een patstelling – was afgelopen; ze had ook naar Hamiltons nummer gebeld, maar die nam zelfs in de beste omstandigheden bijna nooit op. Haar volgende telefoontje was naar die vervloekte Hertz-vestiging in de buurt van haar huis. Ze had een voorgevoel dat er iets mis was. De berichten die ze insprak en haar sms'jes lieten er geen twijfel over bestaan dat hij meteen contact met haar moest opnemen: in haar laatste bericht had ze gezegd dat als Ben niet direct terugbelde, ze van het ergste uitging en daar naartoe zou komen. Ze haalde de auto op, belde Sara om te zeggen dat ze over een half uur klaar moest staan, en reed naar de telefooncel bij het Carl Schurz Park om het telefoontje te plegen waar ze steeds over had gedacht.

Er had niet alleen niets in de kranten of op internet gestaan over de verdwijning van Hamilton Barth, maar ze had zelfs een stukje gelezen in de *Hollywood Reporter* waarin stond dat hij drie dagen geleden bij een vernissage in een galerie in Venice Beach was geweest. Ze wist dat die mensen goed in hun vak waren, maar als ze valse informatie gingen verspreiden, waren ze blijkbaar hevig in paniek. Hamiltons agent was een zekere Kyle Stine – ze had het opgezocht – en met een prepaid telefoonkaart die ze bij de Duane Reade had gekocht belde ze vanuit de eenzame telefooncel naar zijn kantoor.

'Nee,' zei ze tegen drie verschillende mensen, 'ik bel niet om informatie te vragen over Hamilton Barth. Ik bel om informatie over hem te géven. Wilt u dat doorgeven aan meneer Stine, dan blijf ik intussen aan de lijn.' En dat deed ze, bijna tien minuten. Ze keek naar de portier achter de glazen gevel van het gebouw aan de overkant. Hij zat aan zijn bureau in de gloed van de beveiligingsmonitoren.

'Met Kyle Stine,' zei een vijandige stem.

Helen slikte. 'Ik ben een vriendin van Hamilton,' zei ze snel, 'en ik weet dat jullie waarschijnlijk al een tijd niets meer van hem hebben gehoord. Ik wil alleen even zeggen dat alles goed met hem gaat…'

'Waar is hij?' vroeg Stine, op een toon die geforceerd kalm maar daardoor niet minder angstaanjagend klonk.

'Dat kan ik helaas niet zeggen,' zei Helen, 'alleen dat het goed met hem gaat en dat hij in veiligheid is.'

'Hoezo in veiligheid?' bulderde de stem. 'Met wie spreek ik eigenlijk? Jij gaat me nu godverdomme meteen vertellen waar je hem verborgen houdt!'

'Het gaat prima met hem,' zei Helen. 'Hij neemt wel contact op als hij eraan toe is.'

'Heb jij enig idee wat voor belangen er op het spel staan? Heb je hem soms gekidnapt of zo?'

'God, nee zeg, ik probeer hem alleen maar te helpen.'

Maar de stem had zijn mening al gevormd. 'Wat jij doet is op allerlei gronden misdadig, psychotisch kutwijf dat je bent, en als jij denkt dat ik jou niet ga opsporen om je met de grond gelijk te maken, dan heb je het godverdomme goed mis. Snap jij eigenlijk wel waar je mee bezig bent? Ben je soms zo'n gestoorde fan die denkt dat hij een speciale band met jou heeft? Een speciale relatie? Heb je wel door hoe ontzettend zielig jij bent? Als er iets met hem gebeurt, dan trap ik je zo'n eind in de grond dat er geen spoor meer van je over is. Heb jij enig idee wat er op dit moment al op je af komt?'

Helen hing hevig blozend op. De portier was gaan staan en stond door de ruit naar haar te kijken. Ze reed naar huis en trof Sara in de lobby. Ze had haar weekendtas bij zich en keek op haar mobiel.

'Waar is die tas voor?' vroeg Helen. 'We blijven niet slapen, hoor.'

'Ik ga niet meer met jou mee terug,' zei Sara. 'Ik wilde sowieso morgen met de trein gaan, maar dit is handiger. Ik wil naar huis, ik wil bij papa zijn. Ik voel me hier niet veilig. Ik voel me niet veilig bij een geflipte moeder die totaal niet geïnteresseerd is in het leven van haar dochter.'

'En je huiswerk dan?' vroeg Helen routinematig.

'Ik heb geen huiswerk meer. Vandaag was de laatste schooldag, leuk dat je dat wist. Jij bent door je werk blijkbaar in een of andere zombie veranderd, maar je doet maar, ik kies er nu voor om naar papa te gaan.'

'Daar heb jij niks over te zeggen.'

'Wedden?' vroeg Sara.

God sta me bij, dacht Helen, maar als Sara bij haar vader en Hamilton is, zijn die twee gemakkelijker binnenshuis te houden, kunnen ze er moeilijker vandoor gaan. Tien minuten later had Sara haar oortjes in en reed Helen boos, gekweld en zwijgend over de felverlichte West Side Highway.

Ben nam nog steeds zijn telefoon niet op, maar inmiddels kreeg ze een lacherige voorpret om dat kinderachtige gedrag van hem: dus jij had ervan op de hoogte gebracht willen worden dat je weer fulltime ouder zou worden? Misschien helpt het als je af en toe je mobiel opneemt. Toen ze bij het huis aan Meadow Close kwamen, waren alle lampen aan en drong het felle licht ervan langs de randen van de gesloten rolgordijnen alsof daarbinnen een industrieel hellevuur brandde. Helen klopte aan en duwde de deur open, op de hielen gevolgd door Sara. Er was niemand thuis. Die naakte waarheid wilde er bij Helen niet meteen in. Ze vloog met een rood hoofd door het huis, dat nu wel een krankzinnig pakhuis leek van nieuwe meubels die niet bij elkaar pasten.

'Wat is er aan de hand?' vroeg Sara.

'Niet te geloven, dit is echt niet te geloven,' zei Helen. 'Hoe heb ik zo stom kunnen zijn?'

Tweeënhalve kilometer verderop zaten Ben en Hamilton, inmiddels gewend aan het donker, in het advocatenkantoor van Bonifacio op de eerste verdieping. Ben had gezegd dat het van het grootste belang was om heel stil te zijn en had daarom zijn mobiel uitgezet. Bovendien wist hij dat hij nu toch veel te dronken was om een niet-alarmerend telefoongesprek met Helen te voeren. De wodka was bijna op en ze zaten al een half uur zonder ijs.

'Dit is de eerste keer sinds ik uit de ontwenningskliniek kom dat ik dronken ben, moet je nagaan,' zei Ben zacht, bijna fluisterend. 'Maak je trouwens geen zorgen, mijn drankprobleem was nep. Maar ik had wel andere problemen.'

'Ik ken heel veel mensen die dat ook hebben gedaan,' zei Hamilton.

'Maar eh, mag ik je wat vragen?' vroeg Ben. 'Jij bent dus een beroemde filmster. Alle mannen zijn jaloers op je en alle vrouwen willen met je naar bed, dat zeggen ze toch weleens? Oké, hoe is dat nou echt? Is het echt zo fantastisch? Want als ik zulke sterren weleens hoor snotteren dat ze helemaal geen privacy meer hebben, dan denk ik: jezus wat een mietjes.'

'O ja?' reageerde Hamilton lauw. 'Dus zo'n leven lijkt jou ook wel wat? Kerels die overal waar je komt met een camera voor je neus staan, en altijd maar die leugens in de kranten en op tv? In het echt is het zelfs nog veel erger.'

'Ja,' zei Ben, 'volgens mij zou ik dat wel leuk gevonden hebben. Het is in elk geval groots en meeslepend. En het stelt wat voor. Je zit midden in je eigen leven, niet aan de periferie.' Hij liet de wodka walsen in zijn glas en keek door het raam naar de straatlantaarn. 'Periferie,' herhaalde hij langzaam.

'Zie je wel,' zei Hamilton. 'Dat denk jij. Iedereen denkt dat. Maar als je het zelf meemaakt, is het alsof je een rol speelt in een verhaal. Je probeert de verteller van dat verhaal te zijn, maar dat ben je niet. Je kunt wel proberen om eruit te ontsnappen, maar als je dat doet is het alsof het verhaal je steeds een stap voor blijft. Net als bij Pirandello. Heb je weleens iets van Pirandello gelezen?'

'Wat?' vroeg Ben. 'Nee. Waar heb je het eigenlijk over? Oké, luister, nou even van man tot man en niet eromheen draaien. De afgelopen vier dagen, of wat was het, dat jij hier bij mij in huis woonde is waarschijnlijk de langste tijd dat jij niet hebt geneukt sinds je van school kwam, waar of niet?'

Ben hoopte met deze vleiende opmerking hun band te versterken en wat smeuïge verhalen te horen te krijgen, maar het leek wel alsof hij in plaats daarvan een gevoelige snaar had geraakt. Hamilton zette zijn glas op de grond en sloeg zijn handen voor zijn ogen. 'Ik sta bekend als een zeer serieus man,' zei hij. 'En dat was ik vroeger ook. In mijn vrije tijd, als ik niet speelde, dan schilderde ik, ik schreef gedichten. Ik heb zelfs een paar boeken geschreven. Iedereen deed daar altijd wat lacherig over, maar het was eigenlijk helemaal niet zo slecht. Maar toen werd ik minder serieus. Hoe kan dat? Ouder en toch minder serieus. Waarom? Hoe ouder, hoe dichter bij de dood, hoe minder serieus. Klopt niks van. In elk geval ben ik toen pas goed begonnen met een hoop meiden neuken die ik niet eens kende. En dan heb ik het over de laatste zes tot acht jaar. Dat vond ik opeens ontzettend belangrijk. In die tijd wist ik dus niet wat dat betekende, waar dat op wees, maar nou weet ik het wel, nou is het opeens verdomd helder, maar ja, te laat.'

'Inderdaad,' zei Ben. 'Wacht, wat bedoel je daarmee, dat je het nou weet?'

'Heb ik je al verteld,' zei Hamilton.

'Jij hebt me helemaal geen zak verteld!'

'Ik heb een meisje vermoord,' zei Hamilton. Die woorden bleven een tijdlang in de duisternis hangen. Ben voelde de adrenaline door zijn roes schieten. 'Wat?' zei hij zacht. 'Hoe dan?'

'Weet ik niet. Raar dat je dat als eerste vraagt trouwens.'

'Hoezo?'

'Dat weet ik ook niet, alleen dat ik het kennelijk in me had en dat zij dat in mij heeft wakker geschud. Al die jaren heb ik kunnen uitvreten wat ik wilde. Maar dat ik dit ook in me had… En nu ben ik helemaal leeg vanbinnen.'

'Zit de…' Ben zweeg omdat hij iets meende te horen op de trap, maar dat waren waarschijnlijk zijn zenuwen. 'Zit de politie achter je aan? Probeert Helen jou te verbergen voor de politie? Dat vind ik niks voor…'

'Ik verberg me voor niemand. Ik moet van Helen hier blijven.'

'Waarom?'

'Omdat ze me niet gelooft. Ze gelooft niet dat ik het heb gedaan.'

'Wie heeft het volgens haar dan wel gedaan?'

Hamilton gaf geen antwoord.

'Dus de politie is niet naar jou op zoek?'

'Nee. Niemand zoekt me, behalve mijn agent, Kyle. Denk ik. Ik zou niet weten waarom.'

'Je zou niet weten waaróm?'

'Er moet eerst een lijk zijn,' zei Hamilton verdrietig. 'Anders gelooft niemand dat er een misdaad is gepleegd.'

Daar was het weer, dat gekraak van buiten, maar deze keer verbeeldde hij het zich niet. Buiten op de trap klonken voetstappen. Wat was er in godsnaam allemaal aan de hand? Hij gooide het restje wodka in de plantenbak en hield de lege fles omhoog, boven zijn hoofd, zonder uit de draaistoel op te staan. Er werd een gezicht tegen de glazen ruit gedrukt, daarna werd de deur geopend en ging het licht aan. En daar stond Bonifacio, nog nooit eerder zó zichtbaar van streek. Hij had een windjack aan met eronder een geruite pyjama, in zijn ene hand had hij een sleutelbos en in zijn andere, die hij nu slap langs zijn zij hield, een pistool.

'Wat is hier verdomme aan de hand?' vroeg hij. 'Ik ben door drie mensen opgebeld die allemaal zeiden dat hier werd ingebroken. Wat is dit? Een kantoorborrel? Midden in de nacht? Godsklere,' zei hij terwijl hij met het pistool wees, 'wist je dat jij sprekend op Hamilton Barth lijkt?'

Ben ging staan en maakte een uitnodigend gebaar naar de stoel. Daarna namen ze nog een rondje, uit de fles Jameson in Bonifacio's bureaulade. Iedereen kalmeerde en Bonifacio, die zelf ook al tamelijk aangeschoten moest zijn, bracht de twee mannen naar huis. Toen ze op de top van de heuvel kwamen, zag Ben een onbekende auto op de oprit staan. Hij greep Hamilton bij de arm. 'Nou zijn we er geweest,' zei hij. Bonifacio, die moe en geïrriteerd was, zette hen aan het begin van de oprit uit de auto. De twee mannen probeerden dapper te ontnuchteren terwijl ze over de oprit naar de voordeur marcheerden.

Vanuit de hal kon Ben Helen aan de keukentafel zien zitten. Sara lag languit op de nieuwe bank in de kamer. Hij bleef verlamd van angst tussen hen in staan, totdat Hamilton lomp langs hem heen drong, tegenover Helen ging zitten, zijn ellebogen op tafel plantte en zich naar haar toe boog.

'Wat heb je ontdekt?' vroeg hij.

'Waar hebben jullie twee in godsnaam gezeten?' vroeg ze op scherpe, hoge toon.

'Het zit anders dan jij denkt,' zei Ben.

'Helen, alsjeblieft,' zei Hamilton.

'We moesten er gewoon even uit,' zei Ben. 'Maar we hebben niks stoms gedaan. We zijn alleen naar Bonifacio's kantoor geweest.'

'Bonifacio's kantoor?' herhaalde Helen vol ongeloof. 'Om tien uur 's avonds?'

'Dan kon niemand ons zien,' zei Ben.

'En was dat ook zo?'

'Nou ja,' zei Ben, 'alleen Bonifacio.'

Helen legde haar hoofd op haar armen.

'Helen,' zei Hamilton weer. 'Hebben ze haar gevonden?'

'Wat? O. Nee, nog niks gehoord. We kunnen haar niet vinden, maar het goede nieuws is dat ze ook niet als vermist is opgegeven. Ze heeft geen vaste baan waar ze naartoe moet en ze is al een tijd niet meer in haar appartement geweest, maar dat zegt niks. Misschien heeft ze iemand anders gevonden om mee de koffer in te duiken.' Toen ze zijn gekwelde blik zag, werd haar toon zachter. 'Nou ja, in elk geval ben ik niet hierheen gereden omdat ik nieuws heb of zo. Ik maakte me zorgen omdat ik je steeds niet te pakken kon krijgen. O ja, en nog iets,' zei ze tegen Ben, 'blijkbaar wil je dochter voortaan bij jou wonen. Dus vandaar.'

Hamilton zuchtte, ging staan en liep onvast naar de woonkamer. Ben en hij waren duidelijk veel te bezopen om een zinnig gesprek op gang te houden, en Sara, die bang, verontwaardigd, verward en moe was, had al ruim een uur niets meer gezegd.

Toen Helen die drie zo zag, wilde ze een tijd niets liever dan hier weggaan, weg van de verantwoordelijkheid voor deze hele toestand. Maar een sterk gevoel van afmatting belette haar op te staan van de afzichtelijke nieuwe keukenstoel en het drong tot haar door dat ze veel te uitgeput was om in de auto te stappen en waar dan ook naartoe te rijden. 'Wacht!' zei ze hard, waarop iedereen zich naar haar omdraaide. 'Sara gaat naar haar kamer. Jullie twee naar de grote slaapkamer. Ik blijf hier en ik ga morgenochtend weg.'

De twee mannen keken elkaar aan. 'Ik kan anders wel op de bank slapen,' zei Hamilton, 'als...'

'Geen sprake van,' zei Helen. Ze stond met uiterste krachtsinspanning op, liep naar de woonkamer, en trok na een korte speurtocht naar de afstandsbediening gewoon maar de stekker uit de tv; daarna stond Sara zonder een woord te zeggen op, liep naar haar oude en toekomstige slaapkamer en deed de deur achter zich dicht. De mannen gingen gehoorzaam op het tweepersoonsbed voor pampus liggen nadat ook zij de deur achter zich dicht hadden gedaan, en eindelijk was Helen alleen, al kon ze haar ogen niet lang meer openhouden.

Ze wist dat het geen zin had om op zoek te gaan naar extra lakens of dekens. Ze ging op de harde bank liggen, die nieuw rook, en sloot haar ogen. Terwijl ze wegdommelde, herinnerde ze zich dat er in de opslag in New Castle een cederhouten dekenkist vol met heerlijke dekens stond. Een daarvan was nog van haar moeder geweest. Haar ogen knipperden open en ze zag het plafond van haar woonkamer, vreemd beschaduwd zonder haar oude schemerlampen en muurverlichting, maar toch nog steeds schrikbarend en verwijtend vertrouwd. Het moest toch allemaal een bepaalde betekenis hebben, dacht ze, een of andere logica, want het leek sterk op een grap: het moment waarop alles in haar leven verloren en zinloos leek en ze nergens meer grip op had, was juist het moment waarop ze allemaal weer onder één dak verenigd waren – en dan niet zomaar een dak, maar hun huis, het huis waarvan ze ooit de troostrijke gedachte had gekoesterd dat ze erin zou sterven. Nu was dat huis niet alleen wat het was, maar ook een valse parodie, niet alleen een pas verkocht en opnieuw ingericht huis in een buitenwijk, maar ook een krot. Ze wilde dat ze hier nooit had gewoond, maar tegelijkertijd droomde ze, met haar armen over elkaar en haar jas als een te korte deken over zich heen, dat het huis in brand stond, en dat Sara, Hamilton en Ben in de tuin stonden te roepen dat ze naar buiten moest rennen, dat ze het huis moest opgeven om zichzelf te redden, en dat ze dat niet deed.

Het volgende moment was er buiten net genoeg licht om de overwoekerde achtertuin te zien die in schaduwen gehuld was. Hamilton zat een meter naast de bank op de grond geduldig te wachten tot ze wakker werd. Ze keek met een plotselinge en pijnlijke hoofdbeweging op.

'Je praatte in je slaap,' zei hij.

Ze keek hem gedesoriënteerd aan.

'Dit kan zo natuurlijk niet doorgaan,' zei hij alsof ze midden in een gesprek zaten. 'Het is niet te doen, vooral niet nu jullie hier allemaal weer zijn. Ik bedoel, ik kan natuurlijk niet voor eeuwig in jullie souterrain of zo wonen. Ik moet de verantwoordelijkheid dragen voor wat ik heb gedaan en jullie laten doorgaan met jullie leven.'

'Nou, oké,' zei Helen schor. Ze kwam een beetje overeind en leunde op een elleboog. 'Mee eens. Ik bedoel dat je door moet gaan met je leven.'

'Ik heb mijn telefoon vanochtend opgeladen en zag niet tot mijn verrassing dat ze naar me op zoek zijn. En mijn agent is opgebeld door een vrouw die zei dat ze mij had gekidnapt. Ik moet maar weer eens terug, de wereld in, en de consequenties onder ogen zien. Ik kan niet wachten tot ze mij vinden, want als ze mij vinden, vinden ze jou ook.'

'Er komen helemaal geen consequenties, Hamilton, want je hebt niks gedaan. Maar ik ben het wel met je eens dat je de draad weer moet oppakken. Dat wordt weleens tijd. Wat wil je doen? Kan ik je helpen? Je hoeft alleen maar hier de deur uit te gaan, al zul je misschien wel een auto nodig hebben om naar het vliegveld te gaan of zo.'

'Ik wil dat je me vergeeft,' zei Hamilton.

'Waarvoor?' Er welde traag een gevoel van paniek in haar op. 'Er is nog steeds geen reden om te denken dat jij iets hebt gedaan waarvoor je vergeven zou moeten worden. De mensen zullen gewoon denken dat je gek geworden bent.'

'Ja, weet ik. Precies. Niemand zal er ooit iets van snappen, behalve wij tweeën. Dus de enige die mij hiermee kan helpen ben jij. Ik weet dat er iets is gebeurd. Ik weet dat ik iets heb gedaan. Ik keer dus terug naar mijn oude leven en wacht af tot er wordt aangebeld, of tot er een hand op mijn schouder wordt gelegd. Daar kan ik best mee leven. Maar dat andere heb ik nog wel nodig. Je weet wel. De absolutie.'

'De wat?' Ze kwam met moeite overeind. Ben was inmiddels ook de woonkamer binnen gekomen. 'Bedoel je… wil je dat ik met je naar de kerk ga?'

'Nee. Daar ben ik in geen dertig jaar meer geweest.'

'Dus?'

Hij schoof bizar genoeg op zijn knieën naar haar toe. 'Alleen van jou,' zei hij. 'Als je er goed over nadenkt, ben jij degene die het meeste van mij weet. Jij weet waar ik vandaan kom, hoe ik vroeger was. En als ik vraag om vergeving voor wat ik heb gedaan, ook al ben je het niet met me eens, dan nog ben jij de enige ter wereld die weet waar ik het eigenlijk over heb.' Hij keek naar de grond, en toen hij weer opkeek huilde hij. Ze staarde hem aan om te proberen in te schatten hoe echt zijn tranen waren. 'Het spijt me, Helen,' zei hij. 'Het spijt me allemaal zo. Het spijt me dat ik je leven heb geruïneerd, en dat ik ben wie ik ben en niet wie jij denkt dat ik ben. Kun je me vergeven?'

O, waar zit die meid toch? dacht Helen. Waar zit die stomme, arrogante, domme meid die aan dit alles een eind kan maken? Ze keek naar de pijn die op zijn gezicht te lezen stond: dat komt ervan als je een goed acteur bent, dacht ze – geen verschil tussen de werkelijkheid en de perfecte imitatie ervan, zelfs niet voor hemzelf. Zijn hele leven bestond uit method acting, een droom binnen een droom, maar wat hij ook van haar wilde, hoe absurd dat ook was: het was niet aan haar om het te weigeren. Ze legde haar handen op zijn wangen, bracht zijn gezicht met de wijd opengesperde ogen vlak voor het hare, en in het bijzijn van haar ex-man kuste ze hem zo lang en zo intens als ze nog kon. Na een paar ogenblikken begon hij haar kus te beantwoorden. Ze deed haar ogen open om te zien of hij de zijne wel gesloten had, wat zo was. Het duurde een volle minuut, en ze begon zich af te vragen of het niet uit de hand zou lopen. Niet dat ze het in dat geval zou kunnen tegenhouden. Er ging een deur in haar open, maar het drong tot haar door dat dat het geluid van een echte deur was: dat kon alleen maar de deur van Sara's slaapkamer verderop in de gang zijn, en ze maakte zich haastig van hem los en keek hem blozend en bibberig in zijn ogen.

Hij lachte naar haar, met zijn filmsterrenlach. Die had ze niet meer gezien sinds de avond van de première. 'Bedankt,' zei hij. Toen draaide hij zich om naar Ben, die geen vin had verroerd. 'Vriend,' zei hij, 'zou je mij misschien ergens naartoe kunnen brengen?'

Tegen de tijd dat Ben hem naar het vliegveld in Newburgh had gebracht, had zijn agent een vliegtuig gecharterd om hem daarvandaan terug te brengen naar Los Angeles. En hoewel ze vast iemand van het autoverhuurbedrijf hadden kunnen omkopen om te zeggen op wiens naam de huurauto stond waarmee Hamilton weer naar zijn oude leven was teruggebracht, lieten ze zo'n wraakactie achterwege, en er kwam niemand vragen stellen, ook de politie niet. Toen Ben haar eenmaal had ge-sms't dat Hamilton veilig in de lucht was en dat hij zelf op weg was naar huis, ging Helen naar haar oude badkamer en nam een douche, ook al moest ze daarna weer de kleren aan waar ze in had geslapen. Ze ging naar de keuken en vond daar een gloednieuw koffiezetapparaat. Uit de koelkast, die nog steeds haar oude koelkast was, viste ze een zak gemalen koffie, maar verder kon ze niks vinden wat een volwassene als ontbijt zou willen eten. Ze trok de lege groentela open en mopperde vol ongeloof, en voelde toen opeens iemands aanwezigheid. Ze ging rechtop staan, draaide zich om en zag dat Sara in de deuropening geleund stond in een oude voetbaltrui en een pyjamabroek. Ze beet op een vingernagel en keek naar haar moeder.

'Heb je goed geslapen?' vroeg Helen.

'Ja. Maar ik ben al een tijd wakker.' Ze bleef in de deuropening staan. Helen duwde de koelkastdeur dicht met haar voet en liep met volle handen door de keuken. 'Dit is echt een sjiek koffieapparaat,' zei ze, waarbij ze probeerde om niet gespannen te klinken. Ze wist niet of Sara had gezien dat zij Hamilton kuste, in het bijzijn van haar vader. Nogal lastig om dat uit te leggen. 'Heb jij dit samen met hem gekocht?'

'Wat ga je maken?' vroeg Sara zacht.

Helen keek naar de spullen die ze op het aanrecht had gezet. 'Ik kan wel een soort omelet maken,' zei ze, 'maar dan met kip, vrees ik.'

Ze waste de pan af die in de gootsteen stond en zette hem op het vuur. Het was nog steeds haar oude fornuis. En wat dan nog als ze het heeft gezien, dacht ze. Op een bepaald moment in je leven dringt het tot je door dat je ouders echte mensen zijn. Ze maakte wat kip klein met haar vingers, deed de stukjes in de pan en keek er sceptisch naar. Toen keek ze naar de lege plek op het aanrecht waar het messenblok en het kruidenrekje hadden gestaan.

'Het is zo vreemd,' zei Helen, 'om hier weer te zijn en niet te weten waar alles staat.'

'Wat heb je nodig?' vroeg Sara.

Helen beet op haar onderlip om te voorkomen dat ze ging huilen. Ze draaide zich om en keek uit het raam. Sara kwam achter haar de keuken in, deed laden en kastdeurtjes open en pakte twee plastic borden, twee vorken en een rubber spatel. Ze zette alles zachtjes op het aanrecht naast het fornuis. 'Dank je,' zei Helen. Toen het onduidelijke gerecht klaar was, gingen ze samen aan de keukentafel zitten en aten het op.

'Gaat het wel met je, mam?' vroeg Sara.

Helen legde haar vork neer en leunde naar achteren. 'Ja, prima hoor. Met jou ook?'

Sara knikte. Ze at haar bord leeg, maar stond niet op.

'Het spijt me allemaal zo,' zei Helen. 'Echt.'

'Ik zou niet weten waarom,' zei Sara. 'Je hebt je best gedaan. Jij voelt je veel te verantwoordelijk voor wat anderen doen, dat is het probleem.'

'O ja?' zei Helen. 'Waarom ben je dan zo hard voor mij?'

'Omdat iemand dat toch moet zijn.' Ze lachte er niet bij. Ze keken op toen ze Bens auto hoorden aankomen.

Helen reed terug naar de stad onder het voorwendsel dat de huurauto terug moest. Hoewel het zaterdag was, ging ze aan het werk, want ze hoopte dat ze de stilte op kantoor beter te verdragen zou vinden dan de stilte in haar appartement. Die avond, en de volgende, ging ze naar haar huis in de East Side, maar de eenzaamheid en de zorgen om Sara werden haar te veel en ze deed nauwelijks een oog dicht. Zonder Ben van haar plan op de hoogte te brengen, nam ze maandag na haar werk de trein naar Rensselaer Valley, en dat deed ze de rest van de week ook.

Ze sliep nog steeds op de bank en daar werd verder niet over gesproken. Omdat ze nu maar één auto hadden, bracht Ben haar 's ochtends naar het station. Aan het begin van de avond stonden er altijd taxi's klaar, maar toen hij eenmaal wist welke trein ze meestal nam, vond hij dat hij haar net zo goed van het station kon ophalen. Ze zag op de een of andere manier op tegen het gedoe om een vrachtwagen te huren en de meubels op te halen die nog steeds in New Castle in de opslag stonden, en bovendien werden er nog steeds dingen afgeleverd die Ben had besteld. Op een avond eind juni kwam Helen Sara's kamer binnen en zag een overvloed aan bekende spullen, zoals posters, knuffels en oude jaarboeken; die waren zo vertrouwd dat ze er best al een paar dagen hadden kunnen zijn zonder dat het haar was opgevallen. Toen ze erover begon, gaf Sara toe dat ze op een ochtend toen zij aan het werk was met haar vader naar de stad was gereden om wat spullen op te halen die ze zei niet te kunnen missen.

Helen had boos kunnen worden, vooral vanwege de soepelheid die ze hadden ontwikkeld in het nemen van besluiten zonder haar in te lichten, en ze nam zich voor om er een stevig gesprek over te voeren met Ben, maar de volgende dag was haar irritatie alweer gezakt en van dat gesprek kwam het niet meer. Later die zomer vroeg ze zich af of Ben Sara misschien al had ingeschreven voor haar nieuwe school, want daar hadden ze het verder niet meer over gehad. Maar opnieuw kwam ze er om de een of andere reden niet toe om het te vragen. Ze verklaarde dat door zichzelf eraan te herinneren dat ze de afgelopen tien jaar of nog langer de verantwoordelijkheid voor dergelijke saaie huishoudelijke taken had gedragen en dat het toen ook niet in haar hoofd was opgekomen om haar eega ermee lastig te vallen.

Op een bloedhete avond in augustus, toen Helen veilig in de forenzentrein zat, waarin de airconditioning op volle toeren draaide, zag ze dat haar mobiel oplichtte in haar tas, die op de zitting naast haar lag. Ze pakte hem voor het geval Ben of Sara haar belde; als het iemand anders was, zou ze niet opnemen want ze had een hekel aan mensen die boven het geraas van de trein uit in hun mobiel schreeuwden. Ze zag op het schermpje dat het Charles Cudahy was. Toen ze twintig minuten later in Rensselaer Valley uitstapte, stak ze een vinger op naar Ben, die in de auto naast het perron stond te wachten, en belde terug.

'Hoe komt u aan dit nummer?' vroeg ze.

'Dat is voor u een vraag en voor mij een weet,' zei Cudahy vrolijk. 'Je bent privédetective of je bent het niet.'

'Weet u ook hoe ik heet?' vroeg Helen, die probeerde kalm te blijven. Het was al zeven uur maar zo warm dat ze alweer begon te transpireren.

'Tuurlijk weet ik hoe u heet,' zei Cudahy. 'Op uw cheque stond de naam van de bank en ik heb zo hier en daar mijn mannetjes. Maar niet schrikken, ik bel alleen omdat ik nieuws heb.'

Helen zweeg. Ze keek naar Ben, die geduldig naar haar teruglachte. Geduld was een van zijn nieuwe eigenschappen die hem soms volstrekt onherkenbaar dreigden te maken.

'Lauren Schmidt,' zei Cudahy. 'Ik heb haar gevonden.'

Helen deed haar ogen dicht. 'Levend?'

'Wat? Ja, natuurlijk levend.' Cudahy klonk opeens wat minder vriendelijk. 'Ik wist niet eens dat dat nog maar de vraag was. Ze zat in een dure ontwenningskliniek in Vermont, maar ze was zo moeilijk op te sporen omdat ze onder een schuilnaam ingeschreven stond. In zulke instellingen vinden ze dat geen punt. Volgens mij wilde ze niet dat haar familie erachter kwam dat ze daar zat. Bent u dat? Bent u familie van haar?'

'Maar hoe is ze daar terechtgekomen?' vroeg Helen. 'Haar… ik weet zeker dat ze niet met haar eigen auto is gegaan.'

'Dat was dus de sleutel tot de hele zaak. Toen ze uit die kliniek werd ontslagen, ging ze op zoek naar haar auto, maar die was naar het politiebureau in een stadje in de buurt gesleept en stond daar ergens op een terrein tussen het onkruid. Ze is hem gaan halen en moest haar papieren laten zien om te bewijzen dat het echt haar auto was, en hoppa, ze was weer boven water.'

'Dus u weet waar ze is?' vroeg Helen. 'Hebt u haar gesproken?'

'Het lag niet op mijn pad om haar te spreken, maar ik weet inderdaad wel waar ze is. Ze is weer bij haar ouders in Laguna Beach, Californië. Ik heb een adres, een mailadres, een telefoonnummer, de hele rambam. Wilt u het hebben?'

Ze dacht niet dat daar nog iets goeds uit zou voortkomen. Het was genoeg om het te weten. Ze vroeg of ze hem nog geld schuldig was, maar hij zei van niet, hij had de cruciale telefoontjes in zijn eigen tijd gepleegd, en alleen omdat onopgeloste zaken slecht waren voor zijn bloeddruk. Ze hing op, stak de parkeerplaats over en gebaarde naar Ben dat hij het raampje naar beneden moest doen.

'Nog één telefoontje,' zei ze. 'Dat doe ik liever niet thuis. Sorry dat ik je laat wachten.'

Hij haalde zijn schouders op. 'Wil je niet in de auto bellen? Het is lekker koel hier.' Hij had een spijkerbroek en een poloshirt aan. Ze draaide zich om. Rond de spits kwam er hier om de vijfentwintig minuten een trein en er reden alweer auto's de parkeerplaats op. Veel tijd had ze niet. Ze belde Hamiltons mobiele nummer en luisterde naar het voicemailbericht waarin werd gezegd dat het niet meer bereikbaar was.

Ze had hem in de loop van de zomer een paar keer gegoogeld en een hele nieuwe serie roddels en links naar tijdschriften gevonden; daarin werd hij in verband gebracht met een of andere actrice of met een nog niet verfilmd script. Volgens *Variety* ging hij in de zomer een nieuwe film maken in Kopenhagen waarin hij de rol van Paul Gauguin speelde. Ze wist niet in hoeverre dat allemaal verzonnen was, maar het zag er wel heel echt uit.

Ze herinnerde zich de naam van zijn agent, Kyle Stine, en vroeg zijn nummer aan. Ze zag tegen het telefoontje op, maar had het gevoel dat ze geen keus had. Zijn secretaresse bood zonder veel enthousiasme aan om een bericht door te geven. 'Zeg tegen hem dat ik de vrouw ben die wist waar Hamilton Barth was,' zei Helen. Terwijl ze wachtte, voelde ze dat er naar haar gekeken werd nu zij als enige buiten op het dampende asfalt stond; ze voelde de blikken van haar buren die in hun stilstaande auto zaten te wachten. Dat was niks nieuws: iedereen staarde altijd naar haar en Ben, waar ze ook kwamen. 'Wat kan ik voor je doen?' vroeg Kyle Stine. 'Heb je weer een cliënt van mij gegijzeld?'

'Ik moet direct Hamilton Barth spreken,' zei Helen, die al een idee had hoe dit gesprek verder zou gaan. 'Ik heb informatie voor hem die zijn leven kan redden.'

'Tjongejonge,' zei de agent. 'Luister, eh, wacht even... Helen Armstead, in dienst van Malloy Worldwide in New York: met dit telefoontje is mijn dag goed. En niet alleen omdat het zo grappig is. Maar jij schijnt niet te weten wie ik ben. Want als jij wel wist wie ik was, dan zou je nu ook weten hoe ongelofelijk je het voor jezelf hebt verkloot door me met je eigen telefoon op te bellen. Wat denk je dat er gebeurt als je morgen op je werk komt? Dan zit er een ander naambordje op jouw deur, want dan ben jij je baan kwijt. Daar kan ik voor zorgen en voor nog heel wat meer ook.'

'Alstublieft, dat is niet van belang,' zei Helen. 'Ik moet echt dringend Hamilton spreken. Kunt u niet aan hem vragen of hij mij wil bellen?'

'Nog in geen honderd jaar,' zei Kyle Stine en hing op.

De koplampen van de volgende trein kwamen in zicht en ze ging snel van het perron af om niet verzwolgen te worden door de volgende lading passagiers. Ze ging naast Ben in de Audi zitten en hij reed zonder iets te zeggen weg. Ze kende elk nieuwsgierig gezicht dat ze in de wachtende auto's op de parkeerplaats zag, en ze wist dat voor hem hetzelfde gold. Ze woonden hier al hun hele leven. Maar nu hadden ze alleen elkaar. Tot haar verbazing voelde ze iets wat op tevredenheid leek toen ze bedacht dat Ben de enige ter wereld was die zou snappen waar ze het over had als ze hem vertelde wat haar zojuist was overkomen. En wat Hamilton betrof: hoe meer ze onderweg naar huis aan hem dacht, hoe meer ze ervan overtuigd raakte dat hij nu waarschijnlijk een beter leven leidde, dat hij ergens op een filmset zijn eigen laatste oordeel afwachtte, en met een gevoel dat het midden hield tussen nederigheid en arrogantie dacht dat dat onvermijdelijk was. Zo'n oordeel zou er uiteindelijk niet komen, maar die wetenschap voelde als een last, en daarom besloot ze er maar niemand anders mee lastig te vallen.

'Haal jij Sara op?' vroeg ze aan Ben toen ze de heuvel op reden. Sara had een vakantiebaantje in de bioscoop in de stad, waar ze kaartjes moest afscheuren. Ze moest een rood vest aan en beklaagde zich over de schadelijke effecten van een langdurige blootstelling aan debielen.

'Ze zegt dat ze met iemand meerijdt,' zei Ben. 'Een jongen.'

Helen keek met een ruk opzij. 'Een jongen,' zei ze sceptisch. 'Die auto rijdt. Om elf uur 's avonds.'

Ben zuchtte. 'Volgens mij kunnen we er wat dat soort dingen betreft wel op vertrouwen dat ze goede keuzes maakt,' zei hij. 'Maar ik kan haar wel ophalen als je wilt.'

Goede keuzes! Ze was veertien. Maar die bioscoop was nog geen twee kilometer ver. En Ben had wel gelijk wat hun dochter betrof: ze moest niet worden onderschat. Of het nu opzet was of niet: ze had voor elkaar gekregen wat voor elk kind van gescheiden ouders een wensdroom blijft. Nu haar dat was gelukt, was het nauwelijks voor te stellen dat ze in het leven iets tegen zou komen wat ze niet aan zou kunnen. Helen legde haar hand op Bens arm en had nu al te doen met die jongen, die vast niet tegen haar opgewassen was. Het zou haar niets verbazen als Sara nu al een provisorische alcoholtest aan het verzinnen was.

'Haar vertrouw ik ook wel, maar die mij onbekende jongen niet zo erg. Jongens en auto's... dan weet je het maar nooit. Ik zou het prettiger vinden als je haar ging ophalen.'

Ben haalde zijn schouders op. 'Wat je wilt,' zei hij. Hij zette de auto voor de garagedeur, stapte uit en bleef met zijn handen in zijn zakken naar het zonlicht staan kijken dat door de rij bomen gefilterd werd, tot Helen om de auto was gelopen en voor hem uit over het tuinpad liep. 'Die tuin ziet er nog steeds verschrikkelijk uit,' zei ze afwezig terwijl ze de treetjes naar de veranda op liepen.

'Sorry,' zei Ben. 'Morgen.' Hij hield de deur voor haar open en liet hem achter hen dichtvallen.